JN076892

津田政隣 政隣記

耳目甄録 拾九

従寛政八年—到寛政十二年

校訂・編集 代表 髙木喜美子

「政隣記を読む有志の会」

笠嶋 剛 南保信之

真山武志 森下正子

桂書房

政隣記　目次

従寛政八年到同十二年　耳目甄録　拾九

凡　例

一、金沢市立玉川図書館近世史料館所蔵の津田政隣著「政隣記」全三十一巻の内、「耳目甄録」十九巻（16.28・19・11）を底本とした。

一、原則として原文に忠実を旨とし、文意のため適宜読点・並列点を付けた。表敬の台頭・平出・闕字は表記しない。本文中の傍注（　）は校訂・編集者の書き込みである。

一、字体は原則として常用漢字を用いた。ただし、当時の慣用字・同義字・同音仮借（アテ字）はそのままとし、送り仮名もそのままとした。異体字も現常用漢字とし変体仮名は現行平仮名を用いた。助詞の而・者・茂・江・与・爾（尓）はポイントを落とし、テ・ハ・モ・ヘ・ト・ニとした。ゟはヨリとした。解読不能部分は「　　」（〇〇カ）、空白は「　　」（空白）、文意不明は「　　」（ママ）とした。明らかな脱字は□□（脱カ）、誤字は□（カ）とした。

一、読者の便宜を図るため、左の方策を講じた。

(1) 引用文は原則として原文のままとした。人名も巻末の氏名索引に入れていない。

(2) 上欄に注として、参考事項を記した。

(3) 朱書きは（朱）とした。

(4) 巻末に本文に記された事項ごとの「内容一覧」を記した。

(5) 巻末に藩士及び藩主関係者の「氏名索引」を付けた。

一、人名はゴチック体にし、藩士名は金沢市立玉川図書館近世史料館の「諸士系譜」「先祖一類由緒帳」及び「諸頭系譜」で比定し巻末にまとめた。

その他藩主関係・藩士以外の人名は欄上の注に『寛政重修諸家譜』及び『徳川諸家系譜』で比定し寛〇巻〇頁、徳〇巻〇頁で表記した。

付記

津田政隣（宝暦十一年（一七六一）～文化十一年（一八一四））、通称権平・左近右衛門、初諱正隣。父は正昌、政隣は明和中世禄七〇〇石を襲ぎ、大小将組に列し、藩主の前田重教・治脩・斉広の三世に仕え、大小将番頭・歩頭・町奉行・大小将組頭・馬廻頭に進み、宗門奉行を兼ね、職秩二〇〇石を受け、文化十年罷め、翌年没する。年五十九。読書を好み文才に富む。諸家の記録を渉猟し、天文七年以降安永七年に至る二四〇年間の事蹟を録して「政隣記」十一巻を著し、又安永八年より文化十一年に至る三十六年間自ら見聞する所を輯めて「耳目甄録」二十巻を著す。「耳目甄録」も亦通称「政隣記」を以て称せらる。並びに加賀藩の事蹟を徴するに頗る有益の書なり。（「石川県史」及び「加能郷土辞彙」より）

（内表紙）

従寛政八年　到同十二年

耳目甄録　拾九

此次従同十三年起
二月十三日ヨリ改元享和ト

寛政八年

● 寛政八丙辰歳 正月小 庚寅

御用番 村井又兵衛殿
御城代 本多安房守殿

朔日 雨天春寒初也、二日陰、三日快天申刻ヨリ風雨、四日快天、五日風雨、六日微雨、七日陰、八日九日雨、十日十一日十二日雪、朝迄ニ尺余積 十三日十四日十五日十六日快天、十七日ヨリ廿六日マテ雪雨交、廿七日晴、廿八日廿九日雪、今月気候春寒強し

同日 熨斗目長袴ニテ六時過登城、於御式台御帳ニ附六半時ヨリ五時迄出、八時前於柳之御間年頭御礼申上、青銅百足献上之、奏者前田兵部、年頭御規式等都テ去々年之通ニ付不記之

二日 三日以上三ケ日、兼役改方役所、前々之通相止、与力并足軽小頭一人宛見廻り、留書足軽并小遣ハ平日之通為御詰、其外廻り方足軽平日之通参出、廻り先相替義無之候得ハ小頭承置、追テ申聞、且品有之趣ハ直ニ申聞、拙者[1]不在合候得ハ封物ニ認置罷帰

四日 改方役所始、与力等不残罷出、別冊寛政録互見、雑煮餅等饗品之記有

六日 本役方組小頭并足軽共相招、具足之鏡餅・雑煮等為祝候饗品 寛政録ニ記ス互見

七日 人日為御祝詞五時登城、御帳ニ附、四時頃柳之御間ニ列居、御例之通、今日ハ御目見不被仰付、年寄衆謁ニテ退出

但例年之通、今月十五日・二月朔日、月次出仕相止候段、於御帳前承知之事

同日 九時御供揃ニテ広岡筋御放鷹、御鉄砲ニテ雁二羽・雀一羽被為打留

十二日 宝円寺御参詣等如御例

十五日 七日記之通、月次出仕無之

[1] 政隣

十七日　御宮御参詣、且於御前左之通

御持筒頭　富永左近右衛門代
御近習只今迄之通
御先手ョリ　生駒伝七郎

兼役御近習御用御免除之段
於御席、御用番又兵衛殿被仰渡
御先手　田辺長左衛門

御呼出之処、痛ニテ役引ニ付不罷出
同断　北村三郎左衛門

十八日　左之通、於御前被仰付

御先弓頭　生駒伝七郎代
御近習御用ハ御免除
御使番ョリ　久能吉大夫

同　日　左之人々へ当春御参勤御供被仰付并御表小将等へモ御供被仰付有之

御近習御用御用部屋人持組　石野主殿助
御小将頭兼御近習御用　堀　三郎兵衛
御持筒頭兼御近習御用　生駒伝七郎
物頭並御近習御用　勝尾吉左衛門
御表小将御番頭　村　杢右衛門
御使番兼御近習御用　石黒小右衛門
御表小将横目　林　十左衛門

廿一日　北村三郎左衛門痛平癒、昨日ョリ出勤之処、今日左之通於御前被仰付

廿二日　於御席、御用番又兵衛殿左之通被仰渡候段、木梨氏等ヨリ連名廻状到来

御留守居物頭　山崎茂兵衛代

御先手ヨリ　北村三郎左衛門

当春江戸表へ出府仕

吉田彦兵衛・今村三郎大夫ト

交代被仰付

木梨助三郎

小原惣左衛門

廿四日　左之通、於御前被仰付

御先筒頭　北村三郎左衛門代

御使番ヨリ　永原佐六郎

△

上総国・下総国村々百姓共、日蓮宗不受不施之伝法ヲ習受、其身ハ勿論人ニモすすめ、重き御仕置ニ相成候者モ有之、近年ニおよひ候テモ不受不施之僧俗、重科ニ行はるゝ所、右之内ニハ新門徒又ハ内信心等ト名目ヲ附、前々御仕置ニ相成候不受不施之僧ヲ日蓮同様ニ尊敬いたし候者、或何之弁なく右ニ加り候者迄モ夫々咎請候ハ、畢竟其所之支配人・村役人等心附方不行届故之儀ニ候、農業ヲ専一ニいとなみ分限ニ応し、先祖之法事・追善等執行ひ候ハ勿論之儀、いとま仕るものハ仏道ヲ信し候ハ勝手次第之事候得共、日蓮宗之内不受不施之訳等ハ百姓共之論すへき事にあらす、従公義取立置候宗門之外、帰依いたすへき筋ニ無之とのみ相心得候得ハ、事足る儀ニ候間、是等之趣モ能々相弁、紛敷宗法之持ち方等致し申間敷、右之通申渡上ハ、重テ不受不施類之宗門相持候もの有之候ハ、当人ハ不及申其所之者迄モ厳科可被行候、且右両国之外ニテモ不受不施ハ勿論之義、都テ何宗ニよらす異風なる執行ひ致間敷候、万一申勧め候もの於有之ハ、其所之奉行所并御代

官又ハ領主・地頭へ早々可申出候、右之通御料ハ御代官、私領ハ領主地頭ヨリ不洩様可申
渡候、右之趣可被相触候
八月
戸田采女正[1]殿御渡候御書付写一通相達候間、被得其意、答之儀ハ安藤大和守[2]方へ可被申
聞候、以上
九月朔日　大目付
御名殿　留守居中
日蓮宗不受不施之義ニ付、従公義相渡候御書付写一結弐通、相越之候条被得其意、御組
且又御家来末々まて可有御申渡候、以上
丙辰正月廿五日　長　大隅守印
本多安房守殿
別紙一結三通之趣、可被得其意候、以上
辰正月廿六日　本多安房守印
津田権平殿　但前田兵部等連名
猶以先々へ被相廻、落着ヨリ可被相返候、以上
廿七日　左之人々、御大小将ニ被仰付
六百五十石　十八才　浅井富次郎　成徳（ナリノリ）
六百石　十七才　奥村鉄七郎　照則（ヒテノリ）

1戸田純教（老中）
2安藤惟徳（大目付）

1 前田利道（大聖寺五代）女

五百石　十九才　石黒嘉弥之助　祇知（ナサトモ）

三百五十石　三十才　松田五郎兵衛　知郷（トモサト）

同　廿二才　矢野判六　尽資（ノフスケ）

三百三十石　廿八才　辰巳勘七郎　安之（ヤスユキ）

二百五十石　廿二才　神田才次郎　政令（ノリハル）

火之元之儀、随分厳重相心得候様、御家中ヲ初末々曁町家ニ至迄、不相洩様一統可申渡旨被仰出候条、被得其意、組・支配之人々へ可被申渡候、組等之内才許有之面々ハ其支配ヘモ相達候様被申聞、尤同役中可有伝達候事

右之趣可被得其意候、以上

正月廿六日　村井又兵衛

別紙之趣可被得其意旨、安房守殿ヨリ例文之御廻状有之

廿九日

左之紙面出之、但返書ハ無之、何時ニテモ指出候義不指支由也

私せかれ辰之助儀、当学校へ稽古等ニ指出申度奉存候、右為御届、如此御座候、以上

辰正月廿九日　津田権平判

佐藤勘兵衛等六人連名殿

正姫[1]様御用人並ニ被仰付、御馬廻組へ被加之　組外二之御丸御広式御用達ヨリ　井上太郎兵衛

1 前田斉広（十二代）

辛卯 二月大

御用番 長 九郎左衛門殿
御城代 前田大炊殿

朔日 微雪、二日三日四日快天、五日風雨、六日七日快天、八日風雪、九日快天寒風、十日陰、十一日十二日十三日雨、十四日晴、十五日十六日雨、十七日十八日晴、十九日廿日雨、廿一日廿二日廿三日廿四廿五日廿六日晴陰交、廿七日微雨、廿八日廿九日快天、晦日雨天、今月気候例年ヨリ暖和也

同日 前月七日記之通月次出仕無之、遠所在住等年頭御礼等被為請候事

三日 当春御参勤御発駕御日限、来月十五日ト被仰出候事

四日 広岡筋御放鷹、御獲物雁一羽、六日豆田口ヨリ野町筋同断、御獲物無之、七日大豆田口同断、鴇・鴨一宛、十三日大豆田口ヨリ堀川口ヘ同断、御拳ニテ鴨二羽・小鴨二羽、御打留鷭一羽、御射留雉子一羽、其外御次鷹等ニテ御獲物数十羽有之

八日 月次経書講釈聴聞登城、孟子・告子・章句上之内、長谷川準左衛門講ス

十一日 左之通、御用番九郎左衛門殿被仰渡

御先手 青木与右衛門

亀万千[1]殿御用被仰付
御近習御用ハ御免除

同日 大桶口ヘ御放鷹、袖黒之鶴一羽御打留

十二日 宝円寺ヘ御参詣

十三日 左之通、御用番九郎左衛門殿被仰渡

金谷御広式御用兼帯

亀万千殿御用兼御先手
青木与右衛門
井上勘右衛門

三人共
金谷御広式御用兼帯御免除

組外御番頭
中村八郎兵衛
同断
堀部五左衛門

但、三人共一昨十一日於御次御内々御意ヲ以、白銀三枚宛拝領、従亀万千殿モ染物三反宛拝領被仰付

定番御馬廻御番頭
青木多聞

耳不通等ニ付江戸御供等暨役儀共御断申上度旨願書付指出候処、今日於御別席書付御返、遂保養候様被仰渡

聞番物頭並
坂野忠兵衛

当御参勤御供等坂野忠兵衛代被仰付

同断
恒川七兵衛

但、坂野ヨリ御断書付就指出候、次順ヘ振替被仰渡候様仕度旨、同役長瀬五郎右衛門・七兵衛連名之紙面指出置候処、本文之通被仰渡

十五日　月次登城、四時過一統御目見、御意有之、夫ヨリ役儀之御礼等被為請

同　日　九時過ヨリ宮腰口ヘ御放鷹御出之処、風有之候ニ付半途ヨリ御帰、十八日大豆田口御放鷹之処、御獲物無之、廿二日松任筋ヘ同断、雁一羽御射留、小鴨一羽御拳、廿三日田井口同断、御餌指、雲雀一羽竿ニテ刺之

△御家中一統、春出銀如御定三月朔日ヨリ晦日迄之内、御組中并御支配・御自分共御上可被成候、且又当秋出銀之儀モ例年之通十月朔日ヨリ晦日迄之内御指出可被成候、為其如斯御

座候、以上

辰二月十日　　庄田兵庫判

本多安房守様

追テ春出銀之分、帳面ハ三月之月付ニテ四月十日迄之内御指出可被成候、以上

右紙面之写指越之候条、可被得其意候、以上

辰二月十三日　　本多安房守印

津田権平殿　但、前田兵部等連名

従跡々相達候両度触御定書之趣、急度可被得其意候、自是跡、書加申品無之候ニ付帳面不及差越候条可有其御心得候、以上

辰二月十三日　　本多安房守印

津田権平殿　但前ニ同

当年江戸御供并為御用、遠所ヘ罷出候面々、一季居下々奉公人居成ニ可召置候、但、暇遣候義ハ主人勝手次第ニ候条、如前々御組・御支配、且又御与力ヘモ可被仰触候、以上

辰二月二日　　藤田求馬判
原　九左衛門判
小幡式部判
前田内蔵太判

本多安房守殿

別紙公事場奉行紙面之写指越之候条、被得其意、与力并家来ヘモ可被申渡候、以上

辰二月十三日　　本多安房守印

津田権平殿　但前ニ同

右、今十五日持廻ニテ到来、且、右御定書帳面ハ去年十一月四日御差越、見届可返旨御添紙面ニ付留置、熟覧仕候上返上可仕旨及御応答、同月晦日・年中両度御触、御定書四冊物拝見仕、急度奉得其意、御箱封印仕、返上之仕候旨之判形紙面ヲ以御返申候事

但、右之節所持之四冊御定書帳ト見合候処、相違無之ニ付別ニ写取不申候事

廿三日　月次経書講釈為聴聞登城、去八日之次章、**石黒源五郎**講ス

廿四日　京都**紫野芳春院**、先頃以来御当地ヘ下り被在之候処、留守之内今月十八日火災、不残焼失之段、以早飛脚今日告来、右寺ハ**微妙院**[1]様御代御普請被仰付、金張付**探幽**之画等、其外結構至極ニ候処、此度焼失、依之此度モ従此方様御再建立ニテ可有之ト云々

廿六日　江戸御広式御用物頭並**土肥庄兵衛**義、御国ヘ罷帰候様御留守居**織田主税**迄、従御用番被仰遣、則**主税**申談ニテ江戸発、昨廿五日帰着之処、今朝、御用番**九郎左衛門**殿於御宅御横目指引、左之通被仰渡

役筋等心得違之趣有之ニ付急度指控被仰付　　**土肥庄兵衛**

右御咎之趣、役向心得違之趣有之、且又去年夏之頃以来高野山貯用之金銀数万御借受、御家中ヘ御貸渡可有之筈ト之取沙汰追々相募、秋ニ至候テハ弥慥ニ相成、一向相違無之、不日ニ到来等ト申事ニテ、其手当ヲ以普請取懸り、或ハ右金銀到来之上ハ諸物高価ニ可成、今之内可然ト之事ニテ、兼々望之諸道具等相求候人々モ有之候処、町人共ハ猶更右取沙汰ヲ実事ト心得、俄ニ金銀貸出し、高野銀借用次第可及返済ト之証文取受候者モ有之由云々

1江戸と金沢

畢竟虚説ニテ、却テ難渋ニ至り候人々増長、右起りハ江戸在住御医師外料関口道育ヲ江戸町人之内ヨリ申偽俗ニケ様之工面名ヲ山師共云々、前金為入用可受取工面之処、道育実ト相心得、土肥庄兵衛御貸小屋ヘ罷越申入候処、甚尤体之趣共ニ付、庄兵衛モ実ト心得、内々御留守居織田主税ヘモ申入候処、金沢表ヘモ申送等有之、右等ニ付東北[1]専之取沙汰ト相成、庄兵衛今般之御咎、此一件モ籠れりトモ云々、附、庄兵衛急度指控之義、同年七月十二日御免許

廿八日 左之通、於御前被仰付

隠居被仰付、隠居料二千五百石被下之　本多安房守

家督無相違　五万石　本多玄蕃助

付札　御横目ヘ

安房守隠居被仰付、玄蕃助家督無相違被仰付、人持組頭被仰付、安房守組御預被成候、座列河内守次、大炊上ト被仰出候、安房守加判御免、只今迄之通出仕、年寄共可申談候、公義御用ハ是迄之通、御城方御用向モ当分大炊可申談ト被仰出候条、前々之趣ヲ以、寄々可被申談候事

右、御用番九郎左衛門殿御渡之旨、於御横目所披見、申談有之

△同氏安房守義、今日隠居被仰付、拙者ヘ家督相続・人持組頭被仰付、安房守元組中御預被遊候、此等之趣為御承知如斯候、以上

二月廿八日　本多玄蕃助

津田権平殿　但連名前ニ同　附加藤廉之助ハ無之

本多安房守義、今日隠居被仰付、玄蕃助家督相続・人持組頭被仰付、各右組ニ被仰付候条可被得其意候、以上

丙辰二月廿八日　長　九郎左衛門印

津田権平殿　但連名前ニ同　附同断

廿九日　左之通、又候被仰越、是ハ兼役方ニ付テ之御紙面也、同氏安房守、昨廿八日隠居被仰付、拙者ヘ家督相続・人持組頭被仰付、安房守元組中御預被成候、此段為御承知如斯候、以上

二月廿九日　本多玄蕃助

津田権平殿

一、本多玄蕃助殿御組ニ就被仰付之役入証文并免目録、且通達人家来之内也、御組方御家来ヨリ呼立申談等之ため兼テ極置候者、自分方ニテハ梅村諫(カ)左衛門・沢井泳(カ)蔵也、判印鑑相改可被差出旨申談ニ付、三月四日御普請会所ヘ出之、先祖由緒一類附帳モ二冊相改、正月廿五日迄ニ可差出旨、同組筆頭前田兵部迄、玄蕃助殿ヨリ被仰越候由、兵部廻状ニ付来月十日指出候事

今月十八日　左之通

五人扶持ニ被召出　随安養子　中野又玄

今月廿一日　左之通被仰付

大かね奉行　御大小将　田尻和一郎

会所奉行ヨリ
堀　与一右衛門

改作奉行
御勝手方御用只今迄之通兼帯

丹後・丹波辺ヨリ八手合ニ分れ諸国ヘ出、於国々酒屋・醤油屋・味噌屋ヘ立寄、少々之代料ヲ以悪酒等忽直し可遣段申入、薬味ヲ入、二三日立候得ハ宜き酒等ニ相成候、右酒等致飲食候者ハ五十日計立、煩出し相果候、出雲国辺ニテハ八百人計相果候由、此間越前今庄駅ニテモ右族之者、酒屋ヘ立寄、悪酒直し候処、雲州等之義相知れ候ニ付一統触有之、右直し候売酒指留ニ相成、敦賀ニテハ右同類両人召捕候処、及白状露顕候、府中旅籠屋綿屋市大夫ト申者方ニ、右体之者泊り加州ヘ参候段申候由、越前筋ヘ為御用指遣置候兼役方手先足軽共、右等之趣承り告越候ニ付夫々申渡、役先ニテ無之所々之分ハ早速支配人ヘ可被仰渡旨御用番ヘ紙面差出候処、夫々被仰渡有之、一統御触モ有之、左之通

但、損し藍モ直し候由、右ニテ染候衣類着用候ハ、是又煩出候由云々

付札　定番頭ヘ

△

丹後・丹波之者之由ニテ八手合諸国ヘ罷出、於国々酒屋等ヘ立寄、悪酒忽直可申段申入、薬味ヲ入、二三日立候ヘハ宜き酒ニ相成、右酒ヲ呑申人ハ五十日程立候得ハ煩出、相果申由、此節越前致徘徊、御領国ヘモ入込可申段相聞候ニ付、右体之者立入候ハ召捕、及断候様夫々申渡候ニ付、為心得申達候

右之趣被得其意、組・支配之人々ヘ可被申渡候、組等之内才許有之面々ハ、其支配ヘモ申達候様可被申談候事、右之通一統可被申談候事

辰三月

別紙之通、可得其意旨、玄蕃助殿ヨリ同役連名之御廻文到来之事

壬辰三月

御用番　本多玄蕃助殿
御城代　前田大炊殿

朔　日　二日晴陰交、三日昼ヨリ雪春寒立帰、四日雨、五日快天、六日雨、七日快、八日雨、九日十日十一日快天、十二日風雨、十三日十四日晴、十五日十六日雨霰交（雷鳴余寒強）、十七日ヨリ廿三日マテ晴陰交、廿四日夕景ヨリ雷鳴大雨、廿五日ヨリ廿八日迄晴陰交、廿九日雨、今月気候寒暖混ス（ママ）

同　日　月次登城、四時過退出、但御奥書院代於御居間書院ニ本多玄蕃助献上、家督相続・人持組頭之御礼、本多安房守隠居之御礼被為請
右相済、於柳之御間、出仕之面々一統御目見御意有之、夫ヨリ於桧垣之御間、被召出候御礼等被為請

二　日　於御席、御年寄衆等御列座、御用番玄蕃助殿左之通被仰渡

組頭並江戸御広式御用ヨリ　河村儀右衛門　改　蹇叟
隠居料　百五十石

儀右衛門嫡子　河村弥右衛門
家督無相違　四百石

儀右衛門義、及老年候迄彼是役儀相勤、謙徳院[1]様御代以来、御近辺之御用等数十年実体全

1 重煕（八代）

相勤候ニ付隠居・家督被仰付

儀右衛門役料知被指除之、**弥右衛門**儀組外へ被加之

於頭宅申渡　御大小将　**佐藤八郎左衛門**

会所奉行

三　日　上巳出仕例年之通、年寄衆謁ニテ四頃相済、**高徳院**[1]様御祥月ニ付宝円寺へ御参詣

六　日　**亀万千**[2]殿御角入（すみいれ）等御祝有之

七　日　左之通、於御前被仰付　御小将頭ヨリ　**宮井典膳**

御馬廻頭　**中川四郎左衛門**代

御呼出之処、気滞ニ付不罷出、十八日互見　**岡田助右衛門**

八　日　月次経書講釈、前記之次章**鸖見平八**講ス、四時過相済退出

九　日　左之通、於御前被仰付　町奉行ヨリ　**青地七左衛門**

御小将頭　**宮井典膳**代

同　日　九半時御供揃ニテ同刻頃御出、粟ケ崎ヨリ宮腰へ御行歩、騎馬御供二十騎余被召連、何モ御近習也、且**亀万千**殿御同道之事

△当月十五日御発駕之筈ニ候条、十四日四時ヨリ九時迄之内被登城可被相伺御機嫌候、幼少・病気等之面々ハ御用番宅迄以使者可被申越候事、

一、当月十五日例月之出仕ハ相止候事

猶以難罷出人々ハ其段名之下ニ可被書記候、以上

1 利家（初代）

2 斉広（十二代）

右之趣、可被得其意候、以上

三月十日　　本多安房守

津田権平殿　但前田兵部等連名

右之通ニ候処、御疝積ニテ御発駕暫御延引被仰出候間、十四日不及登城、十五日例月之通出仕有之候旨、同十三日重テ御廻状有之

十二日　御寺御参詣無御座候事

十五日　月次出仕、年寄衆謁ニテ四時前退出

十六日　左之通被仰付、但覚左衛門義在大坂之処、御呼返ニテ此間帰着也

松寿院[1]様附御用人並　御勝(手)脱□方御用ヨリ　矢部覚左衛門

御役料如御格五十石被下之

△寛政八年御家中一統春出銀本高百石ニ付廿五匁懸り之内、春拾匁宛ニ御座候条、銀座封ニテ御名印御記御指出、御紙面ニ添来、四月四日朝五半時ヨリ九時迄之内、玄蕃助方ヘ以使者御指出可被成候、尤御承知之験、各御名下判形候テ御指越可被成候、以上

三月十六日　　榎並吉郎兵衛等四人　小組方役人也

前田兵部等家来通達一人連名様

猶以与力士十二ヶ月越病人有之候ハ早速御断可被成候、以上

松寿院様附御用人　同上並ヨリ　深尾七之助

---

1 重教女頴（保科容詮室）

1吉徳女煬

十八日　左之通於御前被仰付、但気分快、今日ヨリ出勤
祐仙院[1]様附御用人
　新御居宅御広式御用ヨリ　寺田久左衛門
御歩頭
兼役御用人只今迄之通
　御持方頭ヨリ　岡田助右衛門

十九日　同断
御持筒頭　岡田助右衛門代
　御留守居物頭ヨリ　槻尾甚助

廿一日　同断
町奉行　青地七左衛門代
　御歩頭ヨリ　富永右近右衛門
御留守居物頭　槻尾甚助代
　御先手ヨリ　木梨助三郎

同　日　左之通
指控御免許　去年十二月廿八日互見
　寄合　神谷治部
急度指控御免許
但学校へハ講日二七迄出座、其外於宅勤学可仕旨被仰出、去年十二月廿八日互見
　御儒者　新井升平
同断　同年十月廿六日互見
但御儒者被指除、書写役被仰付
　御儒者新番　大嶋忠蔵

1前田利考（大聖寺藩八代）

2重教女藤（高松侯徳川頼儀室）

廿三日　飛騨守[1]様御登城、御作法前々之通

右ニ付月次経書講釈相止候段、先達テ物頭以上筆頭或ハ御用番迄御横目ヨリ申来、夫ヨリ伝達有之

小石川御前[2]様附物頭並
広瀬武大夫

右武大夫義者頭並ニ被仰付、江戸御広式御用被仰付候段、今月二日御年寄衆御連印之奉書ヲ以被仰渡、同月十三日江戸表ヘ到来

廿四日　御発駕御日限、四月六日ト被仰出

付札　定番頭ヘ

近来せかれ所持不仕人々、末期養子願置候節、親類等之内相応之者無之候得ハ年増之者名跡相続相願、或続無之候テモ年増之者相願候兄或同姓或父方おち等ハ旧例モ有之候、其外父祖之血脈続遠者等遺書ニ相願候テモ近く願之通ト不被仰付候間、以来ハ右願方心得モ可有之ト存候、依之此段内証申聞候事、此次四月晶紙互見

辰三月

右、今廿四日御用番玄蕃助殿、向寄ニ可申談旨被仰聞候由ニテ、定番頭御用番武田喜左衛門ヨリ例文之廻状有之

廿六日　大豆田筋ヘ御放鷹

左之通被仰付

御馬役　武村侃九郎
十人扶持御引足　都合廿人扶持
但亡父三郎大夫御扶持高之通

同　片山久右衛門
五人扶持御引足　都合十五人扶持
但亡父甚左衛門御扶持高之通

右馬術心懸宜御馬方御用数年相勤、御用立ニ付右之通被仰付

御先手　田辺長左衛門
木梨助三郎転役就被仰付候
為代江戸詰被仰付

廿八日　亀万千[1]殿御同道宮腰ヘ御遠乗、騎馬御供二十人余被召連、但鰯網曳御覧有之

廿九日　定番御馬廻御番頭兼御倹約奉行遠藤次左衛門娘昨廿八日夜ヨリ行衛相知れ不申ニ付、内々相尋候得共、相知れ不申処、御大小将横目神田十郎左衛門家来若党渡辺幸助（当月四日迄次左衛門方ニ罷在候者ニテ此間中次左衛門方ヘ罷越）所為之体ニテ相聞ヘ疑敷趣有之ニ付、四月二日相糺候処、及自白、則十郎左衛門方若党部屋之内、敷板ヲ外し、其下ヘ入置、如元板畳ヲ並べ敷、其上ニ長持ヲ載置候段等委曲申顕候ニ付、則同夜次左衛門一類等罷越、右娘連れ来り、先縮所ヘ入置之、右若党幸助ハ十郎左衛門ヨリ貰受、翌三日夜令手討候、右等之趣ニ付先自分ニ指控可罷在哉之旨、同月四日頭定番頭迄指出、則御用番大炊殿ヘ相達候処、其通ト御指図有之、相慎罷在候処、翌年四月十三日右一件取捌方御定モ有之義之処、不心得之至ニ付役儀被指除、逼塞被仰付、頭不破和平定番頭也義モ支配次左衛門取捌心得違之処、一段宜ト存候段御意モ有之処、不心得之至、別テ重き御役モ相勤候処、不心得之至ニ付
同日指控被仰付

1 斉広（十二代）

今月廿一日夜、公事場御定、金沢町四ヶ所枯木橋・香林坊橋・小立野石引町・法舟寺町ニ有之嘱咤札四ヶ所共公事場奉行中連判之所并文言之内ヘモ致墨引有之候事

但同夜村田政之助・伊藤忠左衛門・岡田茂右衛門、長屋柱ニ刀ヲ以切懸躰数ヶ所出来、且本多玄蕃助殿家中惣門二ヶ所之扉ヲ外し、其辺明屋敷ヘ捨有之、将又町並家出口ニ小便桶ヲ釣置、外ヨリ過急ニ呼立ニ付、亭主等走り出候節、右桶ヘ行当り糞汁ヲ覆り候所ヲ見受、五六人之高笑ニテ逃去候事「三家共出大工町也」

但桶釣之義ハ去年以来度々有之、家之者共迷惑致し候由云々

癸巳四月大

御用番　前田大炊殿

御城代　御同人

朔　日ヨリ七日迄陰晴交、八日雨、九日十日十一日陰、十二日雨、十三日十四日快天、十五日十六日十七日雨、十八日十九日晴、廿日雨、廿一日ヨリ廿六日迄晴陰交、廿七日廿八日雨、廿九日晦日晴、今月気候大抵応時

同　日　月次出仕之処、兼役方指懸り候御用有之、御帳ニ附五時過退出、列居断之義御用番ヘ御達申并御横目中ヘモ申達帰候事

同　日　長谷観音祭礼能番組左之通、詰人町奉行伊藤平大夫・富永右近右衛門、御先手印牧弥門・河内山久大夫、御横目三宅平太左衛門

千歳　卯之助
翁　三番叟　次郎吉
面箱　永吉
高砂　権之進　田村　鍋吉　夕顔　宮門
当摩　権之進　右近　小左衛門
三本柱　専三郎　釣狐　三次　米市　徳次

二日　同断、詰人同断、但富永ハ役儀之御礼ニ付不罷出、御横目ハ横地茂太郎出

千歳　弥兵衛
翁　三番三　恒之丞
面箱　弥三郎
寝覚　善五郎　箙　幸三郎　草紙洗　権之進
鉢木　宮門　紅葉狩　初三郎　金札　権三郎
文角力　長内　楽阿弥　幸助　猿座頭　金五郎

同日　右祭礼ニ付兼役方為御用足軽等召連、彼辺自分[1]相廻候事

同日　役義之御礼等被為請

同日　左之通被仰渡

御大小将御番頭　堀助右衛門
今年詰番

公方[2]様御三男敬次郎(タカ)[3]様、前月廿三日尾張様[4]御養子ニ被仰出候、御祝儀之御使被仰付、従御旅中之御使之筈ニ付御内意被仰渡、御道中御供御近習騎馬モ先達テ被仰付置候処、今日表向被仰渡、六日朝御先ヘ発足可仕被仰渡候事

三日　宝円寺・天徳院・野田御廟ヘモ御参詣

1 政隣
2 徳川家斉
3 敬之助
4 徳川宗睦

1重教（十代）

同　日　寛政六年已来書上有之候十ヶ年皆勤之人々、於御次、今日**石野主殿助**等ヲ以、一段之
義被思召候旨之御意有之候事

四　日　明後日就御発駕ニ、去朔日御用番**大炊**殿依御廻文、今日四時過ヨリ九時迄之内、人持
・頭分布上下着用登城、伺御機嫌之御帳ニ付、於御帳前前々之通御留守中火事御定書披見、
退出候事

五　日　宝円寺并野田**泰雲院**[1]様御廟ヘ御参詣

六　日　御見立揃刻限六半時、御供揃五時ニテ四時過御発駕、今夜今石動御泊、但前々
之通改方小頭以上布上下着用、役所ヘ罷出之事
附御日図之通、十八日江戸御着、此次五月十五日互見

同　日　暁七時ヨリ大聖寺町家**魚屋五兵衛**ト申者家ヨリ出火、大家共百二十軒余焼失、朝五時
前鎮火

八　日　月次経書講釈、孟子前条之次、**長谷川準左衛門**勤之、聴聞外御用モ有之、九時前帰候
事

十五日　月次出仕、年寄衆等謁、四時前相済

同　日　寺中祭礼能番組左之通、詰人御先手**久能吉大夫・永原佐六郎**、宮腰町奉行**伊藤権五郎**
等也
但舞台年暦ヲ経、及大破候ニ付今般新出来、依之今日之番組ハ往古舞台出来之上初テ能有
之節之番組同断ト云々

千歳　八之丞
翁　三番三　元助
面箱　九郎左衛門
高砂　権進　田村　幸三郎　湯谷　権進
三輪　初三郎　邯鄲　宮門　猩々　又助
八幡前　兵八　悪太郎　直介　若菜　徳次

廿三日　月次経書講釈、前記之次、**石黒源五郎**勤之

名替　御歩頭采女事　**和田源次右衛門**

右、当御在府中御用人兼帯之処、御老中**戸田采女正**[1]殿ニ指障候ニ付伺之上、名改候段江戸ヨリ申来候事

去秋以来能囃子流行之処、段々流行、春来他行之節、於途中囃子之音声不聞事稀也、炎暑之頃暫薄り、秋ニ至又同断

前記三月廿四日ニ有之御用番**本多玄蕃助**殿ヨリ定番頭御用番**武田喜左衛門**ヘ御渡、同人ヨリ伝達廻状有之候せかれ所持不仕人々、末期養子年増之者願方之内、文段ニ父方おち等ハ旧例モ有之候――――此等之字いとこニモ当り可申哉、おち無之者ハ父方いとこ迄ハ苦ケ間敷儀ト相心得罷在候旨、御馬廻頭御用番**多田逸角**前月廿六日執筆**竹中伊兵衛**ヲ以**玄蕃助**殿ヘ御尋申置候処、今月十五日右**伊兵衛**ヲ以、右等之字いとこニ決定して被仰渡候趣ニテモ無御

1戸田氏教(寛14 379頁)

座候、おち之外ニテモ其気当ニヨリ可被及御指図候間、左様ニ相心得罷在候様ニト被仰聞候ニ付、為承知逸角ヨリ同役中ヘモ以廻状申談置候事

右覚書任一覧記之

甲午 五月小

御用番 奥村左京殿
御城代 前田大炊殿

朔日 二日三日陰晴交、四日五日六日七日八日九日十日十一日十二日雨陰交、十三日十四日十五日十六日陰晴交、十七日十八日雨、十九日ヨリ廿四日迄晴陰交、廿五日ヨリ廿九日迄雨、今月気候上旬冷交中旬下旬湿暑難堪

同日 月次出仕、御年寄衆等謁、四時前相済

五日 端午出仕、右同断

八日 月次経書、長谷川準左衛門前記ノ次講釈ス

十五日 月次出仕御年寄衆等謁、其節御用番左京殿左之通御演述、座上之者恐悦之旨申述、四時前相済

但拝聴迄ニテ御用番御宅ヘ参出ニ不及、且左之写同組筆頭前田兵部ヨリ追テ被相廻候事

前月十八日御機嫌能御着、同廿九日上使太田備中守[1]殿ヲ以被為蒙上意、当朔日御登城於御座之間御礼被仰上、殊ニ御手自御熨斗鮑御頂戴、前田図書・大音帯刀御目見被仰付、重畳難有御仕合ニ被思召候由、以御書被仰下候事

1 太田資愛（寛4 380頁）

1重教息斉敬

十九日　閉門等有無、当廿八日迄ニ可書出旨、前々之通御用番左京殿御触紙面写ヲ以、組頭玄

△
蕃助殿ヨリ例之通り御廻文到来ニ付、同廿二日左之通紙面差出之

閉門等書出有無之儀、当廿五日迄ニ御達可申上旨御触之趣奉得其意候、右可書出者無御

座候、以上

辰五月廿二日　津田権平判

本多玄蕃助様

廿三日　月次経書講釈聴聞登城、前記之次章石黒源五郎勤之

廿八日　自分当役料知仮所附、御算用場ヘ受取置候条請取人可指出旨、玄蕃助殿ヨリ被仰渡候ニ付判形紙面ヲ以、使者差出受取之候事

但知行所越中砺波郡木下村ヨリ戸出入、新川郡東種村ヨリ滑川入也

付札　御横目ヘ

△
観樹院[1]様御一周忌御法事、来月廿九日於天徳院御執行就被仰付候、頭分以上之面々勝手次第拝礼被仰付候条、右御法事御当日罷出拝礼可仕候事

一、観樹院様御附相勤候平士等之人々、新番並以上願次第拝礼被仰付候条、御法事御当日罷出可申候事、右之趣被得其意、夫々一統不相洩様可被申談候事

但長袴可致着用候

五月　奥村左京

猶以先々ヘ被相廻、落着ヨリ可被相返候、以上別紙之通可被得其意候、以上

六月四日

津田権平殿　但連名同前ニ　此次六月八日互見

本多玄蕃助

妻死去以後妾腹ニ男子出生、此男子ヲ亡妻之養子ニ相立度旨御達申候ハ御聞届可有御座候哉、右御聞届之上ハ母方之親類服忌如何可有御座候哉

有沢故才右衛門妻死去以後有沢数馬儀御馬廻組也妾腹ニ出生之処、右亡妻ヲ養母ニ相立、親類服忌請候趣ニテ由緒帳ニモ調指出候間、右ハ養母ニ難相立儀ト存候得共、是迄詮議区ニモ相聞得候ニ付、右之通相調、則数馬組頭宮井典膳ヨリ御用番左京殿ヘ執筆小竹政助ヲ以、今月五日御尋申置候処、右ハ養母ニ相立之儀ハ無之筈之旨、政助ヲ以同月八日左京殿被仰聞候事

右為承知、典膳ヨリ同役中ヘ以廻状申談候旨、任承記之

乙未六月小

御用番　長　九郎左衛門殿

御城代　前田大炊殿

朔　日ヨリ十三日迄雨天陰霽交、十四日夕ヨリ晴霽、十五日十六日陰、十七日ヨリ廿九日迄快天折々陰有、今月気候蒸暑難堪

同　日　月次出仕、御年寄衆等謁四時前相済、且左之通被仰付

御馬廻組ヨリ

小石川御前様[1]附御用人　井上太郎兵衛代、御格之通御役料五十石被下之、寺社奉行支配ニ被仰付

熊谷儀右衛門

1 重教女藤（高松侯徳川頼起室）

八日　月次経書講釈為聴聞登城、前記之次木下槌五郎講ス

△才川・浅野川々除ヘ塵芥等捨申間敷趣等御普請奉行阿部昌左衛門等ヨリ前月廿四日御用番ヘ指出候紙面写、但前々之通文段ニ付略ス

△犀川・浅野川共今年殺生人多く、其内ニハ末々心得違甚猥成義モ有之体ニ付、御横目足軽相廻、若右様之義於有之ハ急度為相咎候様申渡候、且又両川々除ヘ塵芥等捨置申間敷旨等之義ニ付、別紙御普請奉行出之故、写相越之候、右之趣前々申渡置候処、今以心得違之者モ有之体候条、以来猥成義無之様、組・支配之人々ヘ厳重可被申渡候、組等之内才許有之面々ハ其支配ヘモ相達候様被申聞、尤同役中可有伝達候事、右之趣可被得其意候、以上

六月七日　　長　九郎左衛門

右、今八日玄蕃助殿御廻状ヲ以如例到来

△御寺ヘ相詰候役懸御番人等裏門ヨリ可相通候事

一、拝礼罷出候人々之内、老人・幼少之者裏門ヨリ罷通候義勝手次第之事

但従者并挟箱断次第可相通旨、裏門番人足軽ヘ申渡候様割場奉行ヘ申渡候

一、天徳院勝手道具以下表門ヨリ可相通事

右之通被得其意、万端作法宜様可有示談候、尤夫々可被申談候、以上

六月五日　　奥村左京

御横目中

付札　御横目ヘ

御法事中相詰候刻従者之覚

一、宿所ョリ小将二人、若党二人、草履取二人、鎗持・挟箱持之外無用之事

但夜中ハ提灯持壱人

一、下馬下乗ョリ内小将二人、草履取壱人、挟箱持壱人

但雨天之刻傘持壱人

右之通、年寄中召連候間、御寺ヘ相詰候人々応分限致減少召連候様、夫々可被申談候事

付札　御横目ヘ

観樹院様御法事之節、於御寺御賄之義近例之通御歩並以上一統御賄無之候、足軽以下賄御寺引受ニテ被下候事

五月

右　　　　御横目二人宛

観樹院様御一周忌御法事、来月廿九日於天徳院就御執行、御寺ヘ相詰候面々卯刻迄ニ相揃、奉行人・諸役懸并御番人ハ卯之上刻相集、御法事相済候迄相詰可申候事

一、御寺ヘ相詰候頭分以上長袴着用之事

但御牌前御番人・火之番人ハ格別之事

一、御寺ヘ相詰候役懸り之面々ハ裏門ョリ可相通候、其外ハ無用之事、以上

五月

当月廿九日観樹院様御一周忌御法事ニ付別紙四通之趣、夫々可申談旨御法事御奉行左京殿

被仰聞候条御承知被成御同役御伝達、御組・御支配ヘモ不相洩相達候様、御申談可被成候、以上

六月六日　　　　御横目

御先手物頭衆中

右今日同役筆頭**小川八郎左衛門**且同組筆頭**前田兵部**ヨリモ廻状ヲ以写到来之事

△当月**観樹院**様御一周忌御法事於天徳院御執行之節拝礼刻限等

一、廿九日卯刻ヨリ辰上刻迄人持・物頭右刻限無相違様可相心得候、尤可有長袴着用候、且又従者等之義其外万端前々之趣ニ可相心得候、以上

六月十三日　　　　**奥村左京**

観樹院様御一周忌御法事、当月廿九日於天徳院御執行ニ付御射手・御異風稽古并諸組弓鉄砲稽古之義、御法事前々日ヨリ御法事中相止可申事

一、鷹野其外諸殺生、且又鳴物之義、廿七日ヨリ廿九日迄三日可有遠慮事

一、普請作事之義廿七日ヨリ廿九日迄指止可申事

但指急候普請等之義ハ不及遠慮候事

右之通被得其意、組・支配之人々ヘ可被申渡候、組等之内才許有之面々ハ其支配ヘモ相達候様被申聞、尤同役中可有伝達候事

右之趣可被得其意候、以上

六月十三日　　　　**奥村左京**

別紙壱結両通之趣、可被得其意候、以上

六月十四日　　　　　　　　　　　　本多玄蕃助

津田権平殿　但連名前ニ同

十五日　月次出仕、御年寄衆等謁、四時前相済候事

廿二日　左之通被仰付

　　　小石川御前[1]様附物頭並　　　　御大小将横目ヨリ
　　　　但江戸詰被仰付用意出来次第　　横地茂太郎
　　　　可致発足旨被仰渡

　　御用人当分加人御免　　　　　　　大組頭兼御異風才許ヨリ
　　　　　　　　　　　　　　　　　　　古屋孫市

廿三日　月次経書講釈為聴聞登城、前記之次木下槌五郎講ス

廿九日　前記之通於天徳院、観樹院様御一周忌御法事御執行、卯上刻出宅[2]拝礼、階上横畳三畳目ニテ仕候事

安芸守[3]様御領内、芸州五月上旬ヨリ雨天勝ニテ候処、今月二日大雨川々俄ニ洪水、常水ニ壱丈六尺余相増、損し人馬・損家等夥敷有之

細川越中守[4]殿御領内、肥後モ五月中旬ヨリ雨天勝之処、今月九日ヨリ十一日迄大雨降続、洪水暨阿蘇山等ヨリ山汐涌出、川々平陸之無差別相成、人畜家屋損亡夥敷、右等之趣御用番之御老中ヘ御届有之ニ付、此方様ヘモ為御知申来候事

右之筋国々其外奥州筋国々洪水等夥敷有之候段、江戸ヨリ申来ニ付記之

---

1 重教女藤（高松侯徳川頼起）
2 政隣宅
3 浅野重晟（『寛』5 344頁）
4 細川斉茲（『寛』2 215頁）

今月八日於江戸病死　御小将頭兼御近習御用　**堀　三郎兵衛**

同月十四日病死　新番頭　**斉藤与兵衛**

今月十三日　**仙台侯**[1]御領へ唐船漂流之事、七月晶紙へ書入互見

丙申　**七月**大

御城代　**前田大炊殿**

御用番　**村井又兵衛殿**

朔　日　二日快天烈暑、三日申上刻ヨリ大雷数声大雨如傾盆一頻、而又属晴、四日ヨリ廿二日マテ快天続烈暑、廿日頃山夕立ニテ朝夕涼、廿三日廿四日雨天、廿五日ヨリ晦日マテ快天続、今月気候大抵応時

同　日　月次出仕御年寄衆等謁、四時過相済、且左之通被仰付

御馬廻組　**奥村郡左衛門**

砺波・射水御郡奉行　**大野瀬兵衛**代

同　日　米価半納左之通、但余ハ准テ可知之

地米五十八匁位　羽喰米四十八匁位　井波米四十五匁位

△稲ニ花附実入ニ相成候間、石川・河北両御郡今月五日ヨリ九月廿五日迄、御家中鷹野遠慮之義、例之通御用番御触紙面写ヲ以、**玄蕃助**殿御廻文今月四日有之

1 伊達斉村

七日　七夕為御祝儀出仕、御年寄衆等謁、四時前相済

△喧嘩追懸者役　矢部七左衛門代　印牧弥門
弥門ヨリ廻文有之　七月十二日ヨリ
同組筆頭ヨリモ廻状有之　只今迄之通　河内山久大夫

八日　月次経書講釈前記之次、石黒源五郎相勤、如例登城聴聞

十一日　跡目左之通被仰付

三千石内五百石与力知　右近末期養子品川主殿二男　生駒専太郎

三百石　組外ヘ被加之　甚右衛門嫡子　村田政之助

同　同断　茂兵衛嫡子　山崎茂左衛門

六百石　御馬廻ヘ被加之　平馬末期養子同姓坂井権九郎二男　坂井甚太郎

四百五十石　御馬廻ヘ被加之　兵左衛門嫡子　菅野主税
主税ヘ被下置候知行并役料知ハ指除之

四百石　但組外ヘ被加之　忠大夫末期聟養子中泉七大夫二男　斉藤金十郎

千四百石　宇左衛門養子　一色昌助
昌助自分知二百石ハ宇左衛門先祖之御配分ニ候処、本家之養子ニ罷成候ニ付、宇左衛門知行千二百石共都合千四百石ニ被仰付

千二百石之三ノ一 四百石　権九郎末期聟養子同姓 北川倶老右衛門嫡子 北川栄太郎

五百石　勘大夫嫡子 小幡右膳

同　靱負せかれ 永原善次郎

百五十石　組外へ被加之　平吉郎養子 津田宇兵衛
宇兵衛へ被下置候御切米御扶持方ハ指除之

百三十石　宅次郎末期養子同人弟 水野和七郎

百石　久五郎嫡子 岡嶋重左衛門

百二十石　左膳養子 池田安太郎

百七十石　但組外へ被加之　宇兵衛せかれ 加藤新兵衛

二百石　吉左衛門せかれ 小西喜兵衛

二百石之三ノ一 六十石　小左衛門末期養子、同人指次弟 中西直太郎

十三日　縁組・養子等諸願被仰出

病気ニ付依願役儀御免除　定番御馬廻御番頭 千秋丈助

1騙り取る（だまし取ること）

同　日　於公事場有御赦、前月廿九日之依御法会也

廿一日　左之通被仰付

御大小将
高田牛之助

去年七月五日、於江戸表岸本太兵衛方へ会所奉行野口左平次名前之偽状持参、金子七両かたり取[1]候者有之、右紙面之手跡牛之助手跡ニ似寄申義風説モ有之候間、其節牛之助ヨリ厳敷御吟味モ可相願筈之処、ケ程重き儀ヲ御吟味モ不相願、不埒之趣ニ被思召候、依之逼塞被仰付

御大小将
阿部波江

右紙面高田牛之助手跡ニ似寄候ト申義、波江ヨリ申出候義証拠モ無之処ヲ申出候、依之遠慮被仰付

廿三日　月次経書講釈為聴聞登城、鶴見平八孟子前記之次相勤、今日ニテ告子章句下相済

廿八日　左之通

御留守居物頭
山崎彦右衛門

病死

今月三日於江戸、左之通被仰付

御歩頭　在江戸中御用人兼帯
和田源次右衛門

御小将頭　堀　三郎兵衛代

御持頭ヨリ
団　多大夫

御歩頭　和田源次右衛門代

右於御前被仰渡

1伊達斉村

当御在附中
御持頭兼御近習御用
生駒伝七郎
御用人兼帯
物頭並御近習御用
勝尾吉左衛門
右於御席被仰渡

神田鍋町北橋町九郎兵衛店
喜右衛門母　妙貞
其方儀、当辰百拾歳ニ相成、稀成長寿ニ付、米拾俵被下候間、難有可奉存

右喜右衛門
同人妻　りよ
其方共之内、喜右衛門母妙貞モ段々老衰いたし、渡世ニ罷出候跡介抱不手当ニ罷成候ニ付、九年以前申ノ年妻りよヲ呼迎候由、妙貞儀去秋頃迄ハ近所仏事等有之参度旨申候得ハ、歩行不自由ニ付、其方共両人之内背負罷越候義モ有之、平日母之申儀ハ不依何事ニ不相背様心懸け、食事等モ好物之品調為給、職分之外ハ他行等モ不致、喜右衛門留守中ハりよ儀心付手当いたし、去年冬頃よりハ別して妙貞致老衰、其上痰咳相煩候ニ付、夫婦共猶更大切ニ致介抱、食事等モ噛しめ候テ為給、不自由無之様真実ニ致取扱候段、両人共孝心成事ニ付、為褒美鳥目十貫文とらせ遣ス、右之趣申渡候間難有可奉存

辰七月廿六日
右町役人共

前月十三日　松平陸奥守[1]殿御領奥州牡鹿郡十三湊へ、十四人乗之唐船漂流之処、言語相通し不申候ニ付、唐人ヨリ左之通書テ指出之

大清乾隆中国　広東省広州府

新寧県 大沔（澳）港漁船妣（紕）風流来
此国不知 上下求到国王 肯引
正得回国 可悦家中父母妻子
右等之趣、従仙台侯公義へ被及御届候事

御城代 長 九郎左衛門殿
御用番 前田大炊殿

丁酉八月小

朔 日ヨリ六日迄快天、七日ヨリ十四日迄雨天、十五日十六日快天、十七日雨天、十八日快天、十九日雨昼ヨリ霽晴、廿日ヨリ廿五日マテ陰雨、廿六日モ雷雨ノ処昼ヨリ霽晴、廿七日廿八日晴、廿九日雷雨之処昼ヨリ霽晴、今月気候上旬秋暑強、中旬以来秋冷増

同 日 月次出仕御年寄衆等謁、四時前相済、且右以前於御席左之通御用番被仰渡

御大小将横目 横地茂太郎代
御大小将ヨリ 水原五左衛門

松寿院[1]様附御用人並
御役料御格之通五十石 深尾七之助代
御馬廻組御番人ヨリ 由比久左衛門

八 日 月次経書講釈為聴聞登城、長谷川準左衛門孟子尽心章句上勤之

十五日 月次出仕御年寄衆等謁、四時頃相済

／喧嘩追懸者役 河内山久大夫代 久能吉大夫
八月十七日ヨリ

1重教女頴（保科容詮室）

例之通久能廻状暨
同組筆頭前田兵部ヨリモ廻状到来

只今迄之通
印牧弥門

従跡々相達候両度触御定書之趣急度可被得
其意候、自是跡書加申品無之ニ付、帳面不及指越
候条可有其御心得候、以上

辰八月十八日
本多玄蕃助印

津田権平殿　但連名前ニ同

廿三日　月次経書講釈為聴聞登城、前記之次石黒源五郎勤

廿五日　山崎郁視義前月十一日御呼出之処、其節煩ニ付不罷出、本復ニ付今日御呼出、左之通
跡目被仰付

次郎兵衛養子
実ハ弟
山崎郁視

四百五十石　御馬廻組へ被加之
御近習只今迄之通、是迄被下置候御宛行ハ被指除之

廿八日　身延山祖師、日蓮像為修覆上京、帰山ハ東海道之由北陸道今昼野田寺町立像寺へ着輿、
路次見物人馬貴賤群集、且来月八日迄逗留、宝物類品々為見物有之、参詣人夥敷、寄進・
施物莫大之事也
但、実ハ塔中之像ニ候得共、本寺之像ト申触し候故、前代未聞トテ参詣人等夥敷有之ト
云々

御馬廻頭江守平馬組山田半内儀長病人也五カ年以前ヨリ風症、種々加療養候得共不宣、然

1 釜屋村

処能美郡かまや村[1]庄左衛門ト申者療治方功者ニ付半内ヨリ呼ニ遣候処、老人ニテ難罷越候、右在所ヘ半内参り候ハ加療養多分可為致快気旨申越候、依之彼所ヘ罷越度候、若、川支等モ有之候ハ致止宿之儀モ可有之段内談、紙面就指出候、頭平馬ヨリ御用番九郎左衛門殿ヘ先及御内達、療養方之儀ニ御座候間、何分御聞届有之様分テ及御送候処、委曲御承知被成候間、表向為相願候様被仰聞候ニ付、則書付取立平馬加奥書相達候処、右書付ニ御聞届候条罷帰候ハ御案内可申旨也御付札ヲ以今月廿五日被仰渡候ニ付、半内ヘ申渡有之候事

右任承記之

戊戌九月大

御用番 本多玄蕃助殿
御城代 前田大炊殿

朔日 降晴不定、二日ヨリ六日迄晴陰交、七日雨、八日九日十日晴陰交、十一日ヨリ十四日迄雨或陰交、十五日十六日快天、十七日ヨリ廿日迄雨、廿一日ヨリ廿七日マテ陰晴交、廿八日廿九日晦日雨天、今月気候大抵応時、併時々不順之暖有

同日 月次出仕、御年寄衆等謁、四時頃相済

七日 左之通被仰付

新番頭 斉藤与兵衛代 御歩頭ヨリ 篠嶋平左衛門
御歩頭 富永右近右衛門代 御持方頭ヨリ 原田又右衛門
御持筒頭 団 多大夫代 聞番物頭並ヨリ 坂野忠兵衛

1 政隣

2 重教女藤（高松侯頼儀室）

3 重教女藤（徳川頼儀高松侯室）

4 久田篤親

八　日　月次経書講釈、前記之次鶴見平八勤、自分[1]為聴聞出候得共、御用有之不能聴聞候事

九　日　重陽出仕、四時前御年寄衆等謁相済

但左之趣ニ付、江戸ヨリ之早飛脚夜前来着ニ候得共、無御沙汰当日御謁相済候事

△

小石川御前[2]様御気色御滞被成候処、不被為叶御療養、去二日御卒去之旨江戸表ヨリ昨夜申来候、依之為伺御機嫌、頭分以上之面々、今明日之内御用番宅迄可被罷出候、幼少・病気等之人々ハ以使者可被申越候

一、普請ハ昨日ヨリ三日、鳴物等ハ来ル十四日迄、日数七日遠慮之筈ニ候

右之趣、組・支配之人々へ可被申渡候、且又組等之内才許有之面々ハ、其支配へモ相達候様可被申聞候事、右之通可被得其意候、以上

九月九日　本多玄蕃助

別紙之趣可被得其意候、以上

九月九日　本多玄蕃助

津田権平殿　但急触ニ付同組五人連名

小石川御前様御法号　順正院[3]様

右、御遺体讃岐高松へ御移、今月十四日江戸御発棺、此方様御附ヨリ物頭並安達弥兵衛・御用人等儀兵衛[4]御供、為御代香御小将頭野村伊兵衛罷越

十　日　昨日之依御廻文、為伺御機嫌常服ニテ御用番宅へ参出之事

十四日　左之通被仰渡

御射手才許加人　原田又右衛門代　御先手頭　吉田彦兵衛
附十月八日本役被仰付

十五日　月次出仕、四時頃相済候事

廿二日　御先手兼**亀万千**[1]殿御用之**青木与右衛門**ヘ**亀万千**殿御儀御養子御願之通被仰出候段被仰
進候上、**相公**様之為御礼江戸表ヘ之御使被遣候旨、今日御内証被仰渡、但就御出府ニ右御
使御用無之候事

廿三日　月次前記之次、**石黒源五郎**講ス、登城聴聞之事

廿八日　左之通被仰付

遠慮　御馬廻組 河地才記組 **村上定之助**
寺西九左衛門家来中小将 **松永源五郎**

右**九左衛門**、組頭**長大隅守**殿御宅ヘ御呼出、**源五郎**義主人了簡次第ト被仰渡、依之只今迄
遠慮申付置候処、今日ヨリ逼塞申付候由、附、翌廿九日互見、委曲ヲ記ス

今月廿一日於江戸、被仰付

物頭並聞番　**坂野忠兵衛**代　聞番見習ヨリ **不破平左衛門**

廿九日　昨日記ニ有之御馬廻組**村上定之助**遠慮被仰付候等之旨、趣ハ今年六月廿三日夜、**寺西**
九左衛門家来中小将組**松永源五郎**ト申者、浅野川海老梁（簗）致見物有之候処ヘ、**村上定之助**罷

1 簗
2 取る支へ（仲裁すること）

越及口論組合、翌廿四日定之助ョリ九左衛門方ヘ昨夜浅野川於川縁、何者共不相知及口論組合候ニ付、切留可申ト存候処、同道人引分致了簡候様申聞候、右組合候節致怪我、右之手大指屈伸不自由ニ相成候故、右扱人村上伝右衛門弟九左衛門也ヘ引渡、追テ存寄有之候段申談罷帰候処、右相手ハ御自分様御家来松永源五郎ト申者之由承候、私ヘ対し法外之族不届ニ付、不得止事、願之筋有之候条、不縮無之様ニト以紙面申越候ニ付、九左衛門ヨリ吉田才一郎ヲ以挨拶有之候得共、定之助不致承引、扨又九左衛門ヨリ源五郎手前相尋候処、海老やな[1]ヘ罷越候テ海老ハ上り候哉ト尋候得ハ、尋テ何ニ致候ト申ニ付、彼是口論仕候処、其節誰ニテ候哉彼是取さへ[2]退申候、今日承候処、相手ハ村上定之助殿ト申事ニ御座候、夜中故軽き者ト存、慮外モ申入候ト奉存候、其上少々酒モ給罷在候旨等申聞、依テ右等之趣承知之段等、九左衛門ヨリ定之助ヘ返書遣之、右等之趣、御組頭大隅守殿ヘ委曲以紙面相達

一、七月七日、九左衛門ヨリ定之助ヘ以紙面御願之筋、致承知度段、先達テ以使者得御意候処、御僉議相極り不申ニ付、相極り次第可被仰越旨、御返答ニ候処、いまた何之御沙汰モ無之候、御願之筋承度段、重テ以紙面申遣候処、先達テ願紙面指出候得共、其義ニ付頭衆被申聞候趣有之、いまた僉儀決不申候間、重テ可得御意旨返書有之候事

一、同月十七日定之助ヨリ九左衛門ヘ源五郎義酒狂ニテ不埒之趣ニ御達申候段、先達テ御返書ニ候間、願之筋相止可申候条、御縮之義御宥候様致度段申来ニ付、承知之応答并別紙ヲ以、尤以来源五郎ニ被対御存念モ有間敷ト存候、猶承度段申遣、将又使者口達ヲ以、源五郎酒狂ト御申越候得共、先達テ酒狂トハ不申進、依テ先達テ申進候通、酒給罷在候旨及御返書ニ

候旨モ申遣候処、尤以来源五郎ヘ対し存寄無之、其外致承知候旨返書有之

右等之趣、七月廿日大隅守殿ヘ九左衛門ヨリ紙面差出

但、翌廿一日源五郎義縮之義御差図次第可相心得旨、大隅守殿ヘ九左衛門ヨリ及御達候事

一、九月廿八日大隅守殿御宅ヘ九左衛門御呼出、源五郎義ニ付定之助其場之首尾彼是不都合被思召候ニ付、遠慮被仰付候、源五郎手前之義モ定之助御咎ニ准し、九左衛門存寄次第可申付旨被仰出候段、御用番被仰談之旨被仰渡、依テ九左衛門ヨリ御請書付ニ、源五郎義逼塞申付置候段調差出候事

一、翌寛政九年五月、閉門等書出候様被仰渡有之節、右源五郎義九左衛門ヨリ書出之候処、其節ハ何等之御沙汰モ無之候事

一、同年十二月右同様被仰渡候節、重テ源五郎義書出候処、翌十年二月十日大隅守殿御宅ヘ九左衛門家来御呼出、源五郎義逼塞申付置候得共、村上定之助義此節之義ニ付遠慮御免被成候、依之源五郎モ右ニ准し御手前存寄次第相宥候様可申渡旨、従御用番ヨリ申来候条、可被得其意旨之御紙面御渡ニ付、九左衛門ヨリ奉得其意候、於私難有仕合奉存候、則、源五郎ヘ免許申渡候処、難有仕合之旨申聞候旨之御請書付出之候事、此次十月晶紙互見

己亥十月小

御用番　前田大炊殿
御城代　御同人

朔日ヨリ六日迄快天、七日八日風雨、九日十日晴、十一日雨、十二日十三日晴、十四日

雨、十五日十六日雨風、十七日ョリ廿日迄雨、廿一日廿二日廿三日晴、廿四日廿五日雨、
廿六日快天、廿七日陰、廿八日廿九日雨天、気候冷穏也

同　日　月次出仕、御年寄衆等謁、四時頃相済

五　日　左之通御用番大炊殿被仰渡

亀万千[1]殿御出府御供被仰付

亀万千殿御用兼之御先手
青木与右衛門

同断
井上勘右衛門

右、御行粧就御省略ニ御供ハ不被仰付、御発駕御前後之内出府可仕旨今月十日被仰渡、十
五日御先へ発足之事

八　日　月次経書講釈、今朝御用多ニ付聴聞ニ不罷出候事

十　日　左之通被仰付

亀万千殿御用

人持組
前田織江

同御算用場奉行ョリ
成瀬左近
改監物

十一日　同断

町同心　近藤故直人代

学校御横目ョリ
竹村三郎兵衛

十五日　月次出仕、四時頃相済

廿二日　左之通、昨廿一日ョリ御用番大炊殿御触出ニ付、今日玄蕃助殿ョリ例之通御廻状来

毎月二日
△
順正院様

1 斉広（十二代）

右御忌日、御家中諸殺生指控可申旨被仰出候事

廿三日　月次経書講釈為聴聞登城、去八日之次、**長谷川準左衛門**勤

廿六日　四半時不遅御供揃ニテ九半時頃**亀万千**殿御発駕、今夜津幡駅御泊、来月十日江戸表へ御着之御日図

但、御附**関屋中務**本役御馬廻頭・**高田新左衛門**同御小将頭・**青木与右衛門**同御先手御供ニテ発足、外ニ御大小将横目**永原半左衛門**・御大小将二人立帰御供、御医師**内藤宗安**・**久保江庵**、従江戸為御迎被遣之、御供ニテ発足、且御出府方御用ニ付、御近習御用物頭並**勝尾半左衛門**被遣之、今月六日来着、同十三日発足帰府之事

廿八日　左之通被仰付

格別之趣ヲ以、御算用場奉行帰役　江戸御留守居ヨリ　**永原将監**

御近習御用、**石野主殿助**等同事　同断ヨリ　**織田主税**

今日発足出府　亀万千殿御用　人持組　**成瀬監物**

十一月十日発足出府　但附記ス　同断　**前田織江**

前記九月廿九日記ニ有之**河地才記**組御馬廻**村上定之助**ヨリ、六月廿四日朝**才記**方へ、昨廿三日夜浅野川小橋下ニテ何者ニ候哉、酒狂之体ニテ組付候ニ付組臥候処、少々傷付候間、見届有之候様致度旨申来候ニ付、相頭**関屋中務**申談令同伴、**定之助**宅へ罷越検使等之儀申談、

翌朝検使相済退出、同月廿七日ヨリ定之助儀痛所ニ付御番引、然処九月廿八日定之助儀、寺西九左衛門家来松永源五郎ト口論之処、手ぬるき致方之趣被仰出、遠慮被仰付候旨、御用番本多玄蕃助殿覚書ヲ以、河地才記ヘ被仰渡、則才記於宅中務立合申渡之

十一月大 庚子

御用番 奥村左京殿
御城代 前田大炊殿

朔日 晴、二日ヨリ十一日マテ雨雪、但六日宵鳴雷数声、八日朝迄ニ積雪五寸計、十二日快天、十三日十四日十五日雨雪、十六日快天、十七日十八日雨雪、十九日晴、廿日廿一日廿二日廿三日廿四日廿五日廿六日廿七日廿八日廿九日晦日連日之雪、気候応時
「五六寸積雪、翌朝迄ニ尺余積
「尺五寸計積

同日 月次出仕如例ニテ四時相済

八日 月次講尺(釈)、御用多不能出座

九日 本多玄蕃助殿ヨリ左之趣、得其意十六日迄ニ可書出旨之如例御廻状到来

△去年以来、下通道中別テ人馬為指支候様子ニ付、道中御奉行衆ヘ御届被成候筈ニ候、依之去春以来、交代人并御使等相勤候人々、追分宿ヨリ板橋宿迄之内、何月何日ケ様之趣ニテ人馬差支致逗留、或増賃銭相渡候義ハ、相対たり共於何方何程相渡候ト申義、且はきと覚不申ケ所ニテモ荒増其訳相調指出候様申渡、当月廿日迄ニ取立可被指出候事

但、当時在江戸、其外他国詰之人々ハ不及書出候事

右之通被得其意、組・支配之人々ヘ可被申渡候、組等之内才許有之面々ハ其支配ヘモ相達候

1 斉広（十二代）

様被申聞、尤同役中可有伝達候事、右之趣可被得其意候、以上

十一月八日　**奥村左京**

右ニ付、左之通紙面出之

去年以来下通道中別テ人馬為指支候儀ニ付御触之趣奉得其意候、私義去春以来下通道中旅行不仕候ニ付、右之趣御届申上候、以上

十一月十二日　**津田権平**判

本多玄蕃助様

十五日　月次出仕、四時頃如例相済

十六日　於江戸、左之通被仰付

亀万千[1]様附　御小将頭　御先手兼御附御用ヨリ　**青木与右衛門**

同断　御歩頭　同断ヨリ　**井上勘右衛門**

同断　御大小将御番頭　御表小将ヨリ　**辻　八郎左衛門**

同断　同　御横目　御抱守ヨリ　**坂井小平**

△

来年頭、各ヨリ献上之御太刀代銀七匁八分、御馬代銀・鳥目代金壱歩共座封、其上ニ名印可被相記候、御太刀目録折紙之義、前々之通一統中広杉原可然候

鳥目被指上候衆、如毎指出紙面可被相添候

一、与力士御礼銭代銀モ、座封名印指出紙面可被相添候

但、与力之内、在江戸之人々指出紙面、肩書ニ在江戸ト可被相記候、右何モ当月廿七日
四時頃、拙宅迄為持可被指越候

一、各知行高・役附・歳付之帳壱冊、来正月二日之日付、是又勝手方人馬数帳壱冊、同四日之日付ニテ十二月廿日ヲ限可被指越候、重テ申触間敷候条被得其意、名之下可有御判形候、
以上

辰十一月十八日　本多玄蕃助

津田権平殿　但連名前ニ同

猶以、与力江戸詰人之内、来月七日頃迄ニ罷帰候者可被申聞候、以上

附記、来年頭献上之鳥目代金壱歩、別紙目録相添上之申候、以上

辰十一月廿七日　津田権平判

本多玄蕃助殿

越前
中奉書　長サ九寸
二ッ剪　六歩

鳥目　百匹
右来年頭為御祝儀献上之仕候以上
十二月朔日　津田権平

廿三日　月次経書講釈、為聴聞罷出候得共、御用多不能聴聞候事

1斉広（十二代）

付札　御横目へ

△亀万千[1]様御儀御出府之上、松平之御称号之義御用番へ御書付被指出候処、御先格之通ト被仰渡候旨被仰出候、此段一統可被申談候事

十一月廿一日

付札　御横目へ

亀万千殿御儀、向後様付ニ唱候様被仰出候条、此段一統可被申談候事

十一月廿一日

別紙両通之趣、夫々可申談候旨、御用番左京殿被仰聞候条被成御承知、御同席御伝達可被成候、以上

十一月廿一日　　御横目衆中

人持衆中　御先手物頭衆中　但余略ス

右三通、同組筆頭前田兵部ヨリ廻状ヲ以到来、同役筆頭小川八郎右衛門ヨリモ同様伝達廻状到来之事

同　日　左之通、於御横目所披見、申談有之

新御居宅ヲ是以後、北之御居宅ト唱候様被仰出候事

△猶以、幼少・病気等ニテ難罷出人々ハ、其段名之印ニ可被書記候、以上

御意之趣可申聞候条、布上下着用、明後廿八日五時過可有登城候、以上

十一月廿六日　　奥村左京

1松平信明（寛4 410頁）

2島津斉宣（薩摩藩九代）

津田権平殿　但同組前田兵部等連名

廿八日　一昨日御用番左京殿之依御廻状、今朝人持・頭分一統登城、御帳ニ附四時過柳之御間ニ列居之処、御年寄衆等御列座、御用番左京殿左之通御演述

当月十三日御老中方御連名之依御奉書、翌十四日御登城被成候処、於御白書院御掾頬御老中方御列座、亀万千様御儀御養子被成御嫡子被成度段、御願之通被仰出候旨御用番松平伊豆守[1]殿御演述被成、難有被思召候、何モヘ可申聞旨、拙者共迄御書ヲ以被仰下候事

前々御使者ヲモ被成下候得共、当時ハ御省略中ニ付、其御儀モ無御座旨被仰出候事

右相済、左之御覚書可致披見旨、御横目中申談ニテ、柳之御間横廊下ヘ出し有之、但自分ハ兼役壱人役ニ付、前々之通御用番左京殿御宅迄ヘ相勤候事

付札　御横目ヘ

今日御弘之趣為御祝詞、今明日中年寄中等宅ヘ可相勤候、且又幼少・病気等ニテ今日登城無之面々ハ、御弘之趣向寄ヨリ伝達、為御祝詞御用番宅迄、以使者可申越候、此段夫々可被申談候事

付札　御横目ヘ

亀万千様御儀、是以後之御振合、前々御嫡子様之通ニ候条、此段一統可被申談候事

十一月廿八日

琉球人来聘、今月廿五日江戸着、十二月六日登城之上、無程帰国、右ニ付、松平豊後守[2]殿ヘ

大御目付安藤大和守[1]殿ヲ以、米二千俵拝領被仰付候事

御用番　**長　九郎左衛門**殿
御城代　**前田大炊**殿

辛丑十二月大

朔日　雨雪、二日三日晴、四日ヨリ八日迄雪、九日ヨリ十四日迄晴陰交、十五日昼ヨリ雨、十六日雪、十七日十八日快天、十九日昼ヨリ雨雪、廿日同、廿一日風雪、廿二日同、廿三日微雪、廿四日廿五日廿六日雪（尺余降積）、廿七日陰、廿八日モ陰、廿九日雨、晦日雨雪、今月気候応時

同日　月次出仕、如例四時頃相済

同日　殿中月次出仕相止

若君様へ御諱被進之、**家慶**（イヘヨシ）公ト被称候、翌二日為御祝詞惣登城之事

猶以、病気等ニテ難被罷出人々ハ其段名之下ニ可被書記候、以上

△
御意之趣、可申聞候条、布上下着用、明後七日五時過可有登城候、以上

十二月五日　**長　九郎左衛門**

津田権平殿　但同組**前田兵部**等連名

七日　一昨日、御用番**九郎左衛門**殿依御廻状、今朝人持・頭分登城、御帳ニ付、四半時頃於柳之御間列居之処、御年寄中等御列座、御用番**九郎左衛門**殿左之通御演述

今度、**亀万千**[2]様御養子就被仰出候、前月廿三日、以上使御奏者番**本庄甲斐守**[3]殿、**相公**[4]様・

1 安藤惟徳（寛19 304頁）
2 斉広（十二代）
3 本庄道利（寛21 106頁）
4 治脩（十一代）

1南部利敬（寛4 111頁）
2前田利考（大聖寺藩八代）
3徳川家斉
4前田治脩（十一代）
5前田斉広（十二代）
6徳川竹千代（家慶）
7家斉室寔子
8桂山好柾（寛19 45頁）
9本多康金（寛11 313頁）
10徳川宗睦
11琴姫

亀万千様へ従公方様・若君様品々御拝領物被成、従御台様モ以御使者、御拝領物被成、且又相公様・亀万千様ヨリ御礼之御献上物、同廿五日以御使者首尾能被指上、猶又前日御老中方御連名之依御奉書、同日相公様御名代慶次郎[1]様、亀万千様御名代飛騨守[2]様御登城被成候処、於御黒書院、御養子之御礼被仰上難有思召候、此段何モヘ可申聞旨被仰出候事

十二月

右相済、柳之御間於横廊下左之通、御用番御渡之旨御横目中演述、披見申談有之

付札　御横目へ

今日御弘之為御祝詞、今日并当十日両日之内、御用番宅へ可相勤候、且又幼少・病気等ニテ登城無之面々ヘハ御弘之趣、向寄ヨリ伝達、為御祝詞御用番宅迄以使者可申越候、此段夫々可被申談候事

一、右御拝領物ハ、従公方[3]様、相公[4]様へ紗綾十巻・干鯛一箱・御樽壱荷、亀万千[5]様へ干鯛一箱・御樽壱荷、従若君[6]様、相公様へ干鯛一箱・御樽壱荷、亀万千様へ干鯛一箱、従御台[7]様、相公様へ干鯛一箱・御樽一荷、亀万千様へ干鯛一箱、御使者御広式番之頭桂山三郎兵衛[8]殿・本多[9]金左衛門殿之事

八　日　月次経書講釈定日之処、御用多ニ付不致出座候事

十一日　朝五時過布上下着用登城候様御用番九郎左衛門殿ヨリ一昨日依御廻文、人持・頭分登城御帳ニ附、四時過柳之御間列居之処、御年寄衆等御列座、左之通九郎左衛門殿御演述、亀万千様御縁組之義、尾張大納言[10]様御養女様[11]ト被仰合度旨御願被遊候処、前月廿九日御登

城可被成旨、前日御老中方御連名之依御奉書、御名代飛驒守[1]様御登城被成候処、於白書院御椽頬御老中方御列座、御願之通被仰出、難有御仕合被思召候、此段可申聞旨被仰出候事、右、相済於横廊下、今日并十三日之内、年寄中等宅へ相勤可申旨等之御覚書御用番御渡之由ニテ披見申談有之、自分[2]義如前記ニ付御用番迄へ為御祝詞参出之事

今月三日於江戸表被仰付

勝丸[3]様附御大小将御番頭　　御大小将横目ヨリ　**水越八郎左衛門**

右於御前被仰渡

十五日　月次出仕、四時過御年寄衆等謁之節、左之通御用番**九郎左衛門**殿御演述、**亀万千**様御名　当月三日**勝丸**様ト御改、重テ御代々之御名ニ付同日**犬千代**様ト御改、翌朝**又左衛門**様ト御改被遊候、此段何モヘ申聞候様被仰出、且又御実名**利厚**様ト奉称旨、**前田図書**等ヨリ申来候右之趣同役中伝達組・支配之人々ヘモ相達候様可被申談候事

但今日登城無之面々ヘハ向寄ヨリ相達可申候

付札　定番頭ヘ

又左衛門様御名乗字**利厚**(トシアツ)様ト奉称候、御家中之人々実名御名乗字同字有之候ハ相改可申候、文字違候テモ唱同事ニ候ハ唱替可申候事

辰十二月

右同組筆頭**前田兵部**ヨリ如例定番頭ヨリ廻状到来之旨ニテ被相廻候事

十六日　跡目左之通被仰付

---

1 前田利考（大聖寺藩八代）

2 政隣

3 前田斉広（十二代）

五百石　御馬廻へ被加之　三郎兵衛嫡子　堀　次郎八

四百五十石　同断　与兵衛嫡子　斉藤甚十郎

千　石　同断　彦右衛門せかれ　山崎鉎助

八百石　同断　三左衛門養子　長谷川三九郎

三百五十石　組外へ被加之　五大夫嫡孫　大河原伝太□（郎脱）

千　石　御馬廻へ被加之　久五郎家督相続　稲垣織人

三百石　組外へ被加之　叉忠儀嫡子　今井左太郎

千五百石　外記養子　山森九三郎

四百石　四郎左衛門次男　松田音次郎

四百石　物集女嫡子　西村右仲

三百石　新平養子　寺西進作

六百六十石ノ三ノ一
二百二十石　瀬兵衛せかれ　大野八九郎

百五十石　杢左衛門養子　武藤市郎兵衛

同　長大夫次男　岡本久人

百　石　　宗右衛門養子 原　織之助

百三十石　　順助養子 広瀬藤兵衛

百石ノ三ノ一 三十石　　直人次男 近藤恒之助

十人扶持　　弘次郎嫡子 桜井大吉

百　石　組外へ被加之　　附記三十人頭忠大夫嫡子 吉田助三郎

御切米 四十俵　　附記定番御歩小頭左一兵衛養子 児玉八郎

定番御歩ニ被召出御切米如此被下之

百二十石　　金大夫養子 水野大橘

十八日　縁組・養子等諸願被仰出

廿二日　**本多玄蕃助**殿ヨリ左之趣如例御廻文到来、去年十一月廿四日互見

又左衛門[1]様御疱瘡不被為済候ニ付、御家中之面々家内疱瘡病人有之候ハ三番湯懸り候迄、

△金谷并二之御丸へ罷出候義遠慮可仕旨等去冬申渡置候得共、今般**又左衛門**様御出府ニ付金谷并二之御丸等へ罷出候義不及遠慮候、尤是以後**又左衛門**様御帰国之上ハ金谷等へ罷出候義只今迄之通遠慮可仕候、時々ハ不申渡候

右之通被得其意、組・支配之人々へ可申渡候、組等之内才許有之面々ハ其支配へモ相違候様被申聞、尤同役中可有伝達候事、右之趣可被得其意候、以上

1 斉広（十二代）

十二月廿二日　　　　　　　　　　長　九郎左衛門

廿三日　月次経書講釈為聴聞致登城候得共、御用多ニ付不能聴聞候事

廿六日　**本多玄蕃助**殿ヨリ左之趣如例御廻文到来

△御勝手御難渋ニ付去寅年ヨリ改テ三ヶ年之間、万端御省略可被仰付旨被仰出之趣一統申渡置、当年ニテ右年限相済候、夫迄ハ先只今迄之通可相心得之事、右之通被得其意、組・支配之面々ヘ可被申渡候、組等之内才許有之人々ハ其支配ヘモ相達候様被申聞、尤同役中可有伝達候事

右之趣可被得其意候、以上

十二月廿五日　　　　　　　　　　長　九郎左衛門

廿八日　左之御触**玄蕃助**殿ヨリ如例御廻状到来

△かけの諸勝負ハ御制禁ニ候処、近年――かけの諸勝負之義ニ付、寛政元年以来別紙写之通

一統――例年同文略ス――尤同役中可有伝達候事

右之趣可被得其意候、以上

十二月廿七日　　　　　　　　　　長　九郎左衛門

廿九日　御用番**九郎左衛門**殿ヨリ夜前依御廻文、今朝五時登城、如例御帳ニ附候処、四時過御年寄衆等被謁、歳末御祝詞申上、畢テ重テ頭分以上列居之処、重テ御年寄衆等御出御列座、御用番**九郎左衛門**殿左之通御演述

又左衛門様御目見之義御願置被成候処、去十五日御同道御登城可被成旨、前日御老中方御連名御奉書就到来、則御登城被成候処、於白書院御目見被仰上、相公様ニモ御礼被仰上、重テ御両殿様御一所ニ被為召、御着座被為仰付、御懇之被為蒙上意、重畳忝御仕合被思召候旨、拙者共迄以御書被仰下候、右之趣可申聞旨被仰出候事

右相済、於横廊下、左之御覚書御用番御渡之旨ニテ披見御横目ヨリ申談有之、但自分[1]義如例ニ付、御用番御宅迄ヘ参出之事

付札　御横目ヘ

今日御弘之為御祝詞、今日并来正月朔日年寄中等宅迄罷出可申候、幼少・病気等ニテ今日登城無之人々ヘハ向寄ヨリ伝達、為御祝詞御用番宅ヘ以使者申越候様可被申談候事

十二月

晦日　左之両通就到来、写相廻候旨同役筆頭前田兵部ヨリ廻状之事

又左衛門様御袋之方、自分御家中之人々貞琳院[2]殿ト唱候様被仰出候条、此段一統可被申談候事

別紙之通、夫々可申談旨御用番九郎左衛門殿被仰聞候条、御承知被成、御同席御伝達可被成候、以上

十二月晦日　　御横目

人持衆中

1 政隣

2 重教側室喜機

今月廿六日於江戸左之通被仰付

御大小将横目　水越八郎左衛門代

御大小将組割場奉行ヨリ
堀　左兵衛

寛政九年

● 寛政九丁巳歳 庚寅正月小

御用番 村井又兵衛殿
御城代 前田大炊殿

朔日 二日三日天気宜寒穏長閑也、四日五日六日雨雪、七日八日九日快天、十日十一日十二日雨雪、十三日十四日晴、十五日雨、十六日晴、十七日雨、十八日十九日快天風立、廿日雨、廿一日昼ヨリ晴、廿二日廿三日快天、廿四日雨、廿五日晴、廿六日雪、廿七日廿八日快天、廿九日雪、晦日快天、今月気候寒暖大ニ混雑世上感冒大ニ流行

同日 五時登城、於御式台御帳ニ附、四時過年寄中等謁之上退出、但御留守格之通、半袴熨斗目着用頭分以上登城、且東北[1]御作法去々年等之通ニ候事

四日 左之趣可得其意旨、本多玄蕃助殿ヨリ昨日之日付例如御廻状到来

△備姫[2]様旧臘十七日御卒去之段、江戸表ヨリ申来候、依之普請ハ今日一日、諸殺生鳴物等ハ明後五日迄三日遠慮之筈ニ候条、被得其意、組・支配之人々ハ可被申渡候、組等之内才許有之面々ハ其支配ヘモ相達候様可被申聞候事

左之趣可被得其意候、以上

正月三日

右ニ付、三ケ日ハ例春之通、四日五日モ役所建置、指懸り候御用而已取捌、六日ヨリ役所相始、去年四日記互見、七日本役方組小頭等相招候義去年六日記之通互見

七日 人日為御祝詞、月次之通登城、四時頃御年寄衆等謁之上退出

前記之通、四日御指支ニ付、昨六日御射初・御打初・御乗馬初、御規式有之

1 江戸と金沢
2 紀伊徳川重倫女（前田斉敬縁女）

八　日　月次経書講釈、如例年相止
　但旧臘廿三日御横目中演述之事

十三日　朝、左之通ニ付為倹使御大小将横目永原半左衛門・丹羽六郎左衛門参出
　妻女ト相対死
　人持組松平大膳与力
　尾崎升右衛門

十五日　月次出仕、四時頃御年寄衆等謁相済

△年頭爲御祝儀相公様へ各ヨリ被上候御太刀・御馬・青銅、目録曁与力士指上候御礼銭、一紙目録江戸表へ上之候処、首尾能披露相済候旨前田図書等ヨリ申来候、爲御承知如斯候、以上
　正月廿日
　本多玄蕃助
　津田権平殿　但前田兵部等一組連名

廿一日　左之趣承候ニ付、記之
　毎歳
　金弐両
　才川荒町々医師須貝玄徹家来
　久七

右久七義妻子有之、居宅モ致所持候者ニテ、玄徹方ニ廿ヶ年余召仕候処、故玄徹以来致難渋両度之給銀モ全相渡不申様子ニ候得共、聊不相厭主人ヲ大切ニ存、無怠奉公相勤入情相勤、玄徹家内人多ニテ甚致難渋、薬種等々指支病家トモ無是非可相断族有之候得ハ、久七義気之毒ニ存、所々駈廻り自分才覚ヲ以薬種等調達致し、玄徹へ与へ候テ、病家為相勤候義度々有之躰、且病家モ無之節ハ兼テ近所之者共へ頼置、奉公之隙ヲ考へ日雇ニ罷越、或ハ米

搗等ニ被頼手間料ヲ受、主人方日用取続之引足ニ致し、又ハ寒気之砌等玄徹家内大勢夜具等不調ニテ寒風凌兼之躰ヲ見受候テハ、其身難苦ヲモ不厭自分着用之綿入ヲ脱、主人ヘ為着、自身ハ筵等ヲ着致し寒夜ヲ明し、右ニ准し玄徹方万端指支候ニ付少々之義ニテモ主人助成而已ヲ考、折々ハ暫之暇ヲ乞、自宅ヘ参り候テハ私用ニテ罷越候体ニ仕成、妻子芋粕等ヲ以給継候僅之内より食用相調早速主家ヘ帰候テハ又其振ヲモ不為見、主人大切ニ仕奉公而已相勤、其上二季寄銀有之候得ハ折節給銀相渡候テモ主人手前之難渋ヲ相察し取受不申、将又久七心易き者共ヨリ外主人ヘ相応之義申入候得共、難渋之主人ヘ暇ヲ乞候ハ弥迷惑ニ可有之、何卒先達ヲモ見届度旨申入、一向外主人取不相望、殊ニ近く久七妻致病死、子共之養育之世話モ有之候処、居宅遠方ニテハ奉公怠りニ相成候トテ致変居宅、玄徹居宅近廻ヘ罷越候由、粗相聞段々承糺候処、右之通相違無之候、主人ヘハ忠勤ヲ尽し親ヘハ孝行ヲ成し候義、人たる者之常ニテ本意ニハ候得共、左ハ難行所、数年衆ニ勝れ候志行不尋常、中々他之及ふ所ニあらす候、貴賎上下共如是有之へき儀ニテ臣たるものゝ為見習ニモ相成、誠ニ奇特之至令感入候、別テ当時之世風軽き者ニハ稀成事ニ候、依テ為褒美毎歳右之通指遣候条、猶更無怠志取失ひ申間敷事

右之通久七ヘ可被申渡候、尤右之趣ニ付先達テ組合頭等ヨリ申聞候趣モ有之候ニ付、猶更組合頭并玄徹組合之者共手前相尋候処、先年ヨリ今以右之通相違無之義ニ付、如是申付候条可被申渡候、加様之者召仕候玄徹義モ相叶本懐候事ニ候之条、深く加憐愍大切ニ召仕候様玄徹ヘモ可被申渡候、以上

正月廿日

富永右近右衛門印[1]

伊藤平大夫印[2]

竹村三郎兵衛殿

廿三日　月次経書講釈之処、御用多等ニ付不罷出候事

晦　日　左之通於御横目所披見申談有之

是以後金谷御殿ト相唱可申候事

正月

今月十四日於江戸、左之通被仰付

御大小将

不破駒之助改半蔵

聞番見習

癸卯二月小

御用番　長　九郎左衛門殿

御城代　前田大炊殿

朔　日ヨリ五日迄晴陰交、六日七日雨、八日九日雪二三寸積、十日十一日十二日快天、十三日雨、十四日陰風立、十五日晴、十六日雨、十七日十八日快天、十九日雨雪、廿日廿一日廿二日晴陰交、廿三日雨、廿四日陰、廿五日雨、廿六日廿七日晴、廿八日雨昼ヨリ霽晴、廿九日快天、今月気候寒暖混雑、但春寒多分

同　日　月次出仕、四時頃御年寄衆等謁相済

1 富永助有（金沢町奉行）

2 伊藤勝文（金沢町奉行）

七　日　左之通被仰渡

御着城之上為御礼、江戸表ヘ之御使　人持組　富田権佐

十三日　左之趣本多玄蕃助殿ヨリ如例御廻文ヲ以到来

松平左京大夫[1]殿前月晦日御卒去之段申来候、依之普請ハ今日一日、諸殺生・鳴物等ハ明後十五日迄三日遠慮之筈ニ候条被得其意、組・支配之人々ヘ可被申渡候、組等之内才許有之面々ハ其支配ヘモ相達候様可被申聞候事

右之趣可被得其意候、以上

二月十三日

十五日　月次出仕候処、今日ハ伺御機嫌之旨御横目演述之上、四時頃年寄衆等謁相済　長　九郎左衛門

今月八日病死　御使番　児嶋伊三郎

十九日　御用番九郎左衛門殿ヨリ御意之趣可申述候条熨斗目・布上下着用、今日五時過登城候様、昨日御廻状就到来、則頭分以上登城、如例御帳ニ附、四時過柳之御間列居、御年寄中等御列座、左之通御用番御演述、畢テ左之御覚書於横廊下披見退出、自分如例御用番御宅迄ヘ相勤候事

又左衛門[2]様御元服可被仰付候条、当九日御両殿様御登城被成候様、前日御老中方御連名之御奉書到来、則御登城被遊候処、又左衛門様御儀於御黒書院、御目見御一字御拝領被為任正四位下少将、御盃・御肴御頂戴、御腰物御拝領御懇之被為蒙上意、相公様ニモ御礼被仰

1 松平頼看（伊予西条藩七代）

2 斉広（十二代）

上、御懇之被為蒙上意、重畳難有御仕合ニ被思召候、此段何モヘ可申聞旨以御書被仰下候
事

御名　筑前守様　御実名　斉広（ナリナガ）様ト被称候事

付札　御横目へ

今日御礼之趣為御祝詞、今日・明後日之内年寄中等宅ヘ罷出可申候、幼少・病気等ニテ今日
登城無之人々ハ向寄ヨリ伝達、為御祝詞御用番宅ヘ以使者申越候様可被申談候事

二月

廿日　左之趣本多玄蕃助殿ヨリ如例御廻文到来

付札　御定番頭へ

△筑前守様御名字御一字御頂戴斉広様ト奉称候、御家中之人々実名同字有之候ハ相改可申
候、文字ハ違候テモ唱同事ニ候ハ唱替可申事

巳二月

廿四日　左之趣本多玄蕃助殿ヨリ如例御廻文到来

△順正院[1]様御忌日九月二日ニ候処、思召有之候テ向後八月廿九日ニ御改被成候旨、此度讃岐[2]
守様ヨリ被仰進候、依之毎月廿九日御家中諸殺生指控可申旨被仰出候、尤二日ニハ相控候ニ
不及候、右之通被得其意組・支配之人々ヘ可被申渡候、組等之内才許有之面々ハ其支配ヘモ
相達候様被申聞、尤同役中可有伝達事、右之趣可被得其意候、以上

二月廿二日　長　九郎左衛門

1 重教女藤（高松侯徳川頼儀室）
2 徳川頼儀（高松侯）

廿五日　左之趣同役筆頭**小川八郎左衛門**・同組筆頭**前田兵部**ヨリモ廻状有之
付札　御横目へ
△橋爪御門外橋御修復有之候ニ付、来月四日ヨリ往来指留候間、二御丸へ罷出候人々鶴丸通埋
御門ヨリ往来之筈ニ候条、此段不相洩様夫々可被申談候事
但三御丸御番所左右入口ヨリ供之人数、二御丸之通迄召連可申事
二月廿五日
右御修復出来三月廿二日ヨリ橋爪御門往来相立候段、御城代**大炊**殿被仰聞候旨、同月十七
日廻状右同断有之
廿八日　左之通被仰付
御先筒頭　**木梨助三郎**代
小石川御広式附物頭並ヨリ
安達弥兵衛
物頭並学校方御用
武学校兼帯
同断ヨリ
横地伊左衛門
役儀御免除
物頭並学校方御用等
加須屋団右衛門
同　日　初テ
筑前守[1]様月次御登城、御城下り之上、御前髪被為執、于時御年十八歳、御実年ハ十六歳ニ
被為成候事
△一季居下々奉公人居成ニ可召置旨等之公事場触今月四日、御家中一統春出銀等之義ニ付**庄**
田兵庫紙面今月十日、両度触御定書之趣ニ付**玄蕃助**殿御廻状今月十七日、火之元之義随分

1前田斉広（十二代）

厳重可相心得候旨等御用番九郎左衛門殿御廻状今月廿五日、御城中所々御番所等火之元之義厳重可相心得旨等御城代大炊殿御覚書ニ御横目ヨリ同役筆頭小川八郎左衛門へ之添紙面今月廿六日

右本多玄蕃助殿御触曁如例御添廻状并小川八郎右衛門廻状夫々到来、去年ト同断ニ付略記ス、去年二月互見

筑前守様今度就御元服、京都へ口宣之御使御小将頭野村伊兵衛へ被仰付、右御用相済直ニ金沢へ罷帰候様被仰渡、且高田新左衛門義〔在江戸〕御小将頭ニテ御部屋御用兼帯也日光へ之御代拝御使被仰付候旨江戸ヨリ申来

甲辰三月大

御用番　奥村河内守殿
御城代　前田大炊殿

朔日　快天、二日雨、三日快天、四日雨、五日快天、六日七日八日九日十日十一日十二日雨、十三日十四日十五日十六日快天、十七日雨天昼ヨリ霽晴、十八日十九日雨、廿日廿一日快天、廿二日風起陰夜大風雨、廿三日陰風起昼後雨一頻降、廿四日快天、廿五日廿六日雨、廿七日廿八日廿九日快天、晦日雨天、今月気候春寒多時々不時之暖気モ交

同日　月次出仕、御年寄衆等謁四時前相済

三日　上巳為御祝詞出仕、右同断、同刻頃相済

御例之通、今月十五日御暇之御礼被仰上候得ハ同廿一日御発駕ト就被仰出候、為御供人代御用人本役御先手小川八郎右衛門今朝発足、其外御留守詰之人々御小将頭前田甚四郎野村伊兵衛儀筑前守様口宣御使被仰付京都へ罷越、直ニ此表へ帰着之筈ニ付、前月廿三日発足出府・御歩頭井上井之助・御大小将御番頭田辺善大夫・同御横目永原半左衛門、当八日迄ニ追々発足

△

筑前守[1]様初テ御目見、且又今般御任官ニ付御祝儀物御省略中ニ付各初并頭分以上之人々ヨリ都テ年頭之通筑前守様へ献上仕筈ニ候間、御太刀馬代・目録、御在府之節江戸表へ被指上候振ニ御心得、披露状御添箱ニ御認、御封印候テ箱之上大音帯刀宛所ニ御調、当月廿四日迄之内御用番へ可被指出候、依之御組之面々ヨリ献上之目録モ御組頭迄御取立、御添目録ヲ以、右箱之内へ御入、一緒ニ御認可被指出候、御組中ヨリ人別ニ披露状指添候ニハ不及、御組頭ヨリ御引受披露状モ御添箱之内へ御入御認可被成候、夫々相揃次第惣代使者代り之飛脚へ相渡、帯刀方迄相達し申筈ニ候

一、御組中之内在江戸之分モ目録於此表ニ一緒ニ取揃指上申筈ニ候間、御組之内在江戸之人々モ有之候ハ前条之通代判人へ御申渡御取立可被指出候

一、御組之内鳥目献上之人々、目録ニハ月日有之候間、四月六日ニ相調候様御申渡可被成候

一、若忌中之人々有之候ハ、忌明次第追テ町飛脚ニ指上可申儀ニ候、来月六日迄之内、忌明之人々ハ尤御取立可被成候

一、御太刀代・御馬代ハ別々ニ座封有之、尤御組之分モ右之通ニ御申渡軽く上包有之、御組頭迄

御取立、以使者御進物所迄当月廿四日四時ヨリ九時頃迄之内可被指出候
以上
別紙之通被得其意、御太刀代銀七匁八分、御馬代銀・鳥目代金壱分共座封、其上ニ名印可被相記候、御太刀目録折紙之儀一統中広杉原可然候、鳥目被指上候衆、指出紙面被相添、当月十九日四時ヨリ九時迄之内、拙宅迄以使者可被指出候、以上
三月八日　　本多玄蕃助
津田権平殿　但前田兵部等連名
為年頭之御祝儀、各ヨリ御太刀御馬被上之御歓然之御事候、此段可申達旨拙者迄被成御書候条、明十日四半時過拙宅ヘ参出可有頂戴候、以上
三月九日　　本多玄蕃助
津田権平殿　但前ニ同
十日　昨日依御廻文今日四半時前出宅、服紗小袖・布上下着用ニテ玄蕃助殿御宅ヘ参出之処、前田兵部等溜之間ヘ揃之上家老役罷出誘引、小書院ヘ通、各列座之上玄蕃助殿御出、御書塗蓋ヘ載之各拝戴之、畢テ筆頭兵部ヨリ返納之上一統御礼申述退出、但玄蕃助殿家来一統布上下着用有之候事
十一日　江戸御供人等并交代人ヘ、餞送等堅指止寛政七年二月十三日等互見可申旨等之儀、且三ケ年去年ニテ相済候得共、重テ被仰出有之迄ハ、先是迄之通可相心得旨、今日玄蕃助殿ヨリ如例御廻文有之

十五日　月次出仕、如例四時前相済

十八日　左之通御用番河内守殿被仰渡、但今月晶紙等互見

来月朔日・二日長谷観音祭礼ニ付、前々之通相心得可罷出旨

御先手　国沢主馬

杉野善三郎

四月十五日寺中祭礼ニ付同断

同　河内山久大夫

附河内山忌中ニ相成候ニ付、為代印牧弥門出候事

安達弥兵衛

名替

筑前守様附御大小将御番頭　辻　平之丞

八郎左衛門事

実名廣業之処、

今般改テ　応孝（マサヨリ）

丹羽六郎右衛門

十九日　前記三日之次ニ有之通ニ付、今日四時過玄蕃助殿御宅へ使者布上下着用ヲ以指出候処、

組方役人連名之請取切手相越候事

鳥目　百疋
右今般初テ御目見御任官 為御祝儀献上之仕候　以上
四月六日　津田権平

長サ　九寸六歩

幅越前中奉書

二ツ剪

覚

鳥目百匹代
一文金壱歩　壱切
右今般
筑前守様初テ御目見、御任官為御祝儀献上之仕候ニ付、目録相添上之申候、以上
巳三月十九日　津田権平判
本多玄蕃助殿

今月十八日病死　御表小将御番頭 樫田折之助
同　廿三日病死　大組頭 久田平右衛門
同　廿九日病死　聞番物頭並 不破平左衛門

来月十五日寺中祭礼能番組、左之通詰人御先手印牧弥門・安達弥兵衛、宮腰町奉行伊藤権五郎也、但右之外町同心盗賊改方御用与力壱人宛相詰候事

附今月十八日互見

千歳 市之介
翁　三番三 万蔵
面箱 卯三郎
和布苅 源太郎
頼政 清助
松風 権進
春栄 弥兵衛
項羽 権八郎
金札 鉄三郎

包丁聟　弥三郎
木六駄　次郎吉
若布　長左衛門

付札
多田逸角へ

去年九月、三之御丸御番所次之間ニ、御番人家来小者致失念置候脇指致紛失候ニ付各へ断之、否其品仕抹方等之儀、御番人手前相尋被申聞候様、先達テ申渡置候処、則被相尋紙面取立被遣之候、只今迄御番所ニ致失念置候品、最初見付御番交代之刻申送候儀ハ前々ヨリ各へ不相断、右失念之品次之間棚へ入置段々申送、其主相知候得ハ渡遣、其段重テ申送承届候儀前々ヨリ流例之旨御番人申聞候、乍然右躰残置候品有之申送候節、得ト致仕抹置候ハ紛失可致様無之候、前々ヨリ之振合ニ候共、仕抹方不行届事ニ候条、自今右之族有之候ハ、品物得ト致仕抹申送、自然其主相知候ハ、早速夫々及断候様前々御番人へ可被申談候、右之趣同役中ヘモ演述可有之候事

三月廿二日

右**逸角**御呼出、御城代**前田大炊**殿御渡ニ付、夫々御番人中へ申談有之候由、任一覧写之

乙巳**四月**小

御用番　**本多玄蕃助**殿
御城代　**前田大炊**殿

朔日ヨリ五日マテ快天、六日七日雨、八日晴、九日雨、十日昼ヨリ晴、十一日十二日十三日晴陰、十四日十五日雨、十六日ヨリ廿二日夜雷雨マテ晴陰交、廿三日雨、廿四日ヨリ廿八日迄晴陰交、廿九日雨天、今月気候上旬已来甚寒、下旬ヨリ応時

同　日　月次出仕、如例四時前相済

同　日　於江戸、左之通被仰付

御留守居物頭　山崎彦右衛門代

松寿院様附物頭並ヨリ[1]
竹田源右衛門
御国へ之御暇被下之

同　日　御呼出之処、当病ニ付、同三日ニ被仰付

組外御番頭野村与三兵衛代
筑前守様御用兼帯

筑前守様御抱守ヨリ
小杉喜左衛門

同　日　於金沢長谷観音祭礼能番組左之通、詰人町奉行伊藤平大夫・富永右近右衛門、御先手国沢主馬・杉野善三郎、御横目永原五左衛門

翁　千歳　権左衛門
　　三番三　弥作
　　面箱　弥三郎

高砂　権進　　田村　庄八　　半蔀　宮門　　邯鄲　甚次郎　　岩舟　六右衛門

餅酒　仁十郎　　花子　九郎兵衛　　悪太郎　恒之丞

二　日　昨日同断、但詰人御横目ハ神田平蔵

翁　千歳　善五郎
　　三番三　又三郎
　　面箱　半次郎

玉井　六蔵　　忠則　忠蔵　　羽衣　幸三郎　　安宅　権進　　鳥追　宮門　　乱　権進

煎物　幸助　　呂蓮　長左衛門　　弓矢　徳次

1 重教女穎（保科容詮室）

同日　右祭礼能ニ付、彼辺山内等改方為御用、足軽等召連相廻候事

八日　月次経書講釈為聴聞登城、孟子盡心章句下之内、石黒源五郎講ス

十一日　左之通被仰付

　[1]松寿院様附物頭並　竹田源右衛門代　小石川御広式附御用人ヨリ　高畠安右衛門

　盗賊改方御用本役　盗賊改方御用加人ヨリ　不破佐多右衛門

　定役被指除　盗賊改方御用定役与力　前田甚作

十二日　左之通

　病死　御役免、列頭分　最前御馬廻頭　神尾伊兵衛

△前月廿一日、以上使[2]安藤対馬守殿御国許へ之御暇被仰出、白銀・御巻物御拝領、従[3]大納言様モ[4]水野出羽守殿ヲ以御巻物御拝領、将又従御台様[5]中嶋三左衛門殿ヲ以御巻物御拝受、去朔日右為御礼御登城被成候処、於御座之間御目見御懇之上意、殊ニ御手自御熨斗鮑御頂戴、御鷹・御馬御拝領、且又前田図書・大音帯刀御前へ被召出、其上御巻物頂戴之、重畳難有被思召候旨、拙者共へ以御書被仰下候事

　四月　本多玄蕃助

別紙之趣前々出仕之節申述候得共、今般ハ御帰国前出仕之席無之候故如斯候、以上

　四月十四日

津田権平殿　但連名前ニ同

1 重教女穎（保科容詮室）
2 安藤信成（寛17 180頁）
3 徳川宗睦（尾張藩九代）
4 水野忠友（寛6 58頁）
5 中嶋行敬（寛21 298頁）

猶以難被罷出人々ハ其段名之下ニ可被書記候、以上

明十五日高岡ヨリ御着城之筈候条、御着之御様子被承合、登城可被相伺御機嫌候、若御着七時以後ニ候ハ、翌十六日四時ヨリ九時迄之内可被罷出候、病気之面々ハ御用番宅迄以使者可被申越候

一、明十五日例月之出仕相止候条、可被得其意候、以上

四月十四日　本多玄蕃助

津田権平殿　但連名前ニ同

十五日　夕七時過御機嫌克御帰城、御作法前々之通、且為御礼江戸表ヘ之御使人持組富田権佐発出、拝領物三ヶ年以前迄之通、御羽織一、御巻物二、於御年寄衆席御大小将披露ニテ被下之

同　日　寺中祭礼能番組等、委曲前月畾紙ニ有互見

十六日　昨日依御廻文之趣、今日四時過登城御帳ニ付退出之事

同　日　五半時御供揃ニテ宝円寺・天徳院ヘ御参詣

十八日　左之通被仰付

御倹約奉行兼帯　組外御番頭　堀部五左衛門

廿二日　月次経書講釈為聴聞登城、前記之次木下槌五郎講ス

廿六日　左之通被仰付

新番御歩小頭　菅野主税代

新番御歩ヨリ　中村武兵衛

丙午 五月大

御用番　前田大炊殿
御城代　御同人

朔　日　快天、二日雨、三日ヨリ七日迄晴陰交、八日昼ヨリ雨、九日十日雨天、十一日十二日快天、十三日昼ヨリ雨、十四日ヨリ十七日マテ雨、十八日十九日快天、廿日廿一日雨、廿二日快天、廿三日風雨昼ヨリ霽陰、廿四日ヨリ廿七日迄雨、廿八日晴陰、廿九日雨、晦日晴、気候寒暖交

同　日　月次出仕四時過、於柳之御間一統御目見御意有之、御取合年寄中座上ヨリ言上、畢テ退出

同　日　粟ヶ崎ヘ御放鷹、御獲物鷸九有之

五　日　端午為御祝詞登城、前々之通年寄衆謁、四時前相済

六　日　左之人々御大小将ニ被仰付

千石　十八才　山崎鉦助　有隆（アリカス）

五百石　廿七才　堀　次郎八　庸忠（ツネタヽ）

四百五十石　三十三才　斉藤甚十郎　好恭（タカユキ）

三百五十石　十九才　大河原伝八（改弥太郎）　忠純（ナヲスミ）

三百石　廿三才　古屋弥四郎　永綏（ナカヤス）
二百八十石　廿二才　山内九郎兵衛以実（ユキミツ）
二百五十石　廿二才　井上靫負　政親（マサチカ）

同　日　御算用者十人被召抱

付札　定番頭へ

△御家中之人々実名御名乗字同字相改并文字ハ違候テモ唱同事ニ候ハ、唱替可申旨、前々一統申渡候通ニ候

御名之文字等ハ是迄指テ御貪着無之候処、人々心得ヲ以相憚り候段、存寄次第ニ候得共、先祖之名等ハ相改ニ不及事ニ候、此段拙者共迄御唱之趣モ有之候ニ付申達候事

巳五月

別紙之通可被得其意候、以上

五月六日　本多玄蕃助

津田権平殿　但連名前ニ同

八　日　月次経書講釈前記之次、鶴見平八相勤聴聞

△筑前守様初テ御目見、且又今般御元服御官位之為御祝儀、各ヨリ被上候御太刀・御馬・青銅目録等、江戸表へ上之候処、首尾能披露相済候旨、大音帯刀ヨリ申来候、為御承知如此候、

1 政隣

以上

五月十三日　本多玄蕃助

津田権平殿　但連名前ニ同

十五日　月次出仕一統御目見御意有之、御取合如例四時過退出、且左之通於御前被仰付

日勤并公儀御用・御城御用共御免除、名モ勝手次第相　本多安房守
改候様被仰出、但今日改名悠々齊ト

十八日　左之通被仰付

御倹約奉行兼帯　御先手物頭　矢部七左衛門

廿三日　月次経書講釈為聴聞登城、前記之次石黒源次郎勤

△閉門等有無来月二日迄之内、委細可書出旨、御用番大炊殿御紙面ニ玄蕃助殿如例御添書
ヲ以今日御回状出、前ニ同断ニ付略記ス、但可書出者無御座旨、翌廿四日玄蕃助殿へ紙面
出之

廿四日　於御前左之通被仰付

御先弓頭　青木与右衛門代　組外御番頭ヨリ　佐藤治兵衛

同　日　於御席左之通御用番大炊殿被仰渡

御手前義当分盗賊改方御用被仰付置候へ共、今日ヨリ　津田権平[1]
御免被仰付

御手前義当分盗賊改方御用
兼帯被仰付
佐藤治兵衛

△大坂ョリ御当地ヘ罷越候儒生渓千賀太義、当月廿八日於学校大学講釈就被仰付候、人持并
頭分之人々望次第聴聞被仰付候条、四時ョリ可有参出候事
五月
別紙之趣可被得其意候、以上
五月廿四日
本多玄蕃助
津田権平殿　但連名前ニ同

廿五日　左之通於御前被仰付、且跡目等左之通被仰付候段、御用番被仰渡
附翌廿六日縁組・養子等諸願被仰出

四千石　内千三百石与力知
織部せかれ
篠原弥助

千石
五百記末期養子同人弟
津田虎之助

五百石　御馬廻ヘ被加之
沢右衛門せかれ
山森権八郎

三百五十石
儀大夫跡養子
柘植三左衛門

儀大夫末期願置候通、同姓実方養弟御馬廻組柘植三左衛門義養子ニ被仰付、三左衛門自分
知百五十石ハ儀大夫先祖之配知ニ付、都合三百五十石ニ被仰付

三百石之三ノ一
百石
伊三郎せかれ
児嶋忠次郎

五百石　宇右衛門せかれ　駒井清六郎

四百石　彦右衛門養子　福田四郎

同　主税嫡子　津田源三郎

三百石　甚右衛門せかれ　進藤万四郎

百五十石　弥右衛門養子　武田弥助

四百五十石　主税末期養子同人弟　菅野弥四郎

四百石之三ノ一
百三十石　弥一郎せかれ　細井弁次郎

百石　宗左衛門養子　水越軍平

百三十石　兵大夫養子　木村本助

本助へ被下置候御切米ハ被差除之、組外へ被加之

同　津大夫二男　千羽庄左衛門

組外へ被加之

百五十石之三ノ一
五十石　覚左衛門末期養子覚左衛門実方弟
林弥四郎二男　矢部鉄作

御切米五拾俵　多四郎嫡子　清水又十郎

御大工ニ被召出

残知四百七十石　本知都合七百石　御馬廻へ被加之　遠藤栖次郎
同　百七十石　同断　二百五十石　但組外へ被加之　神保吉之助
同　三百四十石　同断　五百石　御馬廻へ被加之　羽田長三郎
同　二百四十石　同断　三百五十石　組外へ被加之　中川又三郎
同　九百四十石　同断　千四百石　富田小与之助
同　八百石　同断　千二百石　里見勝三郎
同断　北川栄太郎
同　二百七十石　同断　四百石　毛利震太郎
同　百四十石　同断　二百石　原　永次郎
残知七十石　本知都合百石　内藤秀多郎
同　八十石　同断　百二十石　岩田八十次郎
同　七十石　同断　百石　森口直平
同　百四十石　同断　二百石　中西直太郎

切封上書

津田権平殿　前田大炊

御手前義、佳節朔望河北御門へ勤番可有之候、指引之義ハ御奏者番ヨリ可申談候、以上

五月廿五日　及御応答

河北御門　今村三郎大夫　河内山久大夫

津田権平

右之通、是以後佳節朔望等御申談、御勤番可有之候、若故障等有之候節ハ可被及御案内候、為其申達候、以上

巳五月廿五日　前田兵部

津田権平様　及応答

武学校ヘ罷出候諸師範人之門弟・陪臣ハ当分罷出不申筈之旨、寛政四年六月相触置候得共、右陪臣之人々モ志次第、罷出可致稽古旨被仰出候条、来月十五日ヨリ罷出可申候、就其罷出候人々名書ハ其師範人ヘ相達、師範人ヨリ佐藤勘兵衛等ヘ指出可申候、且又学校ヘ罷出候陪臣之人々名書是迄ハ其主人々々ヨリ相達、佐藤勘兵衛等ヘ相達候得共、以来ハ不及其義ニ、御儒者之内ヘ向寄次第相達、御儒者ヨリ勘兵衛等ヘ相達可申候

一、以来二七之講日、陪臣之人々且御歩並以下、曁町在之者迄相望候者、不時ニ罷出候テ聴聞之義勝手次第之事

但、罷出候人々ハ、別ニ名札学校御横目ヘ指出可申候

右之趣被得其意、組・支配之人々ヘ可被申渡候、組等之内才許有之面々ハ其支配ヘモ被申聞、尤同役中可有伝達候事、右之趣可被得其意候、以上

五月廿四日　村井又兵衛

別紙之趣可被得其意候、以上

五月廿五日　本多玄蕃助

重教息　斉敬[1]

廿八日　前記廿四日之通ニ付、四時前ヨリ学校ヘ出、渓千賀太講釈
　大学三綱領聴聞、九時半退出之事
　　津田権平殿　但連名前ニ同

観樹院[1]様御三回忌御法事、来月廿八日・廿九日於天徳院御執行就被仰付候、御法事御奉行
前田大炊殿御廻状并御横目ヘ被仰渡候、御同人御覚書ニ本多玄蕃助殿御添廻状ヲ以追々到
来、都テ去年同趣ニ付略之、相違之趣左之通
去年ハ一朝御執行之処、此度ハ二朝御執行、拝礼人持・物頭、去年ハ廿九日之処、此度ハ廿
八日卯刻ヨリ辰上刻迄、右之外都テ同断ニ付不記之、去年五月六月互見

丁未六月小
　　御用番　奥村左京殿
　　御城代　前田大炊殿

朔　日　二日三日四日快天、五日陰、六日七日八日九日雨、十日昼ヨリ霽快天、十一日晴、十
二日昼ヨリ雷雨、十三日十四日十五日快天、十六日十七日十八日十九日廿日廿一日雨、廿
二日昼ヨリ霽、廿三日快天、廿四日雨昼ヨリ霽、廿五日廿六日廿七日快天、廿八日雨昼ヨリ（昼后大風雨）
快天、廿九日晴陰交、今月気候暑薄き方、併時ニテ難堪蒸暑有之（丑四刻ヨリ土用）

同　日　月次登城、前月廿五日記之通、今村・河内山・自分河北御門番所ヘ相詰、自分残り番、
今村・河内山ハ列居之刻罷出、一統御目見仕候事

同日　跡目之御礼等被為請、四半時前相済

六日　左之通被仰付

御城方御用　公義御用　**奥村河内守**

八日　月次経書講釈、前記之次、**木下槌五郎**勤、聴聞

附、去二日学校出座、論語里仁之内講釈聴聞、前洩ニ付爰ニ記

十二日　犀川・浅野川々除ヘ塵芥等捨間敷旨等、御普請奉行出候紙面ニ御用番**左京**殿御添紙面共、如例**玄蕃助**殿ヨリ御廻文、去年同断ニ付記略ス

十四日　四時頃学校御囲之内、鎮守堂ヘ初テ御参詣、御供人服御改、御行列ハ御城内ヘ御出之御振也、両学校ヘモ被為入、御見物之事

但、武学校、今日ハ**木村惣大夫**門弟剣術稽古之定日也

十五日　登城、朔日記之通、今日ハ**今村・自分**ハ列居、一統御目見仕、**河内山**ハ残り番、此後繰々同断ニ付記略

十七日　於御前

御奏者番被仰付　定火消ヨリ　**永原久兵衛**

十八日　左之通被仰付

不応思召趣有之ニ付御大小将組被指除、組外ヘ被加之、急度指控　**宮崎磯太郎**

不応思召趣有之ニ付急度指控　**菅野嘉右衛門**

右嘉右衛門せかれ劉平娘義、右磯太郎ト縁組申合度段願置候処、前月廿六日夫々願之通被仰出候得共、右宮崎・菅野縁組ハ其節不被仰出候事
附、嘉右衛門年八十三、先年ヨリ劉平代番勤、当時嘉右衛門薄髪、元結難懸りニ付相願剃髪、内輪ニテ脾翁ト称ス、附、翌年二月十日両家共指控御免許、同年三月六日縁組願之通被仰出

廿三日　月次経書講釈聴聞、前記之次、木下槌五郎講ス

廿九日　昨今、於天徳院、観樹院様御三回忌御法事御執行、前月廿八日互見

△当月十五日ヨリ年寄中等家来ヲ初、重臣之人々、於武学校武芸稽古就被仰付候、同所ヘ罷出候御昵近之人々ヘ対し無礼緩怠之族無之様、年寄中家来ヘ急度申渡置候段被聞召候、然上ハ尚更ニ心得、稽古出情有之様ニト思召候間、此段各ヨリ夫々可申談旨被仰出候事

六月

当月十五日ヨリ年寄中等家来ヲ初重臣之人々、於武学校武術稽古就被仰付候、織田主税ヲ以、別紙御覚書被成御渡、右之趣学校ヨリ夫々可申談旨被仰出候、依之御覚書之写指進之候条、御支配之面々ヘ申談可被成候、尤御同役御伝達可被成候、以上

六月　杉野吉太郎

窪田左平様

右、同役筆頭窪田迄廻状到来、同氏ヨリ如例伝達廻状有之候事

戊申七月大

御用番　長　九郎左衛門殿
御城代　奥村河内守殿

朔　日　二日三日四日五日六日七日八日九日十日十一日十二日十三日十四日十五日十六日十七日十八日十九日廿日晴陰交烈暑甚折々山夕立有之、廿一日陰秋暑催、廿二日廿三日廿四日廿五日陰秋暑立帰又烈、廿六日廿七日廿八日廿九日陰有テ秋暑烈併朝夕ハ涼風有之

同　日　月次出仕、河内山・自分列居、一統御目見、今村ハ残り番也

左之通、於御前被仰付

御近習御用織田主税等勤方同事
且、組頭並ニ被仰付、先例有之候ニ付
御役料ハ百五十石被下之

物頭並御近習御用
当時織田主税等勤方加人ヨリ
勝尾吉左衛門
改　半左衛門

御先弓頭　柘植儀大夫代
御近習御用只今迄之通

御使番ヨリ
石黒小右衛門

物頭並
御近習御用

御居間方組外ヨリ
有沢惣蔵
（女脱）
改　采右衛門

御表小将横目ヨリ
林　十左衛門

御表小将御番頭　樫田折之助代

御表小将配膳ヨリ
津田権五郎

御使番
但、判五兵衛ハ御近習御用兼帯

同断
堀　兵馬
御居間方組外ヨリ
改　田辺宇兵衛
判五兵衛

左之通、於御席御用番九郎左衛門殿被仰渡

筑前守様御用、人持組
前田織江

先達テ減知被仰付知行高御引足
千石　先知都合七千石　内千石与力知

亡父左膳義、雖病気数ケ年引籠罷在、快気之期モ無之、一円御用相勤不申ニ付、先達テ知行高七千石之内千石減知被仰付、保養之上出勤モ仕候ハ追テハ思召モ有之旨被仰渡置候、其後左膳義隠居被仰付、織江ヘ家督相続被仰付、御奏者番等彼是役儀相勤候ニ付、如斯御引足被仰付

人持組
篠原弥助

定火消

御馬廻頭
多田逸角

御加増　弐百石　先知都合五百五十石

逸角義、幼年ヨリ御代々御近辺之勤仕曁品々重き役儀等数十年入情相勤候ニ付、如斯御加増被仰付

御儒者
伊藤雅楽助

御引足
三拾石　先知都合百石

雅楽助儀、家業心懸入情仕、相応御用立候ニ付、如斯御引足、亡父淳八郎知行高之通被仰付

九右衛門義、数十年彼是役儀全相勤候ニ付組外ニ被仰付　定番御歩小頭ヨリ　浅野九右衛門

筑前守[1]様御用　寄合学校方御用ヨリ　志村五郎左衛門

同断御免除　本役御小将頭　高田新左衛門

組外御番頭　千田次右衛門(治)

筑前守様初テ嘉祥御登城ニ付、従相公様為御礼、江戸表へ之御使、但、五日発、閏七月八日帰着　御大小将　岩田是五郎

頭申渡　聞番見習

御算用者小頭、新知御格之通　御算用者ヨリ　渡辺茂兵衛

同日　半納米価左之通、但、余ハ准テ可知之

地米　五十五六匁　羽咋米　四十八匁　井波米　四十四匁五分

二日　五半時過出宅、学校へ出座、論語里仁之内、木下槌五郎講釈、聴聞

同日　左之通、被仰付

御表小将横目　林十左衛門代於御前被仰付　御表小将ヨリ　横山引馬

御表小将　御大小将ヨリ　山崎弥次郎

1前田斉広（十二代）

同　見習　御大小将 奥田金大夫
同　加人　御馬廻組 九里覚右衛門

三　日　左之通被仰付
就被仰出候、為代用意出来次第出府、附廿六日発出　御家老役 津田修理
病気之体被聞召、御国へ之御暇
大音帯刀来春迄詰延之筈ニ候処

六　日　同断
御馬奉行　和田知左衛門

七　日　夕、為御祝詞登城、前記之通ニ付、今村・河内山一統御目見、自分ハ残番也、但、如斯
繰々ニ付此次八月朔日ヨリ略テ月次出仕、或重陽出仕日迄可記事

八　日　月次経書講釈、前月二十三日同断
稲ニ花付、実入ニ相成候間、石川・河北両郡今月廿五日ヨリ九月十日迄、御家中鷹野遠慮之
△義等、御算用場奉行永原将監紙面ニ御用番御添書等例之通、玄蕃助殿ヨリ御廻文来ル

九　日　暑御尋之宿次御奉書、今日到来、依之御礼之御使、御馬廻頭今井甚兵衛へ被仰渡、十
二日発出

十三日　左之通被仰付
学校方御用　寄合 富永靭負

今月(空)□日於江戸被仰付
筑前守様御用
人持組御近習御用
横浜善左衛門

十九日　左之通、御用番九郎左衛門殿被仰渡、但、此次来月九日互見
江戸詰順番之通被仰付
御先手
矢部七左衛門
国沢主馬

前洩、今月十一日、左之通被仰付
御加増五百石　先知都合千五百石
若御年寄
前田大学

廿三日　月次経書講釈、今日ニテ孟子全相済、講師去八日同断

閏七月小
御用番　村井又兵衛殿

朔　日　ヨリ十一日迄陰晴交、十二日陰夕立雨一顇、十三日暁大雨朝ヨリ霽晴、十四日ヨリ十八日マテ快天続、十九日微雨昼ヨリ晴、廿日夕立一雨涼催、廿一日廿二日快天、廿三日夕ヨリ雨天、廿四日廿五日廿六日雨、廿七日廿八日晴、廿九日昼ヨリ暴風雨、今月気候秋暑甚下旬微涼

同　日　月次出仕、且左之通、於御前被仰付
御大小将御番頭　田辺善大夫代
御大小将ヨリ
野村順九郎
改　源兵衛

二　日　五半時ヨリ学校出座、論語里仁之内、新井升平講釈、聴聞

四日　左之通、本多玄蕃助殿ヨリ到来之由ニテ同組筆頭前田兵部ヨリ廻状到来

△喧嘩追懸者役、閏七月十七日ヨリ　久能吉大夫代　永原佐六郎
例之通佐六郎ヨリ廻状出　只今迄之通り　津田権平

八日　月次経書、今日ヨリ中庸初ル、木下槌五郎講釈ス

九日　左之通、御用番又兵衛殿被仰渡

江戸御使被仰付候条、聞番申談
可相勤候、来月上旬発足之心得ニテ可
致用意、日限ハ追テ可被仰渡ニテ、但八月十五日発足　矢部七左衛門

当御留守中大御門方御用　国沢主馬

筑前守[1]様初テ御目見、且御任官之為御祝儀、各ヨリ御太刀御馬上之、御歓覚之御事ニ候、
△此段可相達旨、拙者迄被成御書候条、明十一日九半時拙宅ヘ参出可有頂戴候、以上

閏七月十日　本多玄蕃助

津田権平殿

十一日　昨日依御廻状今日九時出宅、玄蕃助殿御宅ヘ布上下着用参出、筑前守様御書拝戴、都
テ当三月十日同断、互見之事

十五日　月次出仕、一統御目見、且左之通被仰付

自分知行之内七百石被下之、隠居　御家老役　本多頼母　六十六才　改閑隋

1 前田斉広（十二代）

壱万三百石被下、家督相続

同　勘解由

隠居

人持組　青山将監　七十四歳　改滄洲

家督無相違七千六百五十石　内二千五百石　与力知

同　与三　改将監

隠居

人持組　篠原監物　七十二才　改散木

家督無相違

同　頼母

同日　於御前

御家老役

筑前守様御用ヨリ　前田織江

定番御馬廻御番頭　千秋丈助代

芝御広式御用人ヨリ　佐藤弥次兵衛

十七日　左之通被仰付

聖堂請取火消并両学校兼

人持組　寺西九左衛門

定火消御免　青山将監代

同　前田権佐

廿一日　五時出宅、下桜畠打場へ出、組足軽鉄炮致見分候事

但当時小頭共廿人之処、在江戸并痛等之分除之、左之五人遂見分、中り附左之通、尤球数十放宛之事

1石谷清豊（寛14 239頁）
2まなづる

三ッ星　柳瀬弥左衛門　八〃　田丸儀右衛門　六〃　小嶋甚大夫
五〃　三宅嘉蔵　二　小川和平次
右初テ致見分候ニ付、小頭ヘ銀二朱、平足軽ヘ銀壱匁宛遣ス
八月二日右弥左衛門呼出、目録等相渡、田丸儀右衛門ハ常々心懸之由ニ付別段ニ一段之旨
為申聞候様同人ヘ申渡、且皆中有之候得ハ角二十枚添遣ス筈也

廿三日　月次経書講釈、去八日之次、鶴見平八講ス
改作奉行兼御勝手方被仰付　加州御郡奉行ヨリ　林　弥四郎

今月十九日於江戸
筑前守様ヘ以上使御使者石谷周防守[1]殿御御鷹之鶴[2]御拝領
六月十三日左之通、就前洩于茲記之
付札　御馬廻頭ヘ　山崎郁視「七月朔日次郎兵衛ト改名被仰付」
右当時勤柄ニ付鎗術指南方指支候段被聞召候、依テ御近習勤仕御免被成候、以来随分弟
子取立可致指南候
右之通被仰出候条可被申渡候事
鎗術　毎月九日・十九日・廿九日
右　八時ヨリ
右御用番今井甚兵衛ヘ御家老役横山蔵人殿被申渡ニ付則申渡、且別紙御次稽古之儀ハ御近

習頭**石黒小右衛門**ヲ以被仰出

同十五日　左之通被仰出、於御次拝領、白銀二枚・八講布弐疋也、

御自分鈎術指南方之儀ニ付今般御近習仕御免被仰付候、久々御近習相勤候ニ付、御内々

御目録之通被下之、別段御上下拝領被仰付候、将又御近習之人々鈎術指南之儀ハ是迄之

通相心得可申候、此段可申渡旨被仰出候

右**郁視**気滞ニ付名代へ御用部屋演述之由、任一覧等記之

乙酉**八月大**　　御用番　**奥村河内守**殿

朔日　晴、二日雨、三日晴、四日雨、五日六日霽、七日夕方暴雨、八日ヨリ十二日マテ晴陰、

十三日夕ヨリ十四日朝マテ風雨昼ヨリ晴、十五日十六日雨、十七日十八日十九日快天、廿日

ヨリ廿八日マテ陰雨、廿一日ハ霰交、廿九日晴、晦日雨、今月気候冷及下旬頻ニ募

同日　月次出仕、一統御目見等被仰付、且左之通御用番被仰渡

定火消　　**本多勘解由**

二日　五半時過ヨリ学校出座、前記之次**寺田九之丞**講ス

八日　月次経書、前記之次**新井升平**講ス

△能美郡今江潟・木場潟并梯川、上ハ佐々木・伊藤之渡りヲ限、下ハ安宅水戸口共、川筋不残

并水戸先海之八十間三方共、今江村・向本折村・下牧村之猟場ニ被仰付置、先規ヨリ運上銀

指上、猟師之外ハ右於猟場殺生不相成義往古ヨリ之格合ニ候処、猥ニ相成、猟師共致難儀候

ニ付猟師之外ハ不相成趣、享保年中・安永年中ニモ御家中一統申渡候処、近年又々猥ニ相成、殺生人多入込、甚猟師共及ぶ難義相歎候段、御郡奉行申聞候条、右於猟場御家中之人々等殺生堅無用之事

右之通被得其意、組・支配之人々へ可被申渡候、組等之内才許有之面々ハ其支配へモ相達候様被申聞、尤同役中可伝達候事、右之趣可被得其意候、以上

八月十三日　　本多玄蕃助

右本多玄蕃助殿御添書ヲ以、例之通同組連名之御廻状到来

十五日　月次出仕、一統御目見等被仰付

芝御広式御用人　　公事場御横目ヨリ御大小将組　中　孫十郎

廿一日　左之通被仰付

御歩頭　篠嶋平左衛門代　　御持頭ヨリ　中川平膳

定番御馬廻御番頭　遠藤次左衛門代　　御大小将横目ヨリ　丹羽六郎左衛門

若火事之節、金谷御門ヘ矢部七左衛門罷出候得共、今般江戸表ヘ罷越候ニ付、右為代御手前可被罷出候、猶更於御横目所御定書可有披見候、以上

八月廿四日　　奥村河内守

津田権平殿

右封御紙面ニテ被仰渡候ニ付及御応答、同役中ヘ致廻状、且又翌廿五日登城、於御横目所御定書披見、用文左之通

御在国中火事之節御定

一、金谷御門
外　足軽頭壱人　伊藤津兵衛組附
与力并組足軽共
御徒横目壱人足軽十人　付札　津田権平

一、遠所無気遣火事之節、登城仕間敷候、早鐘次第定之役所々々へ可相詰
但、近隣風下之者不及登城、自分之火ヲ防可申事
附、此次十一ヶ条別記、諸御作法書之内ニ有之ト同断ニ付略ス

右之通無相違可被相守者也
寛政九年四月

廿七日　左之通被仰付
当国御郡奉行　林　弥四郎代　御馬廻組　馬場孫三
公事場御横目　中　孫十郎代　組外　近藤小守
昨廿六日病死　享年七十二才　篠原散木

今月廿八日御用番河内守殿等御連印之以奉書御先弓頭
石黒小右衛門代被仰付、直ニ江戸詰被仰渡　御大小将横目　永原半左衛門

右同断御大小将横目永原半左衛門代被仰付　御大小将ヨリ　永原治九郎
但右両奉書九月十二日江戸へ到来

庚戌九月小　　御用番　長　九郎左衛門殿

朔　日　雨、二日三日四日晴、五日雨、六日ヨリ十五日マテ晴陰、但十三日夜雨、十六日十七日雨、十八日十九日晴、廿日ヨリ廿九日マテ陰雨、但廿七日朝晴、今月気候暖温

同　日　月次出仕、一統御目見、且左之通於御前被仰付

御使番　　御膳奉行ヨリ　関沢安左衛門

御近習御用兼帯　　御大小将　大脇靭負

御呼出之処、気滞ニ付不罷出

二　日　学校出座、講師中西巳門、但巳門ハ前田橘三家来家老之処、学校読師ニ被雇也

八　日　月次経書講釈為聴聞可罷出処、自分気滞ニ付御横目中迄以紙面及断候事

九　日　重陽ニ付登城可致処、気滞ニ付御組頭玄蕃助殿ヘ御断書付、昨八日指出并御奏者番中ヘモ河北御門勤番断紙面指出、組合同役今村三郎大夫・河内山久大夫ヘモ案内及廻状候事

十五日　自分[1]気滞未宜ニ付出仕断等去九日同断

十七日　左之通於御前被仰付

御大小将横目　丹羽六郎左衛門代　御大小将ヨリ　大脇靭負　改六郎左衛門

十八日　五時前御出、御放鷹之御振ニテ能美郡筋御巡見、今夜、十九日・廿日小松御泊、彼辺御巡見、廿一日暮過御還城、御打留等之雉子十三羽御獲物之事

廿三日　自分風気等未宜、今日月次経書講釈聴聞相断候事

1 政隣

廿八日　夜、五半時之鐘ヲ四ツ時之鐘ニ打損、依之二之御丸御仕廻半時早く相成候、尤五半時之鐘ハ打不申、右ニ付当番足軽**大野五左衛門**・添番足軽**高桑宇兵衛**手前翌廿九日於割場詮議之上、**五左衛門**義ハ先急度指控、**宇兵衛**義ハ御用之外徘徊留申渡有之、十月二日右**宇兵衛**并食代**北村弥右衛門**モ御奉公指控候様、割場申渡有之

此次十月六日互見

辛亥**十月**大　御用番　**本多玄蕃助**殿

朔　日　二日晴陰交、三日昼ヨリ雨、四日ヨリ十九日マテ雨霰雪交、廿日昼ヨリ晴、但十二日十三日ニ雪三寸余積、廿一日晴、廿二日昼ヨリ雨、廿三日ヨリ廿七日マテ雨雪交、廿八日廿九日晴、晦日雪、今月気候応時

同　日　月次登城、一統御目見、且左之通於御前被仰付

御家老役　若年寄兼帯　若年寄ヨリ　**横山又五郎**

若年寄　御近習御用兼帯　御近習御用ヨリ　**織田主税**

二　日　学校ヘ例刻ヨリ出座、前記之次章**長谷川準左衛門**講釈、聴聞各乗馬、明三日於学校御馬場、御覧可被成旨被仰出候条、所持之馬為牽、九半時不遅右御馬場ヘ可被罷出候、馬具ハ有合之品ヲ用ひ、尤見苦義ハ御貪着無之候、当病曁所持之馬病馬等ニ候ハ追テ御覧可被成旨モ被仰出候条、其段名之下ニ可被書記候

六日　前月廿八日記之通、同夜五半時之鐘ヲ四時ニ打損し候足軽大野五左衛門義ハ追込、添番足軽高桑宇兵衛・食代足軽北村弥右衛門義ハ改テ指控可申渡旨、今日従御城代割場奉行ヘ被仰渡、即夫々申渡之、但十二月廿八日三人共御宥免

一、着服之義ハ馬乗袴ニ肩衣ニテ被罷出、乗馬之節肩衣はつし、相済候ハ重テ肩衣着用、於学校御礼之趣、拙者共ヘ可被申聞候、且又各溜所之義ハ学校頭ヘ承合可被成候、以上

十月二日　前田大炊

津田権平殿

追テ明日為牽候馬、毛附・歳附、今日中拙宅迄可被申越候、以上右ニ付左之通紙面半切折懸包ニ認、以使者指出候事

黒毛　三歳

右私持馬毛附等如斯御座候、以上

十月二日　津田権平判

前田大炊様

右前月十日御覧被仰出候段、前日右同断奥村河内守殿ヨリ申来候得共、其砌自分気滞ニ付及御断候処、同日揃之上御延引、同十三日同断ニ候得共、自分気滞ニ付其節モ及御断候事

三日　前記之通ニ付、九時過持馬ニ乗学校ヘ出候処、八時頃御出、然処雨天ニ相成候ニ付、御覧御延引被仰出、八半時過帰候事

八日　月次経書、講釈木下槌五郎勤、聴聞

十五日　月次出仕一統御目見、且又五郎殿等役儀之御礼并当四日被召出候与力十六人御礼モ被為請、附御城代方与力吉田九郎次当七月病死之者ニ候得共、数十年品々相勤候ニ付、格別之趣ヲ以此度右跡モ被召出候事

廿三日　月次経書聴聞登城、講師長谷川準左衛門勤之

廿七日　左之通玄蕃助殿御添書ヲ以到来、如例ニ付略記ス

付札　定番頭へ

△当時銀支ニテ調達方別テ不通用ニ付、御家中之人々難渋之体ニ候、依之役出銀之外、当月ヨリ未上納銀之分才覚相調候迄御用捨被成候条、調達出来次第無油断早速上納可仕候、尤不差支人々ハ勝手ニ可有上納候事

右之趣被得其意、組・支配之人々へ可被申渡候、組等之内才許有之面々ハ其支配へモ相達候様可被申談候事

巳十月

同　日　跡目等、左之通被仰付

無相違
二百五十石　組外へ被加之　平左衛門養子　久田権作

五百石　御馬廻へ被加之　平左衛門せかれ　不破栄五郎

四百石　組外へ被加之　折之助養子　樫田八十助

三百三十石之三ノ一
百十石　善大夫末期養子　別所宗右衛門三男　田辺永三郎

伊兵衛せかれ　神尾昌左衛門
無相違　五百石　御馬廻へ被加之

作兵衛養子　長　右近
八百石　前田杢並ニ被仰付

逸角嫡子　前田求馬
千石　内五百石与力知

銀三郎せかれ　神戸友三郎
百五十石之内　七十石
銀三郎義幼年ヨリ筑前守様御側小将相勤、今度於江戸相果候者ニ付友三郎義幼稚ニ候得共、格別之趣ヲ以如斯被仰付

市郎左衛門養子　武　貞右衛門
無相違　百五十石
貞右衛門へ被下置候御切米御扶持方被指除之、御大小将組被指加御祐筆本役被仰付

織人嫡子　石黒鉄之助
百三十石ノ三ノ一　四十石

喜兵衛せかれ　山村次郎左衛門
無相違　五百石

七郎大夫嫡子　三階助九郎
四百五十石

又八郎嫡子　山森小源太
弐百五十石之内　百五十石

同人三男　同　増三郎
同断御配分　百石
増三郎義組外へ被加之

要蔵末期養子横山次郎兵衛弟　横山義六郎
無相違　二百石

百七十石　伊左衛門養子　田辺勇作

自分知二百五十石共
千二百五十石　彦六郎跡相続　渡辺勝右衛門

末期願置候通、同姓渡辺勝右衛門相続被仰付、勝右衛門自分知ハ彦六郎先祖之御配分ニ候
処、本家相続ニ付都合千二百五十石ニ被仰付

無相違
六十石　半大夫嫡孫　水野貞次郎

百五十石　栄之助末期養子定番御歩　中村覚之丞弟　土田養五郎

百二十石　庄兵衛せかれ　神戸加平

百十石　忠作せかれ　田辺与九郎

三百石　太郎左衛門養子　姉崎源三郎

二十人扶持之内
十人扶持　慶助養子　林　周輔

百五十石之内
同断　玄伯嫡子　南保玄仲

百五十石之内
百二十石　善得養子　小川玄益

五十俵　六組御歩小頭　惣兵衛二男　木村亥子三郎
御歩ニ被召出、御切米並之通被下之

五人扶持　同断並　戸左衛門せかれ　水野半助

前田修理へ

本組与力吉田所平末期養子関沢安左衛門二男伝次郎義願置候処、近藤駿太郎家来吉田市佑ト申者所平別家之由、同人実兄前田主殿助与力中村幸助へ段々及懸合候趣有之候ニ付、幸助等手前被相尋候処、御算用者吉田弥五郎義同姓之義、所平及懸合、尤同姓ト治定仕候得共市佑義ハ数十年勤合モ不致、所平存生之内市佑ト同姓ト申義一円覚悟無之、弥五郎へ幸助等ヨリ相尋候処、市佑義ハ［（空白）］弥五郎義ハ嫡家ニ相違無之旨申聞候上ハ、以後所平家同姓ト相心得罷在候旨、幸助等申聞候由被申聞候故、市佑手前モ相糺候処、同姓之義ハ相違無之相聞候得共、所平存生之内、及懸合ニ得ト弘置可申処其義無之、依テ所平末期願置候通、安左衛門二男伝次郎義末期養子ニ被仰付、此段伝次郎へ可被申聞候事

巳十月

高畠五郎兵衛へ

本組与力吉田所平末期養子関沢安左衛門二男伝次郎儀願置候処、近藤駿太郎家来吉田市佑儀所平同姓之由、同人実兄前田主殿助与力中村幸助へ懸合候趣有之ニ付、幸助等手前相糺候処、御算用者吉田弥五郎義ハ同姓之義、所平及懸合ニ至、同姓ト治定仕候得共、市佑義ハ数十年不致勤合モ、所平存生之内市佑ト同姓ト申義及懸合候義モ無之候ニ付、同姓ト申義一円覚悟無之、併弥五郎嫡家ニ相違無之候、以後所平家之同姓ト相心得罷在候旨、幸助等申聞候由支配人申聞候、右之通ニ付、市佑手前駿太郎へ被相尋可申聞候様申達候処、則同人へ被申渡、市佑系図等取立添紙面ヲ以被出之候、右系図等之趣ニテハ市佑義所平同姓之義

ハ相違無之候得共、所平存生之内及懸合、同姓之義相糺不申ニ付、所平末期養子願置候通
安左衛門二男伝次郎義末期養子被仰付候、此段駿太郎ヘ可被申聞候事

巳十月

無相違
百八十石　所兵衛末期養子関沢安左衛門二男　吉田伝次郎

百二十石　彦兵衛末期聟養子佐久間五郎八次男　服部又三郎

百石ノ三ノ一
三十石　清大夫せかれ　新　政之助

無相違
百石　助丞末期養子上村大次郎指次弟　勝尾富助

無相違
七十石　源進末期養子　林　安次郎
　　　御細工者小頭太田清兵衛二男

定番御歩ニ被加之

残知
二百石　本知都合三百石　武村鉄三郎

鉄三郎義、稽古入情仕御馬場御出之節モ罷出、御馬役乗候御馬之内下乗仕候処、段々宜敷相成候段、被聞召候ニ付、残知被仰付、尤無油断稽古可仕旨被仰出、御馬方御用可相勤候

廿八日　縁組養子等諸願被仰出、然処御馬廻組津田九左衛門養子願不被仰出ニ付、頭佐藤勘兵衛・小寺武兵衛ヨリ御達申候処、御聞届無之ニ付、御馬廻頭一統ヨリ存寄御達申候テ相願之処、十一月朔日夕、左之通被仰渡

御様子有之、養子願御猶予有之候得共、各願ニ付九左衛門願之通被仰出

同　日　左之通

四人共病気等ニ付願之通
役義御免除

定火消
伴　八矢
定番御馬廻御番頭
賀古右平太
高岡町奉行
中村求之助
御書物奉行
朝倉久作

久作義ハ久々相勤候ニ付
於御次白銀三枚・生絹二疋、御目録ヲ以拝領被仰付

今月朔日　本納米価秋納宜ニ付、七月直段ヨリ下落、左之通、余ハ准テ可知之
地米　五十三匁　羽咋米　四十三匁　井波米　四十目

私共御領之者ニテ市之丞ハ能州鳳至郡鹿磯村出生、長平ハ加州石川郡大野村出生、両人共他国廻船乗組渡世仕候処、天明七年夏於大坂、儀三郎船へ水主ニ被雇、越後国へ乗下り、御城米積請、江戸へ着仕、御蔵納相済候テ同年十一月下旬空船ニテ出帆、十二月上旬浦賀沖間ニテ難風ニ会ひ無是非帆柱切候テ、六十日程沖間ニ漂流罷在、翌年二月朔日頃ト覚候頃、島方へ漂着仕候ニ付、伝馬船ニテ乗組十一人共陸へ上り、嶋之躰見渡候処、人家モ無之ニ付、貝等拾ひ食ニ仕申候テ一両日モ忙然ト罷在申候、扨険峻之山ヲ越へ見廻り候処、谷間ニ人間形之者相見へ候ニ付、詞ヲ懸候処返答仕、人ニ無相違候ニ付、其所へ罷越面談仕候処、土佐国之四人、乗組候船三ケ年以前此嶋へ漂着、三人ハ追々死去ニテ、壱人生残り居

候由申聞候ニ付、嶋之様子相尋候処、無人嶋ニテ穀物等一切無之、魚鳥貝等ヲ取喰候テ、致存命居候由、冬ハ右之大鳥之羽ヲ着し寒ヲ凌候、尤暖気ニテ国々之九月頃程成節が此嶋之極寒之由申聞候、其後乗組十一人之内二人病死、九人ニ成申候、且又私共漂着後三年程立候テ薩州船之由、六人乗ニテ此嶋へ漂着仕、二人ハ追々病死仕候、生残候者共申談候ハ、薩州船ヨリ鋸等細工道具類少々上置候ニ付、追々流寄候破船之板木類等拾ひ上候テ小船形之者拵、一統ニ乗出し、海上ニテ之変死ハ船乗之定業、万々一ニモ人住嶋へ流寄候得ハ再古郷へ帰り申事モ可有之ト申合、彼是三四年モ懸り候テ右小舟六間計ニ出来候ニ付、当年六月中旬頃ト覚候頃、右嶋ヲ乗出申候処、六日目ニ青ケ嶋へ乗上け一統ニ陸へ上り候処、此所ニ八丈嶋之者九人居合候ニ付、月日等尋候得ハ六月十三日之由申聞候、夫ヨリ委細物語仕候処、為案内二人乗副、八丈嶋へ着船、陸へ上り候処、役人罷出止宿世話彼是致介抱呉候テ、是迄之始終口書取候テ、右之乗来候船ハ陸へ上け置、八丈嶋御用船ニ役人乗添江戸表へ十四人共送届候由ニテ九月四日出帆、同廿二日当着仕候処、御勘定御奉行**根岸肥前守**[1]様へ一統ニ被召出、漂流之様子御吟味口書被仰付、無御構旨被仰渡候ニ付、江戸問屋**村沢善三郎**へ御引渡相願候処、十月十七日願之通御引渡ニ相成申候テ、**善三郎**方へ引取世話ニ成申候、右御奉行様ヨリ十四人之者共へ、木綿布子帯一ツ宛被下候ニ付、着用寒ヲ凌申候

一、無人島へ漂着前、海中之瀬ニ乗候哉、尤風モ添候故とても御座候哉、矢ヲ射る如く凡二三百里斗モ走せ候処、少し穏かニ成候ト覚候得ハ無人嶋へ漂着仕候

一、前ニ申上候通、冬ハ暖成所故難儀ニモ不奉存、夏ハ極暑ニテ難堪、岩間等ニテ暑ヲ凌申候

1根岸鎮衛（寛22 104頁）

一、口之色ハ紫ニテ、大きさ大盥程ニ見得申候
一、食ニ仕候大鳥ハ、鶴等ヨリハ余程大きく御座候、見馴れ不申鳥、毛色ハ雁之様ニテ、少宛違御座候、人ヲ怖れ不申故礫或木之枝等ニテ自由ニ打殺申候、最初ハ生ニテ給候得共、薩州船漂着後ハ火打金等御座候故、魚鳥共焼候テモ給申候
右之通ニ御座候、以上

十月

市之丞　印
長　平　印

右両人共十一月三日江戸発足、同十八日古郷へ帰、壱人ニ田地弐拾石宛被下之、且長平ハ金沢等所々へ呼候テ右之物語聞人多有之、同月暨十二月中旬迄モ他家之賄ニテ暮候由云々

御馬廻頭御用番支配
小野木鉄十郎

長病人

右眼病ニ付信州上諏訪高嶋御城下、眼科竹内新八療治宜仕由ニ付、他国御暇願如何ニ候得共、療治相応候得ハ、御奉公モ相成候間、可成儀ニ御座候ハ、百日之御暇願書付出之、七月御用番多田逸角鉄十郎方へ罷越遂見分候上、一眼ニテモ助り候得ハ、出勤之期ニモ至り申儀ニ候間、何分奉願旨加奥書、御用番長九郎左衛門殿へ相達置候処、本文入御覧候条願之通申渡、罷帰候ハ可及御案内旨、閏七月九日右書付ニ御用番村井又兵衛殿付札ヲ以被仰渡、
同月十三日発足

御用番　奥村左京殿

壬子十一月大

朔日ヨリ五日マテ雨雪風交、六日七日晴、八日ヨリ十一日マテ雨雪荒交、十二日十三日十四日晴、十五日ヨリ十九日マテ雪、廿日晴、廿一日廿二日風雪、廿三日廿四日晴、廿五日廿六日風雪、廿七日晴、廿八日廿九日晦日風雪交、候応時

同日　月次出仕、一統御目見、且跡目之御礼等被為請
但前々ハ及月末跡目等被仰付候テモ、御礼被仰付候義以御紙面被仰渡候処、此度ハ前月廿七日御用番左京殿御口達ニテ、来月朔日御礼被仰付候段夫々被仰渡

二日　例刻ヨリ学校ヘ出座、木下槌五郎論語里仁之章之内講釈、聴聞

八日　月次経書中庸之内、鶴見平八講釈、聴聞

十五日　月次出仕、且左之通被仰付

御大小将御番頭ヨリ
人見吉左衛門

筑前守[1]様御用物頭並於御前被仰渡　但金谷御広式御用兼帯

定火消
青山将監

筑前守様御用兼帯御免
金谷御広式御用ハ只今迄之通
中村八郎兵衛
青木多門

廿日　本多悠々斎[2]老、病気指引有之ニ付、御尋之御使被下筈ニ付、取持依御頼罷越候処、夜五時頃物頭並御近習頭有沢采女右衛門ヲ以御尋有之、其節敷附ヘ玄蕃助殿・本多勘解由・本多内記并御舎弟方・河内山久大夫・自分[3]、階上ニハ御家来列居、取附之間ヘ一類中等并江守

---

1 斉広（十二代）

2 本多政行（本多六代）

3 政隣

1本多

平馬等取持之人々列居、敷附ヨリ書院ヘ玄蕃助殿御誘引、御意御拝聴之上、餅菓子・吸物等被出之、相伴自分、重肴、御使ヘハ内記曳之、濃茶、後菓子ハ不及相伴、右相済御請畢テ退出之節、送方等最前之通ニ候事

廿二日　悠々斎老病気就指重ニ、御近習御使番関沢安右衛門ヲ以夜着二・串海鼠一籠台居被下之、作法一昨晩之通、菓子等相伴河内山久大夫之事

廿三日　月次経書、講釈中庸之内新井升平勤

同　日　悠々斎老被及大切候ニ付、末期之御礼被申上、依之御用番左京殿等招請并御家老中両人御越ニ付、作法玄蕃助殿鑑板端ヘ御出向、其外ハ御使之節同断、御家老御越之節ハ玄蕃助殿階上ヘ御出向、勘ケ由[1]等ハ鏡板ヘ出、敷附ヘハ用人罷出、且熨斗三方・たはこ盆・茶迄出候事、右各御退出後、悠々斎老病死之弘有之、実ハ廿日朝也

廿四日　玄蕃助殿ヘ御悔之御使定番頭不破和平勤、火鉢迄出、其外作法前記同断、尤今日ハ上邸也、昨日迄ハ中邸悠々斎老居宅也

△

本多悠々斎儀、昨廿三日卒去ニ付、町方鳴物等之義昨日ヨリ三日遠慮候様申渡候間、可有其心得候事

人持・頭分以上之面々、為伺御機嫌明日四時過可有登城候、幼少・病気等之人々ハ御用番宅迄以使者可被申越候事、右之趣可被得其意候、以上

十一月廿四日　　奥村左京

右別紙之趣可被得其意候、以上

十一月廿四日

本多玄蕃助

廿五日　昨日御廻文之通ニ付、常服ニテ四時頃登城、御帳ニ附退出、但四時ヨリ御帳出、同半時之御時計ニテ引入候事

津田権平殿　但同組ニ通触持廻之事

廿七日　玄蕃助殿ヘ悠々斎老就卒去ニ、御馬廻頭佐藤勘兵衛御使ヲ以、御香奠白銀五枚台居被下之、作法等廿四日同断

廿九日　朝五時悠々斎老葬式并来月三日中陰茶湯於大乗寺有之段、一昨日申来候得共、当時喧嘩追懸者役在勤中ニ付、難致参詣段申遣候事

同　日　左之通被仰付

御大小将組加州御郡奉行ヨリ
宮崎蔵人

御大小将御番頭　人見吉左衛門代於御前被仰渡

江戸表快天続寒風強折々地震、于時今月十七日西丸ヨリ若御年寄立花出雲守[1]殿長屋八間計焼失、翌十八日暁八代洲(やよす)河岸牧野日向守[2]殿邸不残焼失、隣石川殿長屋二筋類焼、右両度共御城向大騒御老中等登城、右之外ニモ度々火災有之、廿一日夜殊之外騒ヶ敷、所々数十度之火災、御上邸南火之見矢倉ニモ十七度板打、火消押出モ度々有之、扨又廿二日昼四時前向柳原ヨリ焼出候処段々及大火、新大橋モ焼落、須崎辺迄焼抜け、翌廿三日夜鎮火、大概幅二丁ニ長サ二里計焼失、死人三千計モ有之候由之事

1立花種周（寛2 379頁）
2牧野貞喜（寛6 281頁）

一、今冬寒凓甚強く、廿一日朝御堀之鴨凍付居候処ヲ誰彼見受候由、且永代橋ヘ潮込候節氷ヲ上け候故、橋杭ニ当り不申様取除候由之事

晦　日　従大聖寺様[1]本多玄蕃助殿ヘ、今日御悔之御使者被下之、取持青地七左衛門壱人ニテ相済候事

1前田利考（八代）

癸丑十二月大　　御用番　前田大炊殿

朔　日　二日三日四日、五日雪、六日七日快天、八日雨雪、九日十日晴、十一日ヨリ十四日迄雨雪、十五日晴、十六日雪尺余積、十七日十八日雪尺余、十九日廿日晴、廿一日陰、廿二日ヨリ廿八日マテ雪折々荒、廿九日陰、晦日快天、今月気候応時余寒ハ却テ強烈也

（尺余積）（五寸余積）

同　日　月次出仕、一統御目見、役儀之御礼等被為請、且左之通被仰付

来春御参勤御供　御家老役　横山蔵人

江戸御広式御用人　内作事奉行ヨリ　寺内吉大夫

二　日　学校ヘ例刻ヨリ出座、前記之次新井升平講釈聴聞

七　日　左之通被仰付

来年頭御規式中　多賀左近

仮御奏者番　前田掃部

竹田掃部

同　日　本多玄蕃助殿ヘ忌中為御尋、御使番渡瀬七郎大夫ヲ以御意有之、焼饅頭一箱拝領、作

法都テ前月廿七日同断

八日　月次経書、前記之次章木下槌五郎講ス

加州御郡奉行

能州御郡奉行ヨリ
栂　喜左衛門

年頭御規式ヲ初、寛政六年ヨリ厳敷御省略被仰付置、未御省略中ニ候得共、来年頭御規式之義ハ寛政四年之通可被仰付旨被仰出候条、可被得其意候事

一、来年二月朔日小松御城番等、且又煩等ニテ年頭不罷出頭分等年頭御礼可被仰付候処、二月三日高徳院[1]様二百回御忌御法事御取越御執行有之ニ付、右人々御礼正月廿五日ニ可被仰付旨被仰出候事

但二月朔日御法事中ニ付、尤出仕モ無之候事

右之趣被得其意、夫々可被申談候事

巳十二月

歳末御祝詞之出仕当月大ニ付廿九日ニ候得共、廿九日ハ御日柄ニ候間廿八日出仕之事

十二月

甚右衛門坂致往来候御家中之人々・従者等神護寺門内ヘ相溜、其内ニハ台所等ヘモ立入、たはこ等呑申者モ有之、第一火之用心モ悪敷候ニ付、神護寺役僧ヨリ其段申入候得共、元来軽き者共之事故、却テ過言等申聞候者共有之候間、以来右従者等門内ヘ入不申様致度旨、神護寺ヨリ相願候段寺社奉行申聞候、右等之族甚不法之至ニ候条、以来之義其主人々ヨリ急度申渡候様可被申聞候事

1 前田利家（初代）

右之趣被得其意、組・支配之人々へ申渡候様夫々可被申談候事

十二月

右御用番大炊殿被仰聞候旨等、如例御横目廻状有之

九日　今度本多悠々斎[1]気色相滞候ニ付、従筑前守様為御尋悠々斎并玄蕃助[2]へ津田修理奉書到来、翌十日横浜善左衛門奉書ヲ以御肴拝領被仰付

十一日　閉門等有無之義、当月廿日迄ニ可書出旨、御用番大炊殿御紙面、御組頭玄蕃助殿ヨリ当十八日迄ニ御達可申旨之御添廻状ヲ以如例到来、前記五月廿三日互見

△当国御鷹場へ近来殺生人多紛込、御場之内不縮之体ニテ毎度網等有之取上候、依之藤内共相廻、鷹据[3]候者ハ勿論、殺生人体之者見受候ハ、不依何人付廻住所見届及断候様申渡候条、御家中之人々・家来末々之者等心得違無之様一統可有御申触候事

別紙若年寄中紙面写相越之候条被得其意、組・支配之面々へ可被申渡候、組等之内才許有之人々ハ、其支配へモ相達候様被申聞、尤同役中可有伝達候事

右之趣可被得其意候、以上

十二月十三日　前田大炊

右玄蕃助殿ヨリ、例之通御廻文ヲ以到来

十五日　月次出仕、一統御目見等被仰付

高徳院様二百回御忌来年三月三日御相当之処、二月へ御取越御執行、其節御施行奉行三人

1 本多政行
2 本多政成
3 据える

御用ニ付書出候様、先達テ新番頭・御歩頭・大組頭・御持頭・御先手ヘ御覚書ヲ以被仰渡、示談之上此度大組頭ヨリ松平才記、御先手ヨリ田辺長左衛門・自分相勤候段書出置候処、今日、来年二月朔日二日三日於玉泉寺御施行米二百俵被下候条申談可相勤旨、三人交名御付札物ヲ以御法事御奉行奥村河内守殿被仰渡、委曲ハ別帳ニ記之ニ付爰ニ略ス、附廿二日ヨリ於玉泉寺役所始

十六日　来年頭各御礼之節、御目録迄御城ヘ被持参――――等六ケ條之趣ニ付、玄蕃助殿御廻文、去々年今日モ同断ニ付略

同　日　従筑前守様、玄蕃助ヘ御悔并御香奠白銀三枚台居被下之、但御香奠ハ平士御使ニテ被下候筈ニ候得共、当時御附御使御附物頭並人見吉左衛門勤之、（平士在江戸ニ付如本文人見一集ニ勤之）作法都テ当七日同断

但、玄蕃助殿去十三日忌御免ニ付、餅菓子・吸物等先達テ之趣ヲ以被出之、相伴自分、且玄蕃助殿忌御免之上ニ付御舎弟方ハ忌中故敷附ヘ不被罷出候事

十七日　左之通

△御用之儀有之候条、今日可致登城旨、昨日御用番大炊殿ヨリ就申来候則致登城候処、別紙壱結三通大炊殿御渡、相組中ヘ可致伝達旨被仰聞ニ付写相廻之申候、且御横目所披見物是又写相廻申候、為御承知以廻状如斯御座候、以上

十二月十七日　前田兵部

津田権平様　但同組連名

御勝手御難渋之段、兼テ一統承知之通ニテ段々御倹約等被仰付候得共、元来御取箇ニ御入

用方不致符合候ニ付、年々御不足相かさみ、此上少宛御倹約等被仰付候テモ御不足増金出来不申候故、御取箇ニ符合之処格別御僉義被仰付候、併御当用過分御不足ニテ外ニ被成方モ無之候故、御家中モ難渋之程モ御察被遊候得共、当分百石以上五石宛増御借知都合拾五石宛、右以下ヨリハ増御借知共都合拾石宛之図りヲ以御借知被仰付候旨寛政六年被仰出、是迄指上来候処、御家中一統別テ難渋之段被聞召候、依之右増御借知之分今年一作被返下、小身之人々ヘハ御貸銀被仰付候条、猶更遂勘弁取続可申候事、別紙両通之趣被得其意、組・支配之面々ヘ可被申渡候、且又組等之内才許有之人々ハ其支配ヘモ相達候様可被申聞候事

右之趣可被得其意候、以上

丁巳十二月十七日　　前田大炊

今般増御借知一作可被返下旨被仰出之趣、別紙ヲ以申渡候通ニ候、御勝手振ハ寅年申渡候同様之御運方ニテ、右御借知難被返下候得共、頭々ヨリ願之品モ有之候ニ付、右之通被返下候、右之趣ニ候間、其侭差上度人々ハ勝手次第ニ候、此段モ達御聴申聞候事

付札　御横目ヘ

今日被仰出之趣ニ付布上下ニ改、為御礼人持・頭分二三日中御用番宅ヘ相勤可申候、幼少・病気・在江戸等之人々ヘハ同役、又ハ筆頭・代判人ヨリ可有伝達候、右人々御礼名代人御用番ヘ相勤可申事

一、組・支配人之御礼ハ其頭等宅ヘ相勤、頭・支配人ヨリ御用番ヘ以紙面可申聞候事

一、与力ヘハ其寄親ヨリ可申渡候、御礼ハ寄親迄罷出可申事

但、自分御礼相勤候節、与力之義モ一所ニ可申述候

右之通夫々可被申談候事

十二月

覚

△

寛政九年御収納米、来年六月廿六日ヲ限

一、何石何斗何升何合　新京升

右増御借知今年一作被返下候条、両堂形蔵之内ヲ以、御渡可被成候、以上

寛政九年十二月　名印判

御算用場

帳面上書

増御借知今年一作御返ニ付、員数しらへ交名帳

一、何方何屋誰蔵　誰

―――――　知行高　誰

右、私組支配之人々、今般被返下候御借知米如、斯ニ御座候、以上

寛政九年十二月　誰印

御算用場

付札　但口米相省候、米高記候事

寛政六年ョリ被仰付置候増御借知之分当年一作被返下候ニ付、右御蔵納米切手ヲ以可相返処、当年最早余り無之、しらへ方不致出来候ニ付、町蔵入之分ニテ相渡候条、人々指上置候其入所村々蔵宿名前、自分切手ヲ以勝手次第売払可申候、尤蔵解之義ハ当場ヨリ夫々申渡候事

但、指上置候米高之内、石ニ付弐升宛、代官口米引去候米高等ヲ以、切手相認可申事

一、知行百石ヨリ以下之人々ハ皆堂形入ニ候間、此度被返下候、増御借知三ノ一之分、人々受取切手、頭手前ヘ取揃、目録相添当場ヘ被指出次第、場印振札ヲ以可相渡候事

一、当七月ヨリ九月迄死去之人々ハ半収納、十月ニ至死去之分皆収納致候分、御借知其割合ヲ以取立置候得共、此分ハ追テ跡目之御沙汰有之候上及指引可申事

一、他国在住幷御儒者・御医者・隠居之人々ハ、今年一作全被返下候ニ付、百石ニ不満知之分ハ前条ニ有之通、請取切手ニ当場振札ヲ以可相渡候、百石以上町蔵入有之分ハ、一統之通自分切手ヲ以売払、三ノ二御蔵入之分ハ是又前段之通当場振札ヲ以可相渡候事

一、当年被召抱候与力、半収納被下候ニ付、御借知米代銀上納之分ハ三ノ一当り之処、小払銀ヲ以相渡候条、請取切手ニ当場加奥書可相渡候事

一、当十月跡目被仰付候人々ハ先達テ御蔵返米切手相渡候節、御借知米引去相渡候間、今般増御借知一作御用捨ニ相当候、米高当場切手ヲ以相渡可申候事

一、御扶持方被下候御儒者・御医者・隠居之人々ハ当場切手ヲ以相渡可申候

一、逼塞・遠慮等被仰付置候人々ハ此度被返下候御沙汰無之候条、逼塞等之人々名前可被書出

候事、右之趣被得其意、組・支配之人々ヘモ被申渡、同役中可有伝達候、組・支配之人々可
受取米高并交名書可被指出候、請取切手文段等之義ハ当場承合可被申候、以上

十二月十九日　　　御算用場

右、御算用場奉行申聞候旨、**玄蕃助**殿ヨリ例之通御廻文ヲ以到来之事

△かけの諸勝負御制禁之御触、去年今月同断ニ付略ス

十八日　左之通

本多玄蕃助叙爵被仰付候
ハ為御礼江戸表ヘ之御使　　寄合学校御用 **富永靭負**

御内証被仰渡、廿六日表立被仰渡、来元日発足之事

廿三日　月次経書講釈之処、前記ニ有之御施行御用ニ付断候事

昨廿二日**本多玄蕃助**朦中為御尋、従**筑前守**[1]様**横浜善左衛門**奉書ヲ以、清水米一箱拝領被仰付
附先日以来被下物才領足軽ヘ金百疋宛、持参人小者ヘ鳥目壱貫文宛**玄蕃助**殿ヨリ其時々
毎々被送由之事

付札　定番頭ヘ

△当時銀支ニテ調達方不通用ニ付、役出銀之外当十月ヨリ末上納銀才覚相調候迄御用捨之段、
先達テ申渡置候通ニ候、然処段々及月迫相対借銀等遂指引候時節ニ向、彼是指支可申候、
依之御使人ヘ御貸渡金并於江戸御帰国御供人ヘ御貸渡金等都テ年賦ニ相極、諸方御土蔵ヘ返
上之分当年一作御用捨、其分末日繰延返上可仕候、今年当り上納相済候人々ハ来年上納御

1斉広（十二代）

用捨、其分末ヘ繰延返上可仕候、尤当り之通上納仕度人々ハ勝手次第之事
一、御城御造営人足賃銀暮打之分、当年一作御用捨、先達テ上納相済候人々ハ来年指次、来春打之分御用捨之事、右之趣被得其意、組・支配之人々ヘ可被申渡候、組等之内才料有之面々ハ其支配ヘモ相達候様可被申談候事

巳十二月

別紙之趣、可被得其意候、以上

十二月廿三日　　　　本多玄蕃助

津田権平殿　　但前記同断

付札　定番頭ヘ

△増御借知今年一作被返下候得共、逼塞・遠慮等之人々ハ不被返下候条、此段諸頭ヘ可被申談候事、別紙御用番大炊殿御渡之旨等、不破和平ヨリ例之通廻状到来之由、筆頭窪田左平ヨリ廻状有之候事

御知行之分

△一、自分知七十石迄　都テ七十目当り
一、同　七十石以上百石迄　百目当り
一、百石以上五百石迄　百石百目之図りヲ以、はした知行迄モ

右割合、譬ハ四百三十石ハ四百三拾目

一、五百石以上ハ都テ五百目

御扶持方之分

一、五人扶持ヨリ九人扶持迄　六十目宛
一、十人扶持ヨリ十四人扶持迄　七十目宛
一、十五人扶持ヨリ十九人扶持迄　八十目宛
一、二十人扶持ヨリ二十九人扶持迄　百目宛
一、三十人扶持　百五十目宛
一、百人扶持五百石之振ヲ以　五百目

御切米之分

一、俵数三十俵迄　五十目宛
一、同　三十俵以上　七十目宛、但新番ハ百目之図り
一、足軽之分都テ壱人　三十目
一、坊主　三十目
一、小者　二十目

右、御貸附方之義ハ委曲御算用場奉行へ申渡置候条直ニ承合可申候事、以上

町方不調達等ニテ御家中之人々甚難渋之体被聞召候、依之別紙割方之通当分銀子御貸渡被成候、当時御勝手御運方甚御難渋至極ニ候得共、格別之思召ヲ以右之通被仰付候、返上之義ハ追テ可申渡候

一、当時勝手取続相応ニ仕候者へハ尤御貸渡被成間敷候間、頭・支配人ヨリ人別名前可書出候
一、頭分之内ニモ当時難渋之人々へハ別紙割方之通、御貸渡可被成候
右之通可申渡旨被仰出候条被得其意、組・支配之面々へ可被申渡候、組等之内才許有之人々ハ其支配へモ相達候様被申渡、尤同役中可有伝達候事

巳十二月

定番頭へ
別紙両通之趣、組・支配有之人々へ申渡候条、頭分之内ニモ勝手取続難仕人々へハ御貸付可被成候条、都テ頭分之面々へハ各ヨリ可被申談候事

巳十二月

別紙御用番大炊殿御渡、頭分之人々へ私ヨリ可申談旨被仰聞候、則右覚書等三通写指進申候、御承知被成御同役・御同席等夫々御申談被成候、御廻達可被返下候、以上

十二月十七日　　　　御用番　不破和平

窪田左平様

右伝達廻状到来之事

高徳院様二百回御忌来二月之御法事触、御横目廻状壱結五通之写到来之由ニテ同組筆頭前田兵部ヨリ伝達有之、御代々之御法事触、前々同趣ニ付留略ス、右御法事来年二月朔日二日三日へ御取越、於宝円寺御執行ニ付、三之御丸等弓・鉄砲稽古、普請・鳴物、御法事始り前

日ヨリ相済候迄指控可申候、但指急候普請等ハ不及遠慮、且諸殺生ハ正月廿六日ヨリ御法事相済候迄一七日之間差止可申旨之御法事御奉行奥村河内守殿御廻状

二月朔日卯之刻ヨリ巳之刻迄　人持・物頭右刻限無相違様、尤長袴着用拝礼可仕旨等、河内守殿御廻状ニ玄蕃助殿御添書ヲ以、例之通ニテ廿六日到来

廿五日　於御前

本多玄蕃助
改 安房守

叙爵、名モ改候様被仰出

△来年頭御礼人揃刻限御横目廻状、去々年今月廿三日記ト同断ニ付略之

定番頭へ

△一季居奉公人、於江戸表欠落仕候テ一両日中ニモ立帰候者ハ禁牢之断有之、請合状等主人ヨリ指出不申候得共、其様子ニヨリ右躰欠落人ニテモ請人手前、過銭等可申付儀候間、以来欠落人之義ハ都テ請合状等指出候様、享保三年一統被仰渡置候、然処於御当地欠落仕者行衛尋中等、公事場へ不及断内、盗賊改方へ召捕取捌候得ハ、欠落之義公事場へ断無之、請人共へ過銭申渡方相洩候義有之候間、以来右之通尋中改方へ召捕候趣、其主人承候ハ、其段公事場へ及断、請合状モ指出可申候事

右之趣被得其意、組・支配之人々へ可被申渡候、組等之内才許有之面々ハ其支配ヘモ相達候様可被申談候事

巳十二月

1大音厚曹

右例之通安房守殿ヨリ御廻文到来

廿七日　御用番ヨリ被仰渡候伝達廻状心得違ニテ相洩候ニ付今日ヨリ自分指控候処、翌廿八日不及指控旨被仰渡

定番頭　不破和平

廿八日　四時頃、歳末御祝詞之御帳ニ付候処、御弘之趣有之候条居残候様申談ニ付、出仕之人々何モ居残候処、九半時過柳之御間ニ一統列居、御年寄衆等御列座、御用番大炊殿左之通御演述

諸大夫之義、兼テ御願置被遊候処、今般御願之通被仰出候ニ付テ本多玄蕃助叙爵被仰付、名モ安房守ト為御改被成候、此段何モヘ可申聞旨御意ニ候、右畢テ於横廊下、左之覚書披見之義、御横目中申談

付札　御横目へ

諸大夫代安房守御願之通被仰出候、為御祝詞大隅守宅ヘ今日可罷越候、幼少・病気等ニテ今日登城無之人々ハ向寄ヨリ伝達、為御祝詞大隅守宅ヘ以使者申越候様可被申談候事

一、大隅守外、年寄中・御家老中ヘハ正月六日ヨリ十五日迄之内勝手次第可罷越候事

一、今日御用ニテ大隅守宅ヘ難罷越人々ハ正月元日ヨリ六日迄之内罷越候様大隅守殿被仰聞候段、於御横目所申談候事

帯刀嫡子　大音梅之助

故帯刀義、御近習御用筑前守様御用相勤、南郊[1]モ罷在ニ付格別之趣ヲ以、梅之助幼年ニ候得共、遺知四千三百石内三百石与力無相違被下之

左之通於御次、今日石野主殿助ヲ以被仰出

堀　遊閑

其以後随分気丈ニ罷在、当年九十三才ニ相成候処、眼気ハ不自由之様子ニ候得共、一躰ハ無恙由被聞召、誠ニ稀成長寿格別之義一段之事ニ被思召候、猶無油断保養長生可仕候、此節寒気モ強候間、御綿子・御召之内御内々ヲ以被下之着用、猶更寒気ヲ凌候様被思召候、幸御在合之小鴨三双御取添被下之候

廿九日　左之通被仰付

御書物奉行并書写奉行兼帯

御大小将組
跡地義平

来秋迄詰延被仰付候段今月十九日江戸発之便ニ申来

御家老役在江戸
津田修理

晦　日　左之通被仰付

割場奉行加人

御馬廻組
瀬川又九郎

御膳奉行加人

御大小将組割場奉行ヨリ
木村茂兵衛

寛政十年

●寛政十戊午歳

甲寅正月小　御用番　長　九郎左衛門殿

朔　日　二日三日四日快天、五日ヨリ八日マテ雨雪風交、九日十日十一日快天、十二日雪、十三日快天、十四日風雪、十五日十六日同、十七日晴、十八日風雪、十九日廿日晴陰、廿一日雪、廿二日廿三日快天、廿四日廿五日雪、廿六日廿七日廿八日晴、廿九日雪、今月気候長閑、時々春寒強

同　日　例年之通、御在国御格御作法ヲ以年頭御礼被為請、一番御礼九時頃始り八時相済、重テ七時前二番御礼相済、其外年頭御規式都テ前々之通ニ付記略

諸大夫御願之通被仰出候為御礼、公辺へ之御使今日発足　寄合　富永靭負
但二月十五日帰着

七　日　当日御祝詞出仕、年寄中謁、四時過相済

八　日　例年之通月次経書講釈止、但旧臘於御横目所申談有之

十五日　年頭御礼人就有之、月次出仕如例ニ相止、但去七日於御帳前申談有之

十八日　当春御参勤御供等、左之通被仰渡

御供番御歩頭
中川平膳　交代先聞番　菊池九右衛門
石野主殿助等御近習之人々

一、詰番御小将頭青地七左衛門、詰順先御馬廻頭佐藤勘兵衛、大組頭・御台所奉行御用無之

段、夫々被仰渡

但七左衛門組ハ順番之通詰被仰付候段被仰渡、且又御近習之人々之内、不被召連人々へモ其段夫々被仰渡有之

今十八日病死　七十五才　青山滄洲

廿三日　月次経書講釈之処、御施行方御用ニ付相断候事

高徳院様二百回御忌御法事御奉行奥村河内守就病気御断申上候ニ付今日右代被仰付　村井又兵衛

廿四日　宿次御奉書ヲ以余寒御尋、且御鷹之鶴御拝領今暁到来、依之御礼之御使御馬廻頭宮井典膳へ翌廿五日被仰渡、廿七日発足

同　日　左之通被仰付

能州御郡奉行　御馬廻組　高田弥左衛門

同　所口御代官　定番御馬廻組　山岸十左衛門

高徳院様二百回御忌御法事相済候為御祝詞、来月四日御用番宅迄可被罷出候、幼少・病気等之面々ハ以使者可被申越候事

右之趣可被得其意候、以上

正月廿七日　長　九郎左衛門

津田権平殿

廿九日　御施行方惣見分ニ付服紗小袖・布上下着用、玉泉寺ヘ罷越候事、但旧臘一先相止、今月十六日ヨリ於玉泉寺役所相建候事

今月十六日河北御門鎖損候旨、御番与力ヨリ三之御丸御馬廻御番所一番組御番人佐藤勘兵衛・小寺武兵衛組也ヘ断ニ付、右鎖持参候様申遣候処、是迄御鎖損し候節持参不仕、出来之上ハ罷出受取候旨申越候ニ付、御馬廻中ヨリ此方御城代ヘ持参御達申候間、持参候様重テ申達候得共与力中承引無之指支候ニ付、先下番足軽ヲ以受取候、以来持参之儀被仰渡候様仕度、乍然是迄新鎖御作事所ヨリ御番所ヘ棟梁持参之儀ニ候条、損物御用立不申品ニ候間、是非与力持参無之テモ苦ケ間敷哉、左候得ハ御馬廻中モ御城代ヘ持参ニ及間敷哉、是以後ハ損候段迄御達申、損し鎖ハ御番所ヘ棟梁受取ニ出候様、可被仰渡候哉之旨、水越杢兵衛等十五人連名状紙面、佐藤・小寺宛所ニテ出候ニ付、則二月十九日両人奥書ヲ以御城代奥村河内守殿・前田大炊殿ヘ相達置候処、是迄新鎖棟梁持参ハ不相当儀間違之趣モ可有之候、以来ハ損候鎖、与力持参ニ不及儀ハ損之品ニ候得ハ不指支儀ニ候、御馬廻中モ御城代ヘ不及持参候、依之向後ハ御馬廻ヨリ罷出損し候儀可相達、左候得ハ内作事奉行御番所ヘ罷出受取、御修覆等出来之上持参候様可被成御申渡候、右御修覆等之鎖等ハ与力罷出受取候様被仰渡候間、此段三之御丸御番人中ヘ可申渡旨四月廿一日御城代河内守殿被仰渡、則佐藤・小寺ヨリ申渡候事

右、任承任晶紙、于茲合記ス

乙卯二月大　　御用番　村井又兵衛殿　　但三日迄九郎左衛門殿御勤延之事

朔　日　快天、二日三日折々雪、四日微雨、五日晴、六日七日八日九日晴陰交、十日十一日雨、十二日ヨリ十五日マテ快天、十六日微雨、十七日同、十八日陰、十九日雨、廿日晴、廿一日雨、廿五日昼后雨、廿六日同、廿七日廿八日廿九日晴陰交、晦日雨、今月気候暖和多分

同　日　ヨリ御法事ニ付月次出仕相止、今朝宝円寺ヘ拝礼ニ可罷出処、御施行方御用ニ付、三日右御用相済次第罷出候段、昨日御法事御奉行ヘ及御届置候事

二日・三日　御法事無御滞相済

四　日　前記之通ニ付為御祝詞御用番御宅ヘ参出候事

五　日　左之通被仰付

割場奉行　　御大小将　岸　忠兵衛

六　日　同断

御膳奉行本役　　御大小将組御膳奉行加人ヨリ　木村茂兵衛

御近習番　　御大小将　氏家九左衛門

同断　　御馬廻組表御納戸奉行ヨリ　三輪仙大夫

同断　　同　同断ヨリ　中村喜平太

表御納戸奉行　同　御書物奉行ヨリ　改田直丞

同断　御大小将組奥御納戸奉行ヨリ　中村弥左衛門

新番組へ被仰付　御右筆加人　定番御徒二之御丸御広式御鎖口番　竹内善八

奥御納戸奉行加人　定番御馬廻御近習番ヨリ　久徳猪兵衛

八日　月次経書講釈、中庸之内新井升平講釈聴聞

十日　左之人々御咎御宥免被仰付

逼塞　高田牛之助　指控　菅野嘉右衛門　去年六月互見　指控　宮崎磯太郎

指控　神保金十郎　遠慮　永井儀右衛門　遠慮　青木友右衛門

遠慮　今村三左衛門　遠慮　根来三九郎　遠慮　金岩与左衛門

以上五人寛政七年十二月二日閉門

閉門　不嶋与左衛門　御免御格之通遠慮　遠慮　村上定之助

指控　伴　七兵衛　大石儀右衛門弟徘徊御差留　大石半次郎　遠慮　安宅三郎左衛門

附　此度モ御咎御宥免無之人々左之通

前田兵庫　森栄左衛門　青木左仲　行山次郎大夫

有沢数馬

十一日　左之通於御前被仰付

新番頭　山森沢右衛門代
大組頭兼御異風才許ヨリ　古屋孫市

大組頭　久田平右衛門代
御射手才許兼帯只今迄之通
御持頭ヨリ　上月数馬

御持弓頭　原田久左衛門代
御異風才許兼帯只今迄之通
御先手ヨリ　窪田佐平

十三日　於宝円寺
花心院[1]様百回御忌御茶湯執行、御先手今村三郎大夫相詰
右ニ付御家中普請・鳴物等不及遠慮候、乍然御寺近辺ニ罷在候者ハ御茶湯御執行之内、自分ニ指控可申旨等前月十六日御用番長九郎左衛門殿ヨリ御触有之

△例年之通春秋両度御触・公事場触・出銀触・火之元触、去年同断ニ付記略

十五日　月次出仕、一統御目見四半時頃相済、今日安房守殿ヘ叙爵之御礼被仰付、於桧垣之御間、御料理被下之、相伴定番頭武田喜左衛門
当御参勤御発駕、来月十三日ト今日被仰出
去十三日役儀御免除
御馬廻組割場奉行　白江金十郎

十七日　左之通被仰付
筑前守様御抱守、且御大小将組ヘ被加之
定検地奉行ヨリ　神保勘助

1綱紀男雅十郎

廿三日　月次経書講釈、前記之次、木下槌五郎講ス

定番御馬廻御番頭　賀古右平太代於

御前被仰付

御馬廻組改作奉行
御勝手方ヨリ　立川金丞

役義御免除

御馬廻組改作奉行御勝手方　堀　与一右衛門

同断

同　魚津町奉行　杉江兵助

△

今般拙者義、江戸表へ罷越候ニ付、明後廿八日致発足候、留守中相組御用之義前田大炊へ申談置候、急事之義ハ大炊へ直ニ可被相達候、其外不依何事、紙面等此方迄可成指越候、為其如此ニ候、以上

二月廿六日　本多安房守

津田権平殿　但同組連名

廿七日　安房守殿叙爵為御礼、明日江戸表へ之発足ニ付、今日四時頃御馬廻頭河地才記御使ニテ御意有之、白銀二十枚・御紋付御羽織一拝領被仰付、都テ作法旧臘十六日同断

但一汁五菜之料理等被出之、相伴自分之事

廿九日　左之通被仰付

割場奉行加人　御馬廻組　津田善助

自宅門長屋、宝暦九年火災後仮建之処、及大破候ニ付今般造営申付、大工棟取畳屋作丞、石屋棟取清之丞、左冠棟取仁兵衛、日雇与三兵衛へ申付、昨廿八日ヨリ為取懸候処、七月朔日迄ニ出来、翌二日仮垣根等為取払、同六日為祝作丞等四人之者招、一汁二菜之懸合并

酒等為給、夫々爲取物ヲモ遣し、委曲寛政録ニ有互見

但入用銀五貫目余之事

丙辰 三月大　　御用番　長　九郎左衛門殿

朔日　雨、二日三日四日快天、五日六日雨雪、七日八日九日十日快天、十一日雨昼ヨリ晴、十二日十三日十四日十五日十六日快天、十七日陰昼ヨリ微雨、十八日十九日廿日廿一日快天、廿二日雨天、廿三日廿四日廿五日廿六日廿七日廿八日廿九日晦日快天、今月気候例ヨリ余程晴和、頃日蝉頻ニ鳴、蛍稀ニ飛

同日　月次出仕等御目見、且左之通被仰付

魚津町奉行　　御馬廻組　三浦重右衛門

二日　学校出座、且八日・廿三日月次経書講釈、此后記略

三日　上巳御祝詞登城、四時過年寄衆謁ニテ退出、且今日五半時御供揃ニテ宝円寺暨野田惣御廟ヘ御参詣

四日　左之通、且跡目・残知左之通被仰付

御異風才許兼帯　　御先手　今村三郎大夫

無相違 四百石　組外ヘ被加之　四郎左衛門せかれ　中川助三

二百石　同断　小右衛門嫡子　石黒甫太郎

三郎左衛門せかれ
大嶋祐次郎

四百五十石　御馬廻へ被加之

平八嫡子
岩田孫兵衛

五百石

孫兵衛へ被下置候御切米・御扶持方被指除、御馬廻へ被加之、附記**孫兵衛**是迄新番御歩也

太郎左衛門せかれ
由比彦大夫

四百五十石

斧右衛門養子
谷　平蔵

二百八十石

亡養父**斧右衛門**知行三百五十石之内七十石御減少

末期願置之通、**青木隼之助**おち**平蔵**儀指次妹へ聟養子被仰付、**斧右衛門**義おい**上坂喜左衛門**次男**七太郎**并母方いとこ**広瀬武大夫**次男**鉄四郎**内末期養子相願可申処、幼少ニテ妹へ年齢不相応ニ付相願不申由、右妹義去年四十四才ニ罷成由候処、筋目ヲ可相立所存ニテ身辺きおい等ヲ指置、右躰年来ニおよひ候、妹へ聟養子相立候段、不了簡之義ニ被思召候、依之本高之内御減少如斯被仰付候

庄大夫嫡子
寺西庄兵衛

無相違
三百石

久五郎末期養子庄田要人三男
多胡剛二郎

同

儀右衛門末期養子同人弟御歩
大石源次郎

同

源次郎へ被下置候御切米ハ被指除之、組外へ被加之

同　清左衛門嫡子 服部鍋四郎
二百三十石　次兵衛嫡子 青木弥次右衛門
二百石　専助養子 寺西虎四郎
百五十石　忠大夫嫡子 久田平三
百五十石之三ノ一 五十石　清大夫せかれ 津田兵三郎
百五十石　市郎兵衛末期養子岡山森江次男 武藤金二郎
百石　市兵衛嫡子 吉田政次郎
同　清左衛門せかれ 陸田増五郎
同　周次郎末期養子同人実方弟 下村佐兵衛
百五十石　猪之助末期養子同人弟 坂倉政之助
同　勘七末期養子同人弟 井上丈助
亡父伊右衛門知行九十石之内十石御減少 八十石　伊右衛門せかれ 今村与右衛門
与右衛門へ被下置候御切米被指除之
残知左之通

二百七十石　本知都合四百石　津田大次郎

二百石　同断　三百石　岡嶋鉄三郎

百六十石　同断　二百三十石　片岡喜三郎

七十石　同断　百石　村上仁太郎

御切米高
四十俵　戸左衛門次男　水野半助

只今迄半助へ被下置候御扶持方被指除之、定番御歩へ被加之、附記戸左衛門ハ御
歩小頭御免之者也

六　日　縁組・養子等諸願被仰出

御持頭　坂野忠兵衛

病気ニ付依願役儀御免除　御先手兼御倹約奉行　国沢主馬

同　日　跡目左之通被仰付

七十石　新平末期聟養子、同姓 能州所口小代官渡辺直左衛門次男　渡辺孫三郎

八　日　当十三日御発駕之筈ニ候条、十一日四時ヨリ九時迄之内御登城可被相伺御機嫌候、病
気等之面々ハ御用番宅迄以使者可被申越旨等之御用番九郎左衛門殿御廻状出候処、御疝積
△ニテ暫御発駕御延引被仰出候間、十一日不及登城旨、翌九日重テ御廻文御同人ヨリ出

十一日　従本願寺御使者登城、石川・河北・橋爪之三御門へ大組頭・御持頭、与力召連罷出、本
御飾、且前々御作法同断之義ハ別記諸御作法書ニ就有之爰ニ略、右互見

1 轡の部分　おもがいを付ける紐

東本願寺御使者
御進物　立聞[1]一箱五懸
羽二重一箱五疋
海月一桶
御用人 領金弐百両 横田主水

御目録
余寒之節、弥御勇健珍重被存候、先般於飛州御林立木被致拝領候、用材取入之砌、夫食米并運送方等御聞被成進、都合能相整不浅満悦候、右御挨拶以使被申候、随テ目録之通被致贈進候

取次 前田兵部 御奏者

右御直答可有御座候処、就御疝邪ニ前田織江 御家老役 ヲ以御答有之、二汁五菜之御料理御濃茶箱・后御菓子迄被下之、相伴組頭多田逸角、且御使者主水・自分、献上左之通
御太刀一腰　御馬 代銀壱枚一疋　目録
右御使者退出後、旅宿東末寺迄御使者御大小将長瀬善次郎ヲ以、白銀五枚・御目録被下之、且登城之節途中同道、御馳走方御大小将阿部波江

西本願寺御使者
御進物　御太刀一腰
御用人 藤田大学

1 藤田

干鯛一箱
御馬一疋 代金十両
御目録

春寒之節御座候得共、弥御堅勝御在国珍重思召候、今般越中勝興寺縁辺之義、段々御懇意御取扱ニテ婚姻無滞相整候趣、於御門主ニモ不浅御大慶思召候、依之目録之通被進候、不相替御懇情被成進候様、御頼被成候、右御挨拶旁被仰入候

取次 **永原久兵衛**

右御使者**大学**[1]、**自分**献上扇子一箱・鯣一箱・目録、御料理等都テ前條同断、相伴**高田新左衛門**右両御使者御馳走方主付御馬廻頭**高畠五郎兵衛**・御小将頭**和田源次右衛門**・寺社奉行**品川主殿**

一、従東本願寺用材取入為御挨拶、年寄衆等并寺社奉行・御算用場奉行ヘ茶宇嶋袴地箱入・鰹節箱入、夫々ヘ階級ヲ以御使者ニテ被下之、町奉行・町同心且其砌懸り之聞番・越中庄川御郡奉行・寺社方与力・御算用者懸り之分等、都右一件ニ携り候人々ヘ丹後袴地・鰹節、夫々階級ヲ以御使者或御使僧ヲ以被下之

十五日 月次出仕、御年寄衆謁、四時過相済

十六日 左之通

今日従小松帰府之処、十八日不応
思召趣有之ニ付、役儀被指除 小松御城番 **前田主殿助**

指控被仰付

廿二日　左之通被仰付

　　　　　　　　　　　　　　御大小将組　会所奉行ヨリ
　御膳奉行　　　　　　　　　安宅三郎左衛門

　　　　　　　　　　　　　　同　御右筆ヨリ
　御書物奉行并書写奉行兼帯　武　市郎左衛門

廿三日　飛驒守[1]様就御登城、月次経書相止候段、御用番被仰渡候由、御横目中ヨリ一昨日申談有之、且今日右ニ付三御門朔望等之通御先手勤番有之、猶飛驒守様昨夜松任御泊ニテ四時前御旅館ヘ御着、九時前御登城之処、君上[2]御疝積御保養中ニ付御対顔無御座、御料理被進之、御相伴叙爵之人々登城無之ニ付前田大炊右相済、橋爪御門御堀端通御広式ヘ被為入、正姫[3]様御対顔、御菓子等被進、八時過御帰

同　日　当御参勤御発駕御日限、来月四日ト被仰出

廿八日　左之通被仰付

　　　　　　　　　　　　　　附記御近習番
　御引足
　百石　先知都合弐百五十石　浅加五兵衛

五兵衛義、数十年品々役義実体相勤候ニ付、亡養父吉郎左衛門遺知之内百石御減少被仰付候分、今般格別之趣ヲ以御引足被下之候旨被仰出

　御加増
　三十石　先知都合百十石　　小竹政助

1前田利考（大聖寺藩八代）

2治脩（十一代）

3前田利道（大聖寺藩五代）女

政助儀、数年年寄中席重き御用且御内用等被仰付置候処、情ニ入相勤候ニ付如斯御加増被仰付

御加増
三十石　先知都合百八十石

附記御異風小頭
井上源兵衛

源兵衛儀、役儀情ニ入相勤候ニ付如斯御加増被仰付

新知
百石

同　御異風
吉田左助

左助義、家芸情ニ入、中りモ宜旨被聞召候ニ付如斯新知被下之、亡祖父次郎左衛門最前之知行高之通被仰付、只今迄被下置候御扶持方ハ被指除之

御加増
拾人扶持　先御扶持方都合廿人扶持

同　御医師
中村文安

文安儀、御用ニモ相立候ニ付如斯御加増被仰付

御加増
拾人扶持　先御扶持方都合廿人扶持

同　御外料
黒川元良

元良義、数年品々御用相勤、彼是御用立候ニ付如斯御加増被仰付

新知
百五十石

同　御針立
久保江庵

江庵義、御用ニモ相立候ニ付如斯新知被下之、只今迄被下置候御扶持方被指除之

御加増
弐拾石　先知都合百弐拾石

同　御用部屋執筆
下村金左衛門

金左衛門義、御次御用数年情ニ入相勤、格別御用立候ニ付如斯御加増被仰付

御加増
弐拾石　先知都合九拾石

芝山直左衛門

直左衛門義、御家老・若年寄方席執筆数年情ニ入相勤候ニ付如斯御加増被仰付

御加増
弐拾石　先知都合九十石
新左衛門義、御用所執筆数年情ニ入相勤候ニ付如斯御加増被仰付
牛円新左衛門

同
同　先知都合八十石
伊兵衛義、年寄中席御用数年情ニ入相勤候ニ付如斯御加増被仰付
竹中伊兵衛

同
拾俵　先御切米都合六拾俵
弥太郎義、御領地方御用数十年情ニ入相勤候ニ付如斯御加増被仰付
永井弥太郎

同
同　同断　五拾俵
勘大夫義、数十年御用情ニ入相勤候ニ付如斯御加増被仰付
稲垣勘大夫

同
同　同断　同
宇右衛門義、御用方情ニ入相勤候ニ付如斯御加増被仰付
藤井宇右衛門

同
同　同断　同
弥助義、御次執筆心懸入情ニ相勤候ニ付如斯御加増被仰付
斎藤弥助

同
拾五俵　同断　同
翰司郎義、久々御用情ニ入相勤、専御用ニ相立候ニ付如斯御加増被仰付
高田翰司郎

拾五人扶持
御儒者ニ被召出、御宛行如斯被下之、前田修理等支配被仰付
寺田九之丞

大塚次郎大夫せかれ　左右助
新番組御歩被召出、御宛行並之通被下之、御右筆見習被仰付

御引足　拾俵　先御切米都合四十俵　定番御歩　高木円七
同　同　同断　五十俵　御鷹方　吉田五郎兵衛
同　五俵　同断　四十俵　定番御歩　黒川平左衛門
同　同　同断　同　持田源右衛門
五人扶持ニ召抱　御細工者　興津文蔵
御引足　拾五俵　同　中村丈助
同　拾俵　同　河崎平五郎
同　同　同　太田清蔵
三十五俵　同　北嶋牛之助
白銀拾枚　御上下二具　町同心　水野次郎兵衛

廿九日　来月四日御発駕之筈ニ候条、二日四時ヨリ九時迄之内登城、可伺御機嫌旨等御用番御

1~4この四名の役職は近習頭・御小将番頭である

廻状来、去八日ト同様ニ付略記ス

今月廿一日ヨリ改名

右於江戸、改名之旨於御横目所申談有之

修理事

津田玄蕃

△去年上納御用捨有之聖堂銀、年賦当り元銀去年十月并十一月共返上方之義、壱ケ年繰下け為致上納候様被仰出候条、此段借用之人々夫々可有御申触候、以上

午二月

1 玉川七兵衛

2 不破五郎兵衛

3 村　杢右衛門

4 山口清大夫

右同役筆頭奥村十郎左衛門迄到来、同人ヨリ以廻状伝達有之候事

会所御奉行衆中

△組・支配之内、御近習勤仕之人々へ身分之儀ニ付重き被仰出候品、御表向ニテ御用番等ヨリ申渡、頭宅へ呼寄或ハ彼宅へ罷越申渡候義有之節ハ向後本人へ不申渡、以前勤向致支配候御近習頭等へ其趣申達示合之上可申渡候事

但御用儀等ニ付御表向へ呼出候節モ為知可申事

右之通可申渡旨被仰出候条、諸頭中へ向寄ニ可被申談候事

三月

右別紙勝尾半左衛門相渡候ニ付写相廻候条、夫々可申談旨等、定番頭不破和平ヨリ之今月

廿五日廻状略ス

今月粟ヶ崎潟等ヘ登鯔(ぼら)片目盲タル多し、且諸魚死ダルヲ浦々ヘ漂ひ寄る事モ多し、宮腰浦ヘ三尺余之死鱈、能登浦ヘ死海大鼈流来る、金沢近江町問屋迄到来、御細工所ヘ右鼈甲御渡之処、用立不申ト云々

右ハ去冬已来寒気柔和なる故、寒中ハ却テ厳寒故也ト云々

今年江戸聖堂御修理之名目ヲ以御建直、依之聖堂辺ヨリ昌平橋之手前通ニ御普請小屋出来、夥敷御造営之処、翌寛政十一年十月迄ニ出来、同十一月六日夜御用番御老中**安藤対馬守**[1]殿御宅ヘ聞番御呼出ニ付、則**恒川七兵衛**罷出候処、聖堂御普請出来ニ付右辺出火之節火消之義此方様ヘ御頼之旨被仰渡、依之防方等之義御国表ヘ伺等有之、右年月等互見委曲記有

丁巳**四月**小　御用番　**奥村左京**殿

朔日　快晴昏后暫微雨、二日三日快天、四日雨朔日已来薄暑之処今日ヨリ時節之気候、五日六日七日八日雨、九日晴、十日十一日十二日十三日十四日雨、十五日十六日晴、十七日十八日雨、十九日廿日廿一日廿二日晴昨今夜雨、廿三日廿四日廿五日廿六日廿七日雨、廿八日昼ヨリ霽、廿九日陰、今月気候応時節

同日　月次出仕、御年寄衆謁、四時過相済候事

1 安藤信成(寛17 180頁)

二日　前記廿九日御用番依御廻文、四時頃布上下着登城、御帳ニ附退出

四日　四時頃御機嫌克御発駕其節ハ至テ微雨、御供御家老横山蔵人、御近習御用人持組石野主殿助、組頭並勝尾半左衛門等、御筒支配生駒伝七郎御近習御持頭、御弓支配菊池九右衛門物頭並聞番、御長柄支配御大小将篠原与四郎、御道中奉行兼御行列奉行御小将頭野村伊兵衛、御歩頭兼御用人岡田助右衛門、御歩頭中川平膳御道中御近習騎馬、御大小将御番頭仙石兵馬同上、御大小将横目水原五左衛門・大脇六郎左衛門、但、七日魚津ヘ御着之処、片貝川等満水ニ付十日夕七時迄御逗留、十三日牟礼ヘ御着之処、筑摩川満水ニ付十五日迄御逗留、同日善光寺駅迄被為入候得共、いまた高水ニ付翌十六日迄御逗留、同日御発駕、且又熊谷駅御泊之筈ニ候処、指支之趣有之御泊所違、廿一日蕨御泊、翌廿二日御着府之事

八日　廿三日月次経書講釈為聴聞登城之義、前月ヨリ記略、今年中同断

当十五日寺中佐那武明神祭礼ニ付前々之通警固足軽弐拾人、外小頭両人召連被罷出、猥無之様可被申付候、御歩横目弐人罷出候間可被得其意候、且又足軽拾人計暮合迄被残置、不作法無之様可被申付候、以上

四月八日　奥村左京

河内山久大夫殿

津田権平殿

右及御応答前々之通、割場・町会所御横目所ヘ、連名紙面ヲ以夫々申遣、足軽小頭ヘモ前々之通申渡候事

十　日　安房守殿前月廿八日江戸発、一日逗留今日御帰着、左之通御廻文、同組連名到来
拙者義江戸表首尾克相仕廻、只今致帰着候為承知申達候、以上
四月十日　　本多安房守
津田権平殿

同　日　於江戸、左之通被仰付
新知八十石　　服部直助
直助義、年寄中席執筆、数年情ニ入相勤候ニ付如此新知被下之、只今迄被下置候御切米ハ被指除之

金小判五両
八講布弐疋　　二口五郎兵衛
御目録
五郎兵衛義、御用所執筆、数年情ニ入相勤候ニ付御目録之通被下之

十一日　於江戸同断
御加増八人扶持、先御扶持方都合十五人扶持　　御医師　不破瑞元
瑞元義御用ニモ相立候ニ付、如斯御加増被仰付

同　日　於金沢、左之通被仰付
新知百石　　小松御馬廻　領百三十石、岡田五左衛門弟　岡田多蔵

多蔵義、剣術多年心懸、行状モ宜敷、且小松御馬廻并子弟稽古指引ヲモ無怠入情仕候段被聞召候、依之如斯新知被下之、小松御馬廻被仰付候、猶更無油断相励可申旨被仰出

組外　小松御馬廻組ヨリ　大村五兵衛

右之外、御大工等、久々入情相勤候者共ヘ俵数御加増等有之

十五日　前記八日ニ有之通ニ付、今日寺中ヘ相詰、暁八時過出宅、夕七時帰、右ニ付今日月次出仕断書付、一昨日御組頭安房守殿ヘ出之

右留、其外一件之趣、別帳御先手物頭勤方前例留帳ニ記之、能番組左之通、詰人前記之通

河内山・自分、宮腰町奉行伊藤権五郎并金沢町同心清水郷右衛門、御歩横目両人之事

翁　千歳　善五郎　三番三　嘉平次　面箱　弥作

ゑほし折　権左衛門　右近　鍋太郎　忠則　甚三郎　杜若　幸三郎　唐松　宮門

二人袴　勇五郎　茶壺　卯三郎　千切木　幸助

廿日　左之廻状安房守殿ヨリ到来

閉門等有無之義、当月中可書出旨、御用番左京殿御紙面ニ安房守殿以御副書、当月廿七日迄ニ可相達旨申来、但去年十二月十一日同趣ニ付留略ス

廿三日　左之通、従安房守殿御廻文

己午年御郡人高御改之義、寛政四年四月九日御触ト同趣ニ付略、右互見、且御請書左之

通出之

従公義御郡之人高被仰渡之趣奉得其意候、奉公人之外、家守長屋貸置候者并家来方借宅人等迄遂吟味候処、書出可申者無御座候、以上

戊午四月廿六日　交名　判

本多安房守殿

廓諦院[1]様三十三回御忌御茶湯、当五月廿二日一朝於宝円寺御執行有之候、右之節御家中普請・鳴物等不及遠慮候、乍然御寺近辺ニ罷在候者ハ、御茶湯御執行之内自分ニ指控可申候、此段組・支配ヘ被申渡、組等之内才許有之面々ハ、其支配ヘモ相達候様可被申聞候事

右之趣可被得其意候、以上

四月廿五日　**奥村左京**

付札　御横目へ

別紙之趣人持・諸頭并役義御免之頭分、暨隠居之面々ヘモ不相洩様可被申談候事

四月

右御横目ヨリ例文之廻状ヲ以申来候段、同役筆頭**奥村十郎左衛門**ヨリ廻状到来之事

前洩

今月朔日、長谷観音祭礼能番組左之通、且詰人町奉行**伊藤平大夫・富永右近右衛門**、御先手**田辺長左衛門・久能吉大夫**、御横目**三宅平大夫**并町同心等

1 前田利実（吉徳男・厚親）

1どぶかっちり

翁　千　歳 八之丞
三番三 勇五郎
面　箱 永　蔵
高砂 権進
田村 鉄次郎
東北 甚次郎
鉄輪 宮門
呉服 庄九郎
麻生 三次
法師母 幸助
博痴十王 徳次
同二日、昨日同断、詰人御横目ハ**堀左兵衛**
翁　千　歳 源太郎
三番三 万蔵
面　箱 卯三郎
和布苅 卯之助
経政 三右衛門
井筒 権進
国栖 宮門
鞍馬天狗 幸三郎
志賀 文三郎
佐渡狐 永吉
子盗人 半六
丼礑[1] 弥三郎

戊午**五月大**　　御用番　**本多安房守殿**

朔　日　雨、二日三日四日快天、五日六日七日八日雨或陰、九日十日快天、十一日雨、十二日十三日朝暫雨無程霽晴、十四日十五日十六日晴陰交、十七日十八日十九日陰雨、廿日晴、廿一日雨、廿二日廿三日廿四日廿五日廿六日廿七日晴陰交俄ニ暑催、廿八日晴天之処申刻ニ至雷鳴大雨一頻ニテ霽ル夜ハ朗也、廿九日雨天、晦日晴、今月気候応時節、下旬暑増長

同　日　月次出仕、年寄衆謁、四時前相済

五　日　端午御祝詞出仕、右同断

筑前守[1]様御帰国御願、今月十九日江戸御発駕ニテ六月朔日御帰着之御図り、右ニ付御帰着之上為御礼江戸表へ被指出候御使、寺社奉行前田修理へ被仰渡

但修理義役懸り在勤ニ候得共、今般初テ御帰国之御礼ニ付前田家ニテ無之テハ指支候故如本文

十五日　月次出仕、四時前年寄衆謁、其節左之通、御用番安房守殿左之通御演述、座上ヨリ恐悦申述退出

相公様前月廿二日御着府之処、同廿五日上使戸田采女守[2]殿附御老中ヲ以御懇之被為蒙上意、同廿八日御参勤之御礼可被仰上候旨等前日御奉書之処、御口中御痛ニ付以御使者御献上物相済候、此段為承知申達候

附記、御家老津田玄蕃・横山蔵人献上物ハ両御丸へ持参、御納戸へ相納ト云々

同　日　左之通被仰付

御持弓頭　中川平膳代　御先弓頭ヨリ　小川八郎右衛門
兼御用人只今迄之通

廿二日　来月十一日十二日於宝円寺泰雲院[3]様御十三回忌御法事御執行ニ付右御法事触、御横目廻状壱結五通之写、同組筆頭前田兵部ヨリ到来、普請・鳴物等遠慮、拝礼刻限等之義、御法事御奉行本多安房守殿ヨリ御触出、寛政八年六月八日記等ニ有之観樹院[4]様御法事触等、同断ニ付略ス互見

付札　御横目へ

1前田斉広（十二代）
2戸田氏教（寛14 379頁）
3前田重教（十代）
4重教男斉敬

1 本多忠等（寛11 232頁）
2 徳川宗睦
3 水野忠友（寛6 58頁）
4 徳川家斉室寔子
5 中嶋行敬（寛21 298頁）

今般**筑前守**様御帰国ニ付御着御当日一統布上下着用之事
一、七十間御長屋御門下馬・下乗之義、平日ハ前々之通ニ候得共、御着御当日ハ松原屋敷石垣角ニテ下馬・下乗之事
右之通、夫々可被申談候事
五月
右御横目廻状之旨、**前田兵部**ヨリ廻状之事

廿五日 昨夜御用番**安房守**殿依御廻文、今朝五時致登城候処、四時頃柳之御間列居、御年寄衆等御列座、**安房守**殿左之通御演述、畢テ於横廊下左之覚書披見、直ニ廻勤ス、**筑前守**様御国許ヘ之御暇御願置被成候処、去十一日以上使**本多弾正大弼**[1]殿御暇被仰出、御巻物御拝領、従**大納言**[2]様モ以上使**水野出羽守**[3]殿御巻物御拝領被成、従**御台様**[4]モ以**中嶋伊予守**[5]殿御巻物御拝受、同十五日為御礼御登城被成候処、御白書院御目見被仰上、其上御着座ニテ御懇之上意、殊御鷹・御馬御拝領被成、重畳難有御仕合ニ被思召候
相公様ニモ御登城、右御礼可被仰上処、御持病之御疝積ニ付其御儀不被為在候、此等之趣何モヘ可申聞旨拙者共迄以御書被仰下候事
付札　御横目ヘ
今日御弘之為御祝詞、今日・明日之内年寄中等宅ヘ罷出可申候、幼少・病気等ニテ今日登城無之人々ハ向寄ヨリ伝達、為御祝詞御用番宅ヘ以使者申越候様可被申談候事
五月

筑前守様来月朔日津幡ヨリ御着之筈ニ候条、御着之御様子被承合、為御祝詞御用番宅迄可被罷出候、幼少・病気等之面々ハ以使者可被申越候事、右之趣可被得其意候、以上

五月廿九日　本多安房守

津田権平殿

今月朔日朝、江戸品川袖ヶ浦等之漁人、海面ニ塩吹様ヲ見テ鯨の寄り来る事ヲ知りぬ、午の刻頃洲崎一名兜嶋又剣嶋の沖ヘ見ヘしゆへ、我モ〳〵ト船ニ乗り出、まつ一のもりヲ突けるニ、鯨は狂ひ動揺して袖ヶ浦十三里の海面モ是かため、二百余艘の舟ヲ浮ヘテ八方ヲ囲む、於茲ニ尾ニ打れテ覆へる船モあり、頭ニせかれて漂へる舟モ有、かゝる処ニ鯨ハ遙の沖ヘ逃行たり、漁人共今ハ人力ニ叶わしト、日頃信する寄木大明神洲崎之鎮主ヲ異口同音ニ祈念しける、彼鯨また帰り来ル、漁人勇テ二のもり三のもりト次第ニ突立、難なく留め刺たりしニ、鯨ハ西ニ向テ微かニ塩吹納めたり、夫より苧綱ヲ付テ浅瀬ヘ引揚たり、かくて此事聞伝へ見物群衆夥敷、彼浦之者共不思懸聴付ニテ賑ふ事限りなし、于茲右海ニ歳ヲ経テ頭ハ樽に等しく（四斗樽ヲいふ）蛎殻の類ひ附き、甲ハ十丈余モあらんト見ゆる大亀あり、右鯨ヲ喰むト浮出て一日二日喰けれ共、人多く守り居るゆへ逃去りけり、此亀浦人ニ害ヲなす事無之ゆへ、往昔より猟人モ不構指置也、かくて彼鯨の身ハ金四十二枚ニ鬻き[1]やり、此金ヲ以テ費用ニ充テ、余ハ漁人等分ち取り、頭ヲ洲崎の先なる所ニ埋テ塚ヲ築き葬り、是ヲ号テ海鰌[2]塚ト称ス、鯨の全身左の如し

1 ひさき（売ること）
2 くじら

『江戸科学古典叢書の博物学短編集上』（海鰌談）参照

1屐（はきもの）

2あごひげ

長九間一尺　頭長八尺　高サ六尺八寸　（目　六寸二分

潮吹三ッ一尺三寸宛　鰭二尺五寸　（同玉一寸五分

手羽　長八尺二寸　巾二尺

尾羽毛　長七尺七寸　巾三尺三寸余

因ニ仍テ鯨の事ヲ左書ス

三才図会云、鯨ハ海中之大魚、其大サ海ニ横はり舟を呑ミ、海底ニ穴居す、穴を出る時ハ水溢る、是を鯨潮といふ、大ハ長千里、小ハ数丈、雄を鯨と云、雌を鯢(げい)といふ、又云其形粗泥鰌ニ似たり、故ニ海鰌と号く、無鱗、項の上に潮を吹穴あり、口広く下唇ハ上唇より長し、舌長く広し、歯は足駄（屐[1]也、是正字）の歯に似たり、齗白(ハグキ)し是をへぎて蕪骨と号く、鬣[2]・口の両辺ニ生つ筬(ヲサ)と号く、数三百六茎純黒にて三四尺より丈余ニ至る、広サ五六寸、厚サ五六分、是を算或ハ尺秤(モノサシ)等に作る、骨より油を取、黒皮と赤肉の間に白脂有、是を煮るに方三寸厚サ壱尺にて油一斤を得、筋ハ唐弓弦として木綿をうつ、大小腸百尋(クヒロ)と号く、煮て食へハ久泄の病を治す、陰茎たけりと号く、大ハ丈余、其雌陰戸曁乳房も有、尾岐あり、黒色尾の上丸く肥たる所尾脛と号く、其味ひ極美也、糞ハ黒白二色あり白稀也、海上ニ浮を取得て晒し乾かせは蛇骨に似たり痘瘡の紫に変し黒く下りて、陥るを治するニ、是を焼て煙を薫れハ効あり、其外全体不用乃所なし、悉く挙るに不及、凡鯨に六種有、其性好みて鰯を食う、余魚ニハ敵する事なし、冬ハ北より南に行、春ハ南より北に行、肥州五嶋・平戸辺ハ節分前後、紀州熊野浦ハ仲冬に捕る鉾を森といふ、樫を柄とし鉾の頭ニ縄を付て船柱に繋く、其鉾鯨に中る時ハ柄をぬけて内に入る、動揺ニ従つて深く肉中ニ入て抜けず、鉾に縄をつくるゆへ石矢、此外森の製り様数品あり、一船の進退を掌る人を羽指と号す、長袖・短袗を着てさなから軍配の如し、近頃ハ大網を遠く用て森をうつゆへ百に一失もなし、魚虎(シャチホコ)歯鰭劔鉾の如し、此魚鯨の口の傍に数十在て、頬腮を突、鯨困惑して口を開く時ハ魚虎口中ニ入り舌根を噛切り既に喰尽して出つ、尤鯨斃る、是をシヤチホコ切と云て、適に浦人得る事あり、所謂鯨ニ六種有之、左の如し

世美(セミ)　味最上是六種之内の最上也、大ハ十余丈、其子鯨弐三丈、大低十三尋のものハ全体油を取に二百斛[1]を得、七尋之ものは四十斛を得、只八尋のもの油少し漸く十斛計なり

座頭　味セミに次く、大も四五丈ニ不過、一片ハ黒、一片ハ白也、肛皮ハ層々(カサネ)として畦(ウネ)をなす竹を編たるが如し、背に方二尺斗の疣鰭[2]あり、琵琶の形ニ似て瞽者の琵琶を負ふに彷彿たり、故に座頭と号く、盲魚ニハ非す、其余ハ世美ニ同し

但、森ニ中るといへ共よく逃走り得難し、然れとも子持鯨ハ得安し、まづ子を半殺ニする時ハ母鯨去り得ず、身を以て子を掩ふ時殺し得るなり、今用る大網にてハ座頭も逃る事不能

長須(ナガス)　味悪し、形色世美に似たり、是も背に疣髭あり、水底に沈て浮事稀なるゆえ得難し

鰮鯨(いわしくじら)　よく鰯を追ふ、大ハ二三丈ニ不過、肉薄く油少し都テ長須に同し、一名鰹鯨共いふ

真甲　肉難食、毒ハなし、大なる牙有、犢[3]の角の如し、是によく鰯を追ふ、大サも鰮鯨[4]ニ等し、脂少く西海ニ稀に有、紀勢総常[5]の海ニも有、其牙ハ象牙・猪牙ニ類す、切り磋て器或は

1（こく）10斗

2いぼ

3こうし（子牛）

4イワシクジラ

5紀（紀伊）
勢（伊勢）
総（上総・下総）
常（常陸）

1あごひげ
2イルカ

人の入歯ニなす、全体鳶色、口の廻り白し、歯ハ下口計ニ有之、髭なし、大真甲の歯ハ象牙ニ似たり細工ニ用ゆ、潮吹左之方ヘ寄れり、油計取也、トコト云ふ、肉計願(カ)て食之、是筋の分れる元ニ有、頭の皮ニシキトいふ所少し計食べる所有、其外ハ難食

小鯨　淡黒或ハ灰白、鬣[1]白く大なるものも一二丈ニ過す白斑あり、又児鯨共いふ

○蝦夷地北海ニ鯨有、大ハ如山、夷人捕る者なし、又異魚あり、其鰭鋭く形江豚[2]の魚之釼魚の属ひ也、夷人ヤシといふ、右鯨も是ニ触る時ハ渇(カ)れ死したるを波潮激しく岸ニ置事有、邂逅夷人拾ひ得て其肉をきり油を取、其外用多し、夷人居なからにして其利を得るといふ

○唐土行程記曰、西海ニ大魚有之、鯨を呑其名をヲキナトいふ、来る時ハ海底雷鳴の如く風なくとも波浪起り鯨鯢東西ヘ逃走る、如茲時ハ漁舟も陸ヘ戻る、稀ニ浮を見れは大嶋幾つも出来たる如し、是ヲキナの背尾鰭等の少し宛見ゆる也、全体ハ見たる者なし、所謂是横海、其長千里といふ者なるへし、二十尋・三十尋の鯨を呑む事、鯨の鰯を呑か如しと云々、蝦夷の東海にも此魚在といふ、此魚春ハ南ニ出て、秋ハ北ヘ帰る、寔ニ奇代の大魚なり

○紀州熊野浦にては森を以て突ことなし、大網を以て取る、此網を沖に敷置けば鯨是ニ懸ると左右に並居る舟人無言也、若物いふ時ハ鯨逃去る、此網夥敷物入千金を費す、于時或年長助といふ者、子と倶ニ漁に出て不帰、翌日船のみ岸ニ漂ふ、鰐等の害ならんと其日を亡日として弔ふ、其後年彼大網に親子の鯨懸る、二疋引揚れば網損するゆへ一疋ハ追放つに又二疋かゝる、如斯する事再三に及ふといへ共親子の鯨繋りて不離し、不思義に思ひ無是非二疋なから引上しに、網も損せす稀代なる事ゆへ浦人是を長助鯨といふ

こいねがう

1勇細（いすくわし）は鯨の枕詞、久治良（くぢら）は鯨、佐夜流（さやる）は障る

○都て一の森を突たる者には徳分の十分一を取、肉・油も多く取る、夫より二三と次第に配分する法也、故に一の森を突む事を漁人冀へり

○房州浦ニサカマタといふ魚有、全身に鋺の如き物生ひ茂れり、顔ハすつへりとして大き五尺計あり、常に鯨の傍ニ千疋宛随ひ行、鯨若鰯の外魚を食ふ時は此サカマタ何処共撰はず突、或鯨身を喰ひ切る、二ケ所共喰切れは鯨死す、其鯨岸へ寄れは浦人思ひ懸ぬ利を納むる事ありと云、又其喰切し肉壱尺計を漁人海上にてたま〱拾ふ事も有、其時にハ遥に沖の方を拝みて、殿様お有難ふ御座るといふ例也と云々、浦人サカマタを尊みて殿様といふ、若此魚に逢へハ漁舟も害せらるれば恐るゝ事神の如し、サカマタ漁人の手に入る事曽てなし、其上夥敷居れ共岸へ寄る事なく、死する事なく、往昔より年を経ても一疋もサカマタの死魚を見たるといふ者更に伝聞もなし、如何成行やらん奇妙の魚也と云々、神魚とも称ふ、蓋し剣魚或は魚虎の類ひ歟、魚虎は鱣鱘（フカシビ）の類ひニ制せらると聞くにサカマタニハ敵する魚なしと見ゆ、是も又東海の一奇也

○鯨ハ人の如く一産一子を産りといふ、生れ出たる所大サ五尺計也、一度に数万の子を生むと云ハ妄説也、母鯢の子を愛する事人に超へたりと、又五臓六腑も人の如く悉く備れりといふ

○我が皇国ハ海国なれば海物も又多し、鯨も神武天皇の大御歌に、1勇細久治良佐夜流（いすくわしくぢらさやる）云々と褒給ふ程の大魚也、鯨ハ鰐等の如く恐れ気ハなけれ共淮南子にも是を魚王とも云如く大魚の長なればほめて勇魚とハいふべし、幾千年天か下の宝貨と成事久し、異国ハ海少なけれ

1旅人の関所手形を貰う宿
2榊原政敦（寛2 268頁）
3斉広（十二代）

は鯨も又稀也、故其説齟齬多し、我皇国ハ鯨而已多きに非ず、鯛其古く周防の国の魚なるゆへ周魚と云しを合せて鯛と書しが今ハ四方の海々に多し、此魚ハ皇国第一の魚にして献贈吉礼不用といふ事なし、本草等に出る鯛ハ日本の鯛と異名異物也、説ニ八丈島ニ海辺の鯛ハ美味なく嗅し、甘味ある鯛ハ我日本のみ也、異邦にハ鯛ある事を未聞、其外異邦ニ無之美味魚類拳て算へ難し、亦皇国の人質等ニして武の強きと五穀多くして美まし、金銀銅鉄の精々して多き、馬牛の微かに多き、山材の美ニして多き、布帛の細やかにして多き、凡そ異国にくらぶるに諸物の皇国に好く多きし事誠に無上一大国ならすや

今月廿三日昏頃、金沢森下町手判宿[1]**中條屋八郎兵衛**方へ侍旅人三人、**榊原式部太輔**[2]殿御家中、一人ハ頭、二人ハ組士之由云々、従僕六人駅馬ニ乗来泊候処、右頭役之士翌朝行衛不知、依之**八郎兵衛**ヨリ町会所へモ及届、手配りヲ以相尋候得共、相知れ不申、依テ残り両人之侍モ

［　（空白）　］此次六月末畾紙互見

己未**六月**小　　御用番　**長　九郎左衛門**殿

朔　日　二日三日四日快天、五日雨風蒸暑、六日七日八日九日十日雨、十一日霽陰、十二日十三日十四日晴陰、十五日ヨリ廿三日マテ晴、廿四日陰昼ヨリ雨、廿五日雨暑大ニ退、廿六日廿七日廿八日晴陰、廿九日陰午刻ヨリ雨天、今月気候上旬・中旬烈暑、下旬涼

同　日　月次出仕　四時前御月番謁之事、但今日御用番之外御年寄衆等金谷御殿へ為御待受被罷出候ニ付、本文之通**筑前守**[3]様益御機嫌克四時過御着、依之一昨日御廻文之通、御用番**九**

1吉徳女暢

2重教（十代）

郎左衛門殿御宅ヘ為御祝詞参出之事

三　日　左之御廻文夕方到来、依テ翌四日御用番御宅ヘ常服ニテ参出、祐仙院[1]様御気色御滞被成候処、不被為叶御療養、前月廿五日御卒去之旨江戸表ヨリ昨夜申来候、依之為伺御機嫌、頭分以上之面々今明日之内、御用番宅迄可被罷出候、幼少・病気等之人々ハ以使者可被申越候

一、普請ハ昨日ヨリ三日、鳴物等ハ来ル八日迄日数七日遠慮之筈ニ候、右之通、組・支配之人々ヘ可被申渡候、且又組等之内、才許有之面々ハ其支配ヘモ相達候様可被申聞候事

六月三日　長　九郎左衛門

別紙之趣可被得其意候、以上

六月三日　本多安房守

津田権平殿　連名如例

六　日　今度、祐仙院様就御卒去ニ筑前守様ヘ以御奉書御尋、依之為御礼御馬廻頭九里幸左衛門ヘ御使被仰渡、同八日発出

十一日　卯上刻出宅、宝円寺ヘ拝参、横畳三畳目ニテ階上拝礼、尤長袴着用

十二日　前月廿二日記ニ有之通、昨今於宝円寺、泰雲院[2]様御十三回忌御法会御執行有之

十五日　月次出仕、四時過御年寄衆等謁

廿　日　左之通、如例御組頭安房守殿ヨリ御廻状有之

毎月廿五日　附記七月十二日互見

△祐仙院様右御忌日、御家中諸殺生指控可申旨、被仰出候事
右之通被得其意、組・支配之人々へ可申渡候、組等之内才許有之面々ハ其支配へモ相達候様被申聞、尤同役中可有伝達候事、右之趣可被得其意候、以上
六月十八日　長　九郎左衛門

廿二日　左之通被仰付
小松御馬廻御番頭　中村右源太代
御馬廻組御預地方御用ヨリ　津田治兵衛

廿五日　左之通、安房守殿御廻状前々之通ニ付略ス
△稲ニ花付実入ニ付今月廿八日ヨリ九月廿日迄、鷹野遠慮之事、附去年七月十九日互見
六月十八日　笠間九兵衛

廿八日　左之通被仰
筑前守様附御大小将横目
御同君様附御大小将組御抱守ヨリ　戸田伝太郎

前記五月末互見
逗留然処、前日為乗来り候駅馬之馬士、粟崎街道薮之内ヲ則馬牽通り候処、昨日為乗候侍、右小薮之内ニ臥有之、不思議ニ付側へ立寄、様子尋候処、昨夜旅宿ニ休息、其後之義覚無之、何とそ右旅宿へ迄送り届候様ニト頼ニ付、則馬ニ為乗右中条屋へ送り来り候処、何モ尋中ニ付大ニ悦ひ暮前ニ出立、津幡駅迄通行、右之士気滞等ニテモ無之、寔ニ怪異之事ト云々
但右馬士へ為褒美、従町会所金小判一両与へ有之候由之事

七月小 庚申　　御用番　前田大炊殿

朔　日二日雨、三日四日五日六日七日八日九日晴、十日雨、十一日陰、十二日晴、十三日昼ヨリ雨、十四日十五日十六日雨折々大雨、十七日陰、十八日ヨリ廿二日マテ晴陰交、廿三日大ニ蒸暑南風吹昏過ヨリ雨、廿四日雨、廿五日廿六日廿七日晴陰交、廿八日雨、廿九日快天、今月気候涼、下旬秋暑立復

同　日　月次出仕、御年寄衆等謁、四時前相済、且左之通被仰渡

前記正月十八日当御在府江戸詰御用無之段被仰渡候得共、今日詰被仰付、廿一日発出　御馬廻頭　佐藤勘兵衛

同　日　半納米価左之通、余ハ准テ可知之

地米　五十六七匁　羽咋米　四十七匁五分　井波米　四十壱匁七八分

右之通ニ候処、段々高貴、及下旬地六十三匁、羽咋五十一匁、井波四十七匁也

四　日　左之通被仰付

御先筒頭　窪田左平代　物頭並江戸御広式御用ヨリ　広瀬武大夫

同断　国沢主馬代　定番御馬廻御番頭ヨリ　青木多門

金谷御広式御用兼帯　組外御番頭　神尾織部

定番御馬廻御番頭　佐藤弥次兵衛

六　日　左之通被仰付

新知二千五百石ニ被召出内五百石与力知　土佐守嫡子 前田内匠助

定番御馬廻組御番頭　青木多門代　御馬廻組御武具奉行ヨリ 不破七兵衛

七　日　七夕為御祝詞出仕、年寄衆等謁、四時前相済

十二日　左之通、御組頭安房守殿ヨリ如例御廻状有之

但前記六月廿日互見

△
祐仙院様御祥月五月廿五日ニ候得共、思召ニテ五月廿三日御振替ニ候、依之毎月廿三日御家中諸殺生指控可申旨被仰出候、尤廿五日ニハ相控候ニ不及候

右之通被得其意、組・支配之人々ヘ可被申渡候、組等之内才許有之面々ハ其支配ヘモ相達候様被申聞、尤同役中可有伝達候事、右之趣可被得其意候、以上

七月十一日　前田大炊

十七日　右同断大目付ヘ

△
慶長以来於銀座吹立候慶長銀・元禄銀・宝永銀・永字銀・三宝銀・四宝銀・享保銀之分、吹改候度毎、通用ニ不相成銀ニ付、不貯置其時々銀座ヘ指出、新銀ニ引替可申旨相触候処、不残引替ニ不指出、当時右品々古銀之分引替残り有之哉ニ候、当時通用無之品貯置候テモ無益之事ニ付、猶又此度年限相立候間、当午五月ヨリ来る酉五月迄三ケ年之間ニ早々銀座ヘ指出、通用銀ニ引替可申候、則右代銀左之通

一、慶長銀　十貫目ニ付此代通用銀　十一貫二百目

一、元禄銀　十貫目ニ付此代通用銀　八貫九百六十目

一、宝永銀　十貫目ニ付此代通用銀　七貫目
一、永字銀　十貫目ニ付此代通用銀　五貫六百目
一、三宝銀　十貫目ニ付此代通用銀　四貫四百八十目
一、四宝銀　十貫目ニ付此代通用銀　二貫八百目
一、享保銀　十貫目ニ付此代通用銀　十一貫二百目
右之通、定代銀ヲ以於銀座ニ引替候筈ニ候間、此節ヨリ右年限中、古銀所持之者ハ江戸・京・大坂・長崎銀座ヘ勝手次第差出引替可申候、万一心得違ニテ不引替向モ於有之ハ吟味之上急度可申付候
一、灰吹銀其外潰銀類、銀座并下買之者ヘ売渡し、銀道具下銀入用之節ハ銀座ヨリ買受、他所ニテ売買致間敷旨、且通用銀・二朱判并銀具焼損等之分、銀座ヘ差出引替候様先年モ相触候処、銀座ヘ不差出外々ニテ売買致候者モ有之趣ニ相聞、先年モ相達候通、弥右躰之義無之様急度相守可申候、右之通可被相触候
五月
安藤対馬守[1]殿御渡候御書付写壱通相達候間、被得其意、答之義ハ池田筑後守[2]方ヘ可被申聞候、以上
五月十二日　大目付
御名殿留守居中
慶長銀等通用ニ不相成分、新銀ニ引替之義ニ付、従公儀相渡候御書付写壱結弐通相越之候

1安藤信成（寛17 180頁）
2池田長恵（寛5 72頁）

条、被得其意、御組并与力、且又御家来末々迄可有御申渡候、以上

戊午七月十三日　長　大隅守印

奥村河内守印

前田土佐守殿　本多安房守殿

前田大炊殿　村井又兵衛殿

村井又兵衛

用意出来次第可有出府旨、今月十一日被仰出候段申来

廿五日　夜、**波吉三蔵**宅へ心祝有之、侍客、亭主**三蔵**も酩酊、及暁天ニ客帰、**三蔵**休臥、翌廿六日朝起出不申ニ付相改候処死有之、首辺ニ縄跡等有之、吐血夥く全他殺之躰ニ付、町検使町同心**大平直左衛門**・［(空白)］両人罷越見分、猶又詮儀之上公事場検使与力［(空白)］見届相済、多分下女并隣家**莨宕屋仁兵衛**所為之躰ニ付、於町会所拷問有之、八月二日於公事場も拷問有之候得共不申顕、併尤両人共令牢舎有之、段々吟味有之候処、右下女并**仁兵衛**所為ニテ無之ニ付、寛政十二年春右両人共出牢之事

但**三蔵**ヲ令殺害候者相知れ不申候事

廿八日　江戸昼後ヨリ曇強く、七時過ヨリ頻ニ黒雲覆ひ、無程大雨如傾盆、其間雷鳴光甚強一声厳敷、御上邸之内又兵衛坂之高右側地蔵堂続御長柄小者小頭**小林仙蔵**御貸小屋之内へ雷落、破風口ヨリ窓之方へ落入、屋根三尺計明き、掻裂跡柱等ニ余多有之、暫時之間硫黄嗅く有之、人損ハ一円無之候事

附記、明和九年ニモ右御上邸長塀之内大杉之辺へモ雷落

1政隣

右之外、江戸中所々雷落候ケ所数多有之

今月十日江戸於御厩、御仲間折右衛門ヲ平御仲間市郎平ト申者二ヶ所疵付候処、九月十六日矢部七左衛門・永原半左衛門御先手在江戸中公事場方へ御吟味被仰付、御横目水原清左衛門立合令吟味候処、双方申分相違相分り不申ニ付、得ト再吟味致し候様十月三日村井又兵衛殿、河内山久大夫・自分[1]へ被仰渡、翌四日御横目右清左衛門立合遂吟味候処、相分り候ニ付口書判形申付、暮頃相済退出、但相替趣モ無之候ハ五日御出席之上、口書御達可申旨被仰聞置候ニ付、翌五日又兵衛殿へ相達候事、十月四日互見

任晶紙書、今年十月朔日金沢本納米価左之通、余ハ准テ可知之

地米　六拾目　　羽咋米　四十八匁　　井波米　四十六匁五分

右之通ニ候処、二日ヨリ段々下直ニ相成、其上米買望人微少之由也

辛酉八月大　　御用番　長　九郎左衛門殿

朔日　陰、秋暑甚、二日雨昏過ヨリ大雷数声大雨、三日雨、四日五日六日快天、七日八日九日十日十一日雨、十二日晴、十三日十四日雨、十五日晴、十六日雨、十七日十八日十九日晴、廿日雨、廿一日ヨリ廿四日迄晴陰交、廿五日昼ヨリ雨、廿六日陰、廿七日廿八日雨、廿九日晴、晦日雨、今月気候応ス

1治脩（十一代）
2前田利道（大聖寺侯）女（治脩縁女）
3斉広（十二代）
4徳川家治

同　日　月次出仕、四時前御年寄衆等謁、左之通御用番御演述、座上ヨリ恐悦申上相済
相公[1]様御疝邪等御快被成御座、前月七日御参府後初テ御登城被遊候処、就右ニ御懇之被為
蒙上意、難有被思召候旨拙者共迄被仰下候事

同　日　右御謁以前、於御席左之通被仰付
正姫[2]様来春雪消次第就御出府ニ主附御用、但
御用役所見廻り　　　　　　　　　　　筑前守[3]様御用人持組
　　　　　　　　　　　　　　　　　　　横浜善左衛門
右御用主附被仰付候条、関沢安左衛門申談可
相勤候
　　　　　　　　　　　　　　　　　　　御近習御先筒頭
　　　　　　　　　　　　　　　　　　　玉川七兵衛
物頭並被仰付、御近習只今迄之通
右御出府御用主付玉川七兵衛申談可相勤候
　　　　　　　　　　　　　　　　　　　御近習御使番ヨリ
　　　　　　　　　　　　　　　　　　　関沢安左衛門
二之御丸御広式御用被
仰付、両学校御用ハ御免除
　　　　　　　　　　　　　　　　　　　物頭並学校御用ヨリ
　　　　　　　　　　　　　　　　　　　横地伊左衛門
右御出府御用主付被仰付、井上太郎兵衛申談可相勤候、但十月六日御供被仰付
物頭並
　　　　　　　　　　　　　　　　　　　正姫様附御用人ヨリ
　　　　　　　　　　　　　　　　　　　井上太郎兵衛
正姫様御用被仰付
右御用主付横地伊左衛門申談可相勤候、但十月六日御供被仰付

十五日　月次出仕、四時前御年寄衆等謁相済、且左之通任承記ス
今月朔日於江戸、於江戸
　　　　　　　　　　　　　　　　　　　江戸御広式御用人
　　　　　　　　　　　　　　　　　　　国府佐兵衛
物頭並江戸御広式御用　広瀬武大夫代

／俊明院[4]様御十三回忌御法事、来月八日於神護寺御執行ニ付奥村左京殿ヨリ之御触状両通、

△例之通安房守殿御廻文ヲ以、今十九日到来、寛政四年八月晦日記、御七回忌同趣ニ付留略

廿三日　左之通、御用番九郎左衛門殿被仰渡

但同役江戸詰順先両人書出候様、昨廿二日筆頭奥村十郎左衛門へ被仰聞候ニ付、則今朝書出候処、本文等之通

各儀当秋江戸表へ出府、矢部七左衛門・永原半左衛門ト可有交代候、来月廿日頃迄ニ参着之心得ニテ此表可有発足候事

河内山久大夫

津田権平[1]

右ニ付直ニ御組頭安房守殿へ為御案内参出、且右江戸一件ハ都テ別帳ニ記ニ付爰ニ略ス、且発足日限九月六日ト相極候段、同月朔日及御届、将又請取銀高、知行百石ニ付四百目宛、当会所銀弐貫八百目、御扶持方代出銀共都合弐貫四百十三匁六分并急発足ニ付学校銀壱貫五百目借用之事、附九月五日互見

廿五日　左之通被仰付

御持弓頭　上月数馬代

御奥小将御番頭ヨリ
不破五郎兵衛

御横目へ

正姫[2]様御事、正姫（マサ）様ト御唱替被成候事

△右之趣夫々可被申談候事

八月

右御横目ヨリ例之通廻状出

1 政隣

2 前田利道（大聖寺藩五代）女　タダヒメ

1 徳川宗睦

△石川・河北両御郡用水・溜・江・川々へ御家中并町方ヨリ鮒・鯰等釣殺生ニ多罷越、作物踏荒并川除等御普請方ニモ指障、其内乱行之族モ有之、百姓共及難儀候間、御家中之人々等釣殺生等ニ罷越候節、右之族無之様、組・支配之人々へ可被申渡候、組等之内才許有之面々ハ其支配へモ相達候様可申聞、尤同役中可有伝達候事、右之趣可被得其意候、以上

八月廿五日　**長　九郎左衛門**

別紙之趣可被得其意候、以上

八月廿六日　**本多安房守**

津田権平殿　但同組連名前々之通

今月廿一日尾張様[1]**へ相公様**御招請、其節御飾付御献上、九月廿九日ニ記ス互見

壬戌**九月**小　御用番　**奥村左京殿**

朔　日　二日三日陰雨、四日快天、五日六日七日八日雨、九日晴陰、十日十一日十二日快天、十五日以後之降晴等旅中之事ニ付其条下ニ日記ス

同　日　月次出仕、御年寄衆等謁、四時前相済

五　日　昼過、御用番**左京**殿ヨリ以紙面当廿五日六日迄之内参着之心得ニテ可致発足旨被仰渡候ニ付、明六日之発足相延候事

1吉徳女暢

但十三日発足仕候段、八日及御届候事

九　日　重陽為御祝詞出仕、四時頃御年寄衆等謁、相済

十一日　左之通被仰付

物頭並　両学校御用　　祐仙院[1]様附物頭並ヨリ　加藤用左衛門

江戸御広式御用人　　同断　御用人ヨリ　富永侑大夫

役儀御免除　　同断　物頭並　吉田又右衛門

右之外祐仙院様附御用人、何モ役儀御免除之事

右之通、私実名唱替候間、御届申上候、以上

政隣ノリチカ

午九月十一日　　津田権平判

本多安房守様

右前月廿五日記之通ニ付実名唱替候事

十二日　四時過登城之処、御用番左京殿御逢、於江戸表村井又兵衛殿等ヘ御伝言有之、夫ヨリ金谷御殿ヘ出、小杉喜左衛門ヲ以、明日発出仕候段申上、御用モ無御座哉之旨相伺候処、御用之義無之候、遠路大儀ニ被思召候段、同人ヲ以御意ニ付御請申上退出、直ニ安房守殿ヘ参出之処、御逢有之、又兵衛殿等ヘ之御伝言モ有之、夫ヨリ御用番左京殿ヘモ参出并同町之

人々へ為暇乞相勤帰宅之事

十三日　朝陰、五時過ヨリ雨天、朝六時過発途、大樋ニテ河内山久大夫待合、五時前同所出立、暮六時過高岡沢田屋平助方ニ泊、今日野辺鴨多し、雁ハ稀也

十四日　快天、暁七時過出立、夕七時過魚津小川屋伝四郎方ニ泊、鰤今日初テ余程取候由ニテ出之、右宿甚不宜

十五日　陰、昏ヨリ雨、暁七時前出立、夜五時頃青梅駅清水十左衛門方ニ泊、今日親不知等波穏、駒返りモ同断ニ候得共、夜ニ入、其上雨天ニ付松明ニテ越ス、外波問屋并当駅油屋建右衛門等彼是骨折、為取物別記ニ有

十六日　雨天、朝六時過出立、姫川水出宜、併人足・駅馬支ニテ隙取暮過名立駅橋本善左衛門方ニ泊

十七日　雨天、暁七時前出立、夕七時関山村越宗兵衛方ニ泊

十八日　雨天、同刻出立、暮過善光寺駅現金屋孫兵衛方ニ泊

十九日　快天、同刻頃出立、暮前上田井筒屋宗兵衛方ニ泊、今日近山雪ニテ寒冷強、犀川等水減

廿　日　快天之処、昼ヨリ陰、夕方雨風、夜ニ入静朗也、朝六時前出立、暮前軽井沢駅三室屋又八郎方ニ泊、当駅ニテハ宜き宿也

廿一日　快天、暁天発出前ニ至、人馬支之由、問屋申聞、彼是遅滞六時頃出立、松井田等人馬支ニテ隙取、暮頃高崎へ着候処、近く焼失ニテ指支、夜五時頃倉ケ野駅須賀七郎方ニ泊

廿二日　快天暁七時過出立、夕七時過熊谷ヘ着之処、堀左京亮[1]殿泊ニテ宿支、其上明朝人馬支之由ニ付、出立夜四時過頃鴻巣駅小池三大夫方ニ泊、但今夜河内山久大夫同宿泊ニテ明後廿四日江戸参着之案内紙面認、飛札指出、飛脚之者両人申談、雇賃鳥目壱貫三百銅也

但、翌夜蕨駅泊宿ヘ暮過右返札持参相届候事

廿三日　陰、申刻ヨリ雨天、朝六時過出立、人馬支ニテ隙取、暮頃蕨駅岡田新蔵方ニ泊

但、右泊全体不宜、其上江戸迄通人足紺染類并赤合羽着用之図りニテ雇申付候処、翌朝夜明見受候処、甚見苦敷爲躰ニテ右当品着用不致ニ付相咎候得ハ新蔵ヨリ何等之義モ不申渡候由、人足共雨降候得ハ蓑類着申聞候ニ付参着之上可咎遣事

廿四日　陰折々微雨、昼ヨリ晴、夜九時過大雷数声、強地震大雨如傾盆、朝六時過出立、板橋駅ニテ常服ニ改、四時過御上邸御館ヘ参着、御席ヘ出、前記十二日ニ有之通、御用番等御伝言之趣又兵衛殿ヘ申述、夫ヨリ御次ヘ出、田辺判五兵衛ヲ以、前々之通申上候処、山口新蔵ヲ以、遠路大義ト被思召候段御意有之、御請申上退出、直ニ村井殿等御小屋相勤、夫ヨリ待請宿同役永原半左衛門小屋ヘ罷越、一汁三菜之懸合・酒・小盃・肴被出之

右相済、自分御貸小屋ヘ村井殿御小屋向町長塀之角罷越候事

今月上旬　不順之暖、中旬旅行中北陸道寒冷、下旬関東冷暖応時ニ、旅行中菌類今秋微少ト云々、魚津・糸魚川之間、鰤・䲓[2]多し、雁・鴨大概、小鳥稀、江戸辺雁鴨等甚多し

同　日　御横目所ヨリ同役四人連名状ニテ呼ニ来、矢部罷出候処、火事御行列帳披見申談ニテ四

1 堀直方（寛12 369頁）

2 サメ又はカジキ

手合申談、持可申上ニ付今日ヨリ左之通持之候事
大組方矢部、御持方永原、三ツ輪河内山、稲妻津田

今般旅用金左之通
金十七両ト五匁宛、包銀三封
内壱両参歩　持馬用　壱両　本駅馬壱疋
五両　宿次人足十人　二両壱歩　追御用二人
六両　上下十人旅籠代并茶屋払・酒代等小遣用等品々
壱両二歩　旅中任前例等ニ為取物左之通何モ
金百疋宛之事
高岡　沢田屋平助　境　沖加大夫　青梅　油屋建右衛門
能生　問(カ)部勘左衛門　金之外銀十匁
野尻　石田津左衛門　牟礼　加賀屋六左衛門　蕨　岡田新蔵　此度通人足等之取持申付ニ付初テ遣ス
歌外波　問屋ヘ銀五匁

廿五日　快天、夕番八時ヨリ出、四時過河内山久大夫・自分申談、御席ヘ出候様申来、罷出候処、公事場方御吟味者有之節可相勤旨横山蔵人殿御申渡候事

同　日　左之通御近習御用石野主殿助御用事部屋勤也ヨリ御用人ヘ為承知申聞有之由、承ニ付記之、正姫様来春御出府之上、御婚姻御整可被成思召候、然処来年ハ御暇之御順年ニ付如御

定例御暇被仰出候ハ御暇後五六月迄ニハ御婚姻御整可被成候間、右相済御発途被成度旨、当廿八日御用番ヘ御先手衆ヲ以、御願書被指出筈ニ候事

九月

大目付ヘ

△供立[1]風俗等之義ニ付追々触之次第有之処、万石以上并寄合衆之内なとニモ又近頃場広ニ行列ヲ立候、其外立派ニ目立候モ相見候、一旦ハ能行届候哉ニモ見候処、連々風俗不宜様ニ成候テハ如何敷事ニテ候、全体右不神妙目立候類之事ハ所詮其主人々々好処ヨリ発候哉ニ有之候、主人の嫌候事ニ候ハ右様ニ可有之訳モ有ましく、畢竟若輩之至ニ候、夫ニ付御役(ヤク)人衆之義ハ表向都テ之目当ニモ成候事ニ候得ハ猶更銘々厚く被相含候テいかにも目立候程質朴ニ有之候様ニト存候、近頃ハ又聊宛ゆるみ候様ニモ有之候ニ付芙蓉間之面々ハ勿論之義、其外之御役人中ヘモ右之心得専ら勘弁あるへき旨可被通達事

九月

右**安藤対馬守**[2]殿御渡候御書付写、御大目付中ヨリ之御留守居廻状写二通、**横山蔵人**殿御渡、夫々可申談旨等御申聞之旨御横目中ヨリ廻状之事

廿七日 陰、昼ヨリ快天、夕番、明廿八日**尾張様**[3]就御招請、朝六半時揃ト**又兵衛**殿被仰聞候由、御横目中申談、且右一件左之通

大納言[4]様御出之節御作法

一、**大納言**様御付人、御屋敷前・小石川辺・本郷三丁目并付廻共二人宛付置可申候

1 ともだて（定式により連れて行く供のもの）
2 安藤信成（寛17 180頁）
3 徳川宗睦
4 徳川宗睦

1前田利考（大聖寺藩八代）
2前田長禧（寛22 244頁）
3前田矩貫（寛17 294頁）
4浅野重晟（寛5 344頁）
5松平（保科）容住（寛1 264頁）
6徳川勝当（高須侯）（宗睦弟）（徳2 223頁）

一、御出之節、年寄中・御家老、敷附ヨリ一・二尺御白洲ヘ罷出可申候、人持・組頭・物頭等御白洲中程ヘ罷出可申候、聞番御門外ヘ罷出、御駕籠御玄関迄被為召候様御供人迄可申達候

一、御前御玄関鑑板ヘ御出、飛騨守[1]様・前田信濃守[2]殿・前田安房守[3]殿等敷附右之方ヘ御出、御先手衆等同左之方ヘ御出、安芸守[4]様・若狭守[5]様之内御出被成候ハ御広間上之間御床之方ニ御控御前御先立、御大書院ヘ御通可被遊候

但御刀持御大小将御式台敷付左之方ヘ罷出、御刀持可申候、御大書院取付之御廊下ヨリ御表小将持之、御刀懸ヘ直可申候

一、御刀懸御大書院御下段御障子際ニ一腰懸出置、御刀直之可申候、但御小書院ニテハ御棚之方ニ御刀懸出置、直之可申候

一、松平弾正大弼[6]殿御付人、御宅本郷三丁目ニ二人宛付置可申候

一、右御出之節、年寄中・御家老敷付、頭分敷付居こほれ罷出、組頭御先立可仕候、御前御広間二之間折廻し辺迄御出向、先御小書院溜ヘ御誘引被遊、御挨拶被為入、御茶・たはこ盆出之、大納言様被為入候ハ御案内仕、御小書院ヘ御通被成候様可仕候、組頭指合候ハ頭分御先立可仕候

一、御刀懸御床脇ヘ出置、御表小将直之可申候

但御広間御杉戸之内ニ御表小将控罷在、御刀御渡被成候ハ受取、直之可申候

一、大納言様御上段之方ニ御着座被遊、御前御出御向座ニ少御ひすみ有之、御着座被遊、御馬代金御表小将持参置之、御太刀又兵衛披露、御手届候程ニ置之

御前御手ヲ被添、御頂戴之御様子ニテ御挨拶相済引之、御挨拶之上御小書院へ御誘引、但御床脇御唐紙明之、此所ヨリ御先立、御着座之上御熨斗木地三方置熨斗出之、御取持衆御挨拶之上引之、**大納言**様へ御吸物**御前**御持参被遊、直ニ御向座ニ少御下り御着座被遊、**御前**へモ御吸物上之可申候

一、御土器木地三方、御肴同出之**大納言**様へ居之、長柄之御銚子御加共出之、御挨拶之上、御土器**大納言**様御初、御土器**御前**へ被進、御肴モ被進、御結、此時御勝手ヨリ御肴改出之、御立向御敷居際ニテ御取被遊、御肴被進、御嘉儀御先手衆、畢テ御肴三方ヨリ段々引之、**大納言**様御吸物御膳モ御給仕人引之可申候、但御土器三方御酌ヨリ上之

一、**大納言**様御したみ御八寸ニ居、御給事人上之、**御前**御したみ御八寸ニ不載上之可申候

一、右御盃事之内、**弾正大弼**殿ニハ御小書院溜へ御披被成候様、御取持衆迄可申入候

一、**大納言**様御盃事相済之上、御奥へ御通被成候様、**御前**御挨拶被遊候テ、**御前**御床之方ヨリ御出向、御奥へ御誘引可被遊候、御居間書院辺迄**御前**之御先立御家老、夫ヨリ**石野主殿助**等内、御刀御表小将持之、御居間ヨリ配膳役持之、夫ヨリ御奥へ御刀入

一、御奥相済、**御前**御誘引、**御前**之御先立等最前之通、御刀御居間辺ヨリ御表小将受取、最前之所へ直之可申候

一、**大納言**様御小書院御椽頬之方御着座之上、**弾正大弼**殿ニモ御出、御引下り御着座、追付**御前**御出、御料理之御挨拶被遊、御料理三汁九菜、薄盤木具出之、向詰**御前**御持参被遊、**弾正**

大弼殿ヘハ御給事人出之可申候、御引菜御前不残御引可被遊候、御酒之上御肴飛騨守様御持参、御相伴ヘモ御引可被成候
一、御吸物出、御嶋台一向、押共大納言様ヘ居之、弾正大弼殿、御土器木地三方・御肴同出之、御前御出御挨拶之上、御土器大納言様御初、御前ヘ被進、御肴モ被進、御結、此時御肴御勝手ヨリ改出之、御敷居之際迄御立向御取被遊、御肴モ被進、御加、御島台・御肴共御取持衆大納言様御前ヘ御直し、夫ヨリ弾正大弼殿ヘ御向御挨拶之上、御土器御前御初、弾正大弼殿ヘ被進、御肴モ被進、御結、御肴モ被進相済、御三方等御勝手ヘ引可申候
一、長柄之御銚子ハ最初之御盃事之節迄ニテ此所ニテハ常御銚子出之可申候
一、大納言様等御盃事之内、宝生太夫等召出、小謡うたひ可申候
一、大納言様ヨリ年寄中・御家老等ヘ御盃被下候ハ御先手衆御取計、此所ニテ御土器木地三方・御肴同、大納言様ヘ居之、外ニ数之御土器木地三方御側ヘ上置、御銚子役罷出、頂戴人又兵衛罷出、
御敷居之外横畳一畳目ニ御土器三方直之、二畳目ニテ御土器頂戴、御肴同、御取持衆御挨拶有之、壁之方ヘ寄、短刀取之罷出、御肴被下、復座、加、御勝手ヘ退き御給事人御土器受取持出、御三方ヘ載之御土器御取上之時分、御礼申上退去、次ニ蔵人[1]罷出右同事頂戴仕、夫ヨリ人持・組頭壱人宛罷出、同所ニテ御土器頂戴、御取持衆御挨拶、短刀取之罷出、御肴被下、加、退き、順々如斯罷出可申候
一、右相済、御前御家来ヘ御盃被下候、御挨拶被遊、追付御納之御島台御押共大納言様ヘ居之、最前之御島台ト引替可申候、御挨拶之上、御土器大納言様御初、其時御肴被進、御土

1横山政寛

器御前ヘ被進、御肴モ被進、御加、御納可被遊候

一、段々相済、御茶菓子出之、御濃茶御前御持参被遊、弾正大弼殿ヘハハ(衍)御給事人持参大納言様御茶碗ハ御給事人台ニテ引之可申候、後御菓子迄段々引替相済、夫ヨリ追付御囃子初申ニテ可有御座候

一、右御囃子之内、御菓子・御吸物・名酒等指出可申候、尤弾正大弼殿御相伴可被成候、右相済、夫ヨリ御休息之御間ヘ被為入候ハ御煎茶等御取持衆ヘ御示談仕差上可申候

但御刀一腰懸、御床脇ニ出置、御刀直之可申候

一、御庭ヘ御出被遊候ハ聞番御先立仕、其先ヘ三十人頭案内可仕候、御跡ヨリ組頭之内一両人罷出可申候、御亭ニテ御菓子等之義ハ御近習頭ヨリ可奉伺候、御刀持御表小将、御休息之御間御椽ヨリ罷出可申候

一、弾正大弼殿御跡ヨリ御出被成候ハ、是又御刀持御表小将罷出可申候

一、御取持御先手衆之内并御医師衆之内ニモ御出可被成候

一、大納言様御家老・御用人・其外御近習之人々何モ御供罷出、茶屋長意[1]并ニ御城坊主衆モ罷出可申候

一、御庭相済、最前之通御休息之御間ヘ御上り、夫ヨリ御小書院ヘ御復座之上、御様子次第、後段麺類・御吸物・御酒等弾正大弼殿御相伴ニテ出之可申候、段々相済御退出之節、御前敷附右之方ヘ御出、御一門様方等最前之通御出、其外前段之通罷出可申候

一、弾正大弼殿御退出之節、御使者之間御杉戸之外迄御送、其外最前之通罷出可申候

1 豪商

一、安芸守[1]様・若狭守[2]様之内、御出被成候ハ、御付人御宅本郷三丁目ニ付置可申候
一、御出之節御家老鑑板、頭分敷付ヘ罷出、組頭御先立可仕候、御前御広間二之間折廻し辺迄御出向、御誘引ニテ、御居間書院ヘ御通、御挨拶被遊、御勝手ヘ可被為入候
但組頭指合候ハ、御先立頭分相勤可申候
一、御刀懸御床脇御障子之外ニ出置、御刀直之可申候
但御広間御杉戸之内ニ御表小将控罷在、御刀御渡被成候ハ受取、直之可申候
一、御料理前、御菓子・御吸物・御酒等出之可申候
一、御小書院御饗応初り候ハ、差続御料理三汁九菜塗木具出之可申候、御引菜御取持衆御持参、御酒之上、御肴ハ御給事人引之可申候
御料理之内一度御出、御挨拶可被遊候哉
一、飛騨守[3]様御溜ニテ前田信濃守[4]殿・前田安房守[5]殿御一所ニ御菓子・御吸物・御酒、其後御料理右御同様差出可申候
一、御取持衆、御居間書院三之御間ニテ御菓子・御料理等見計替々指出可申候
一、安芸守[6]様・若狭守[7]様之内、御退出之節、御使者之間御杉戸之外板之間迄、御送被遊、御家老敷付、頭分敷付居こほれ罷出可申候
以上

大納言様御出之節伺

一、大納言様御持参之御太刀、先達テ参候節、頭分持参ニ候ハ、頭分受取可申候、平士持参ニ

1浅野重晟（寛5 344頁）
2松平（保科）容住（寛1 264頁）
3前田利考（大聖寺藩八代）
4前田長禧（寛22 244頁）
5前田矩貫（寛17 294頁）
6浅野重晟（寛5 344頁）
7松平（保科）容住（寛1 264頁）

候ハ御大小将請取可申候

一、御供之御家老、御大小将誘引、御勝手座敷上之間屏風囲上之席ヘ相通、懸り之頭分罷出挨拶仕、御茶・たはこ盆出可申候

但組頭之内并聞番モ罷出挨拶可仕候

一、御側御用人、右同所下之席、御小将・御近習之面々等御勝手座敷二之間・同三之間ヘ御大小将誘引、夫々相通、懸り之頭分罷出挨拶可仕候、但聞番モ罷出挨拶可仕候

一、御供之侍中并御目見以上之人々、御間之内席々ヘ御大小将誘引相通り、懸り頭分罷出挨拶可仕候

但聞番モ罷出挨拶可仕候

一、御前御小書院ニおゐテ、御料理・御引菜御持参相済候上、御大書院ヘ御出、二之間御床之順ニ御着座、御供之御家老誘引年寄中被罷出、御敷居之内壱畳目頭ニ着座、御意之上二畳目ヘ進み御礼、重テ御意有之退去、次ニ御側御用人、組頭誘引ニテ罷出、御敷居之外ニ着座、御意之上御敷居之内ヘ進み御礼、重テ御意可有御座候、次ニ御小将・御近習之面々、組頭誘引罷出、是又右同様御意可有御座候、此外御供人ヘハ御逢被遊候ニ被為及間敷哉ト奉存候

一、右御逢前、御供之御家老以下於席々、御菓子・御吸物・御酒等指出、席々懸り之頭分罷出、夫々挨拶可仕候

一、御逢相済候後、御供之御家老ヘ御勝手座敷上之間屏風囲上之席ニテ、御料理三汁九菜塗木具出之可申候、御料理之内御酒之内一度宛、組頭御使相勤可申候、年寄中・御家老替々罷出

挨拶可仕候

一、御側御用人・御小将・御近習之面々并御医師等於席々、御料理三汁七菜塗木具出之可申候、懸り之頭分・聞番モ罷出挨拶可仕候、御料理之内、物頭御使相勤可申候

一、御供之侍中并御目見以上之面々席々ニテ、御料理二汁七菜塗木具出之、懸り之頭分・聞番モ罷出挨拶可仕候

一、御目見以下御小人頭等、上使腰懸ニテ一汁五菜之御料理出之、懸り之人々罷出、夫々挨拶可仕候

一、御小人組頭・御厩之者組頭以下御手廻之者ヘハ中御門内饗応所等ニテ赤飯・御酒・御肴可被下之候

一、**大納言**様御挟箱并御茶弁当共、御使者之間ヘ上置可申候、請取人御歩、御間之内持参人足軽、羽織袴着用可仕候、但指添人有之候ハ御茶・たはこ盆出可申候、御料理ハ相替り於饗応所、被下候様可仕候、若指添人無之候ハ此方様ヨリ御歩付置可申候

一、**茶屋長意**罷出候ハ、御城坊主衆溜ニテ御料理二汁七菜塗木具且御菓子・御酒等指出可申候

一、**松平弾正大弼**殿御供人并御一門様御供人ヘ、御料理等御断之義、兼テ聞番ヨリ申遣ニテ可有御座候、右御供人饗応所等ニテ、御茶・たはこ盆等夫々指出可申候

一、御一門様方初御出之御方々、**大納言**様御附人来候以後ハ、裏御式台ヨリ御通被成候様可仕候

一、当日御使者裏御式台ニテ取次候様可仕候

右伺被仰出候事
九月
御小書院
佐藤勘兵衛
野村伊兵衛
大納言様
勝尾半左衛門
松平弾正大弼殿
御給事指引并　御表小将御番頭　二人
御料理出御取持兼　御表小将横目　一人
御居間書院
安芸守様　御近習頭之内一人
1曽根五郎兵衛殿　中川平膳
曲直瀬養安院　御表小将御番頭
橘　隆庵老　御大小将御番頭
桂川甫周老　御大小将横目
同　三之間
2長田阿波守殿　右御近習頭并平膳内ヨリ
3武藤庄兵衛殿　相兼可申候
4市岡丹後守殿　御大小将御番頭

1曽根次彭（寛3 275頁）
2長田繁趫（寛9 27頁）
3武藤安徴（寛14 7頁）
4市岡房仲（寛7 27頁）

1彦坂忠篤（寛6 27頁）
2斉藤総良（寛13 161頁）
3本多政房（寛11 296頁）
4能勢能弘（寛19 169頁）
5前田武宣（寛17 293頁）

御大小将横目
彦坂九兵衛殿[1]
斉藤長八郎殿[2]
本多帯刀殿[3]
能勢市兵衛殿[4]
前田要人殿[5]

飛騨守様御溜
矢部七左衛門
飛騨守様
土肥庄兵衛
前田信濃守殿
前田安房守殿

御勝手座敷上之間
河内山久大夫
屏風囲上之席
津田権平
御供之御家老壱人
伊藤忠左衛門
聞番壱人
御使番壱人

同　下之席
右久大夫等三人内
御供之御側御用人壱人
聞番

同二之間屏風囲上之席

右久大夫等三人内

聞番

同　下之席

右同断　御近習三人

御医師壱人　右久大夫等三人内

御同朋壱人　聞番

〆五人

同三之間屛風囲上之席

永原半左衛門

右同断　御目付壱人　国府佐兵衛

聞番

同　下之席

右同断　御供番四人　右半左衛門等二人之内

新番組頭壱人　聞番

小十人組与（組）頭壱人

小十人目付三人

〆九人

御広間溜

右同断　新番八人　右半左衛門等二人之内
小十人組八人　間番
〆十六人

右御間之内
上使腰懸上之席
大納言様御供之御小人頭壱人
御数寄屋坊主一人
同所　下之席
右同断　御小人組頭壱人
御厩之者組頭壱人
御小人目付六人
中御門之内、下饗応所并中之口御門外腰懸之内
右同断御手廻等五十人計并又従者等
但赤飯・御酒等被下候節ハ南御門饗応所之事
大御門内腰懸并中御門内腰懸
大納言様御供等十疋計
東御門饗応所之高明小屋壱囲
大納言様御供之御家老惣供中

中御門之内、上饗応所四囲
　弾正大弼殿[1]
　安芸守様[2]　御供之内侍中御徒中
南御用人小屋等明小屋二囲
　弾正大弼殿御供押以下
八筋三筋目大明小屋一囲
　安芸守様御供押以下
中之口御門外腰懸之内八囲
　弾正大弼殿
　安芸守様　御供馬八疋計
東御門饗応所
　御先手衆等御供中御賄被下候節
〆
来ル廿八日尾州様[3]御入ニ付、御奥ヘ御通之節、寿光院[4]様御客間中程迄御出向被遊、夫
ヨリ御先立ニテ御対面所ヘ被為入候
一、御熨斗
　寿光院様御上被遊候
一、御茶・御たはこ盆

---

1 徳川勝当（宗勝弟）（徳2 223頁）
2 浅野重晟（寛5 344頁）
3 徳川宗睦
4 重教女顒（保科容詮室）

御三方様へ
一、御吸物
一、御菓子
一、御銘々様へ御盃上ル
一、御取肴上ル
右之通ニテ御盃事無之候
一、於御奥御饗応等、委曲左之通
御対面所御上段　三幅対　中　寿老人　左右　龍　養朴筆
御書棚　金梨子地模様
筆紙箱　葵御紋ちらし
短尺箱
硯重箱
御軸物　西湖絵
盆　金梨子地
文鎮　金銀花橘
御棚
御香具道具　金梨子地御紋ちらし
俊成卿筆

九十賀　一冊
文鎮　銀布袋
長御熨斗　白木三方敷紙
御吸物　さゝめき　うとの芽　塗御盃　銀御銚子　黒塗三方
黒塗三方　八角御はし
御肴　小くし　あゆ並
同　むし鯛　くず溜　おろしわさひ
御菓子　沖の石　よもき麩　腰高まんぢう
御にしめ　小くし鯛　初茸　長いも　つととうふ　くるまえび　塩漬
御ひたし　な　ふり懸けし　はりせうが
已上

尾張様御招請之節、御給事等役付
大納言様　御刀　取　福田新平
御刀　直　松平康十郎

於御大書院　御馬代披露　津田和三郎
同　引　山崎弥次郎
上坂久米助

於御小書院御給事
御熨斗三方　前田作次郎
御前
御吸物　津田和三郎
御土器三方　矢野判六
御肴三方　辻　晋次郎
御　滴　飯田半六郎
長柄御銚子　大橋作左衛門
御加提　上坂久米助
御前
御　滴　前田作次郎
替御肴　松平康十郎
御吸物引　浅井勇次郎

於同所、御料理之節御給事
引物御盃事　大橋作左衛門　前田作次郎
之節御酌等　津田勇三郎　矢野判六

此両人引物役ヨリ兼帯

平　御給事

御島台御納共

御押御納共

御土器三方

御肴　三方

御前
御滴

御銚子

替御肴

御家来へ被下候御土器三方
并御銚子持添

御家来へ被下候数御土器三方

於御居間書院　御給事

御刀直

松平康十郎

津田和三郎

辻　晋次郎

奥村鉄七郎

九里覚右衛門

矢野判六

浅井勇次郎

飯田半六郎

松平康十郎

津田和三郎

奥村鉄七郎

飯田半六郎

矢野判六

前田作次郎

九里覚右衛門

大橋作左衛門

辻　晋次郎

小幡余所之助

古屋弥四郎

但、此両人ヨリ御小書院溜御客御給事相兼

駒井清六郎　山崎弥次郎

引物役

小幡余所之助　前田義四郎

大河原弥太郎　古屋弥四郎

平御給事

寺西新作　井上靭負

飛騨守様御溜御給事

福田新平　河村弥右衛門

野坂平作　根来伝之助

御居間書院三之間御給事

児玉求馬　山東久之助

沢村権之丞　高沢猪之吉

堀　定之丞　才所又七郎

青山半蔵　西村左盛

石黒堅三郎

御小書院溜　御刀番

青山五左衛門

御居間書院　御刀番　中　孫十郎
飛騨守様御溜　御刀番　井上七郎
御居間書院三之間　御刀番　渡辺次左衛門
御料理出口御用　安田六平

尾張様御家老給事
古沢忠左衛門　岡嶋直次郎
渡辺喜内

右以下、給仕御歩等略之

一、着服之義、襟袖浅黄無用、組頭以上并御大書院・御小書院御給事人ハ無地熨斗目・小紋長袴、其外之頭分無地熨斗目・半袴、此外一統腰懸熨斗目・半袴返小紋ハ無用之事

但、御給事人并御刀番之人々モ一統上着・上下代銀図りヲ以被下候事

廿八日　快天、朝六時過御邸出、尾張様ヘ今日弥御来駕可被下様ニトノ御使ニ参上、五時頃帰、直ニ御殿ヘ出、御答書上之、相詰罷在、直ニ泊番相勤候事

一、尾張様四時御供揃ニテ同刻過御出、夜五時前御退出、御作法御饗応之次第前後ニ記之通、且御往来共御白洲ヘ頭分十人罷出、御帰之節ハ寛りとト御意有之、御往来共御挟箱御門内ヘ入、御駕籠御門内中程ニテ御供頭指留之御下乗、且御帰之節相公様ヘ寛々御丁寧最早御入ト敷付ニテ御挨拶、其外御一門様等并年寄中等ヘモ寛りとト御挨拶、相公様於鋪付、御供

中大儀ト御会釈、大納言様最前之所ニテ御乗用以前、御供之内ヨリ敷付際ヘ立戻り、最早御入被成候様ニト之御使御口上相公様ヘ直ニ申上候処、被入御念候御儀ト之御応答被仰述、其外委曲左之通

御囃子御番附、左之通

権五郎
高砂 三郎右衛門 左吉
小左衛門 熊八郎

宝生大夫
羽衣 九郎兵衛 惣右衛門
新九郎 庄兵衛

御乞 権五郎
龍田 九郎兵衛 惣右衛門
小左衛門 熊八郎

御乞 弥三郎
融 千十二 太次郎
吉左衛門 源蔵

祝言 弥三郎
養老 伝蔵 太左衛門
仁九郎 養五郎

御大書院

御上段御床
三幅対 雪船筆
中 福禄寿
左右 龍

真ノ
立花 二瓶 胡銅耳口
台木地

御棚
御香炉 青磁口寄
橘台

盆 堆朱

伏見院宸筆
御軸物 拾五番歌合

長盆 黒曲輪

御棚下　御手鑑　緇素法帖（しそ）

御付床

御硯　丸 東山殿所持　御硯屛　七宝　御筆　青貝

御筆架　銅牛人形　御墨　飯櫃　御水入　青磁柿

同　二之間

御床

二幅対　王若水筆 蘭牡丹　御卓　文字 螺鈿　御香炉　銅鷺

御休息之御間

御床

一幅　古法眼筆 山水　御卓　唐木　御香炉　亀

御棚

御冊物　為家卿筆 古今集　文鎮　銅人形

御棚下

御盆山　青山石　かつら盆　白砂

御小書院

御床

二幅対　探幽筆 竹ニ鶉　御砂物　銀 鉢 台木地

御棚

御香炉　弓削屋 獅子　御軸物　定家卿筆明月記 長盆青貝

御硯箱　瀬田蒔絵　御料紙　青白

御床
御小書院　御勝手
一幅　元信筆　鷹　鶚

御床
御広間
一幅　友雪筆梅　御香炉　青磁耳付三足

御床
御勝手座敷
一幅　子昂筆　松之図

御床
御居間書院
一幅　養朴筆　寿老人

御棚
御硯箱　紅葉賀　御料紙　紅白
以上

御献立
長熨斗　木地大　御三方敷紙
土器

御吸物　木地薄盤　　御土器　木地三方
三之膳
長柄御銚子
同　提　糸花仕立きれ入交り蝶
ふくさ紙金銀水引
御取肴　巻鯣
干はむ
御捨土器三方
右大納言様御薄盤
御前御居　御吸物木地足打、且御盃事之節等小謡
左之通
所ハ高砂の　宝生 弥五郎　匂ひも四方に　宝生 権五郎
実や玉水の　同 弥三郎　幾久しさとも　ワキ師　宝生万作
か様に名高き　ワキ師　金春久左衛門　松高き　宝生　権五郎
千秋楽　宝生大夫
右畢テ御広式ヘ被為入候節之義、前記ニ有之、右相済重テ御表ヘ御出
於小書院、御料理三汁九菜、木地薄盤
御本膳　御汁　小つみ入　皮牛蒡　しめぢ
地紙大こん　つま白

御めし

膾
たい薄作り　みるくい　くり
しやうが　きんかん

杉小角
御香物
粕漬平瓜
森口漬蕪
みそ漬茄子
塩山升

坪皿
小鴨　ちりめん麩
松たけ

二之膳

御汁
ほうく　岩たけ
うとめ

杉曲物
打鮑白煮　車えひ　くしこ
くわい　小みる　敷みそ

さくろ皿
巻鮨
鯛　玉子せん
さより　たて

三之膳

御汁
かいわりな

杉地紙
指味
鯉糸作り　きんし　笹なんてん
同小皮たゝき　霜ふりすゝき　紅角てん
青九年母　わさび　交くらげ

猪口
いり酒

時雨皿
向詰
小鯛焼て

杉片器
台引
大板かまほこ

桧片器 御肴　あゆなめ　青くし　御吸物　結ひはへん紅白　葉付蕪　てうろぎ

御嶋臺　高砂

押　若竹　あいきやう　打するめ　稲穂　巻するめ　畳いわし

御土器　木地三方　御取肴　同上

御下捨土器　木地三方

数御土器　木地三方

同　御肴　同断

御納嶋台　難波

押　若松　福寿草

御茶請　紅ようせい餅　水くり　かわたけ　杉楊枝　御濃茶

後御菓子　青梅糖　寿扇子　はつ山吹　白木やう　御薄茶

畢テ　御囃子　御番組前記ニ有

盃盛 煮染　苞はへん　わた煮赤貝　小焼とうふ　塩竹の子　しそ千枚漬

御椀盛　白ようかん　志賀の浦
　　　　竹の露

猪口
砂糖

御再進　黒塗御重三　薄盤（うすばた）

染付徳利
名酒　菊の酒
　　　桑酒　木地三方　くり形入て

御肴　山吹重　黒塗御重

右畢テ御庭へ御出、高山御亭飾

上重　錦糖　茶ていさかう　黄金平糖

二　早蕨　紅葉かう　稲の雪

下　窓の梅　紅白

右御庭相済、重テ御小書院ニテ

小皿　すりたて
　　　すりからし
　　　刻くるみ

猪口　さとう　かた粉切　御下汁

御吸物　ふかし　松露
　　　　せり

御酒肴　生干鱚　杉くし

御茶請　青吹よせ　塩やき長いも　　御こい茶

後御くわし　金水糖　紅墨形落雁　ぶどう　　薄茶

以上

一、**大納言**様御戻り遅ニ付、御従者二百八十八人へも不残御料理被下之、其外御取持衆等御家来へも御賄被下之候事

〇御休息之御間

高麗台子　たかやさん[1]　銀之金具　五七桐　唐筆

風炉　丸黄銅　　釜　五郎左衛門[2]　なゝこ[3]　利休所持

水指　銅唐物　　杓立　銅筋唐物

こほし　阿蘭陀焼　　蓋置　青磁輪違

茶入　漢大海　　茶碗　黒高麗

茶杓　竹　筒ニ桑山法印筆[4]（カ）　利休作也

柴籠　組物　遠州作　　香合　椎朱

釜敷　紙　　火箸　さわり[5]

御茶　銘後むかし　　薄茶立

1 鉄木
2 大西浄清
3 魚魚子
4 桑山重晴
5 砂張・響銅（錫・鉛を加えた合金）

1 近藤道恵
2 餌畚
3 根来塗

○御小書院 取付御廊下
風炉 銅角口 遠州所持　薬灌 銀
水次 南京手付 染付　小板 荒目角 道恵[1]
○高山御亭
風炉 銅竹ふし　釜 富士
水指 仁清　黻(こぼし) 餌ふこ木地[2]
小板 丸木地　棗 根頃(来)亀之模様[3]
茶碗 三島　茶杓 宗盛 乗芳(カ)
蓋置 竹輪　柴籠 谷内屋細工
香合 存清　環 象眼
火箸 さわり(カ)
御掛物 鶉 季安忠筆　投入 銅耳付花入 折桜
御硯箱 鹿紅葉
○同 御勝手
銀御薬灌　真之御手桶

御毟之唐銅　　　　御柴籠　竹組物
御火はし　さわり　御小棚　丸木地
○御馬見所
御懸物　驢馬之図　牧渓筆
御板床
御香炉　伊部（イヌベ）焼布袋　　御料紙箱　たかやさん塗　菊の蒔絵
御硯箱　同断
一、前記ニ有之御大書院御飾之内、真之立花花組等亀井道円
真　松　正真　松　副　松　請　桧木　見越　南天
流枝　松　前置　柘櫃　槙　控枝　ゐのこ柳　胴作り　伊吹
木留　茶山花　草留　小菊
右之外、時節之水仙花等品々
一、同断御小書院御飾之内
○砂物　花組
真松　正真　松菊　南天　副　横木（カ）　請　そなれ[1]　流枝　松
前置　小菊　胴作り　柘植　控枝　ゐのこ柳

1　磯馴松

木留　椿　　草留　小菊 二種　　見越　横木（カ）

同夜為御挨拶、従尾張様御使者来

廿九日　快天、尾張様へ為御使参上、昨日御来駕被下候節之為御挨拶、夜前御使者被下置、且於私宅家来共御前へ被召出、段々御懇之趣、忝思召候旨之御口上也

一、左之通被仰出候段、於御席村井又兵衛殿御演述、当座之御請ニテ相済候事

今般尾張大納言様御招請被成候処、万端御首尾好相済、御大慶被遊候、何モ申談等宜敷故御首尾合モ相整候、且又御給事進退モ宜敷被思召候、此段可申聞旨被仰出候

右御給仕役等へハ頭々ヨリ申渡候事

一、矢部七左衛門・永原半左衛門義、今日御国への御暇被下、翌朔日御暇之御目見被仰付、二日朝発足帰

八月畾紙ニ粗記有之通、同月廿一日尾張様へ相公様御招請、其節之御飾・御献立等左之通承ニ付記之

表居間床

掛物三幅　中　寿老人　左右　鶴　秋月筆　対瓶

棚

香炉　青磁　銘満月　四方盆　口花（カ）

香匙　火筋建 南蛮　　香合　曲

炷空入　南京　　長盆　蛙蝉

手箱　蒔絵　菊

附床

硯　子昴所持　　硯屏　交趾

水入　唐銅　桃形　　筆　青貝

筆架　馬　　墨　丸

歌書　定家筆　基俊集　　文鎮　唐銅人形

棚

印籠　青貝四方　　盆　青貝四方

茶壷　安国寺　以上

料理三汁九菜　白木三方

本膳

膾　金かん たい　きす せんにんじん くり せうが

汁　つみ入　小かぶ 岩たけ

杉小角　香物　浅瓜　花なすび 花塩　森口大こん 枝さんしやう

煮物 薄葛引 しん薯 くしこ 初たけ
飯

二之膳
丸杉箱 車ゑび 花玉子 やへなり 敷みそ
猪口 梅か香 くるみ
汁 せきりはた白 ゆ

杉小角
焼物 片ひり鰆 塩焼

三之膳
差身 杉扇子地紙 細作り鯉 黒くらけ かき 平目 花れんこん 白てん わさひ
汁 つみ ちさ

煎酒

向 土器盛 付焼小鯛

引物 大かまほこ
吸物 切身鯛 めうが

小皿 魚でん相並
かさ盛 茶巾 半へん 木茸 ちりめん麩

茶　請　氷求肥　水くり
河茸

皿菓子　八重錦　禿菊
三保の浦

以上

△当町浅野屋吉兵衛ト申者、当午年ヨリ犀川諸魚請負申付置候、然処、前々ヨリ御家中之人々等初、都テ自分ニ致川殺生候人々、川師方ヘ相届見合札ヲ受可致殺生筈ニ候処、近年猥ニ相成、川師方ヘ不相届致殺生候人々有之躰ニ付、運上銀致不足及難儀候、釣猟之外諸殺生人川役銀定之通指出、札ヲ受可申、其外鮭川之時節、下川筋ニテ投網等猥ニ打候ニ付、簗登候魚落魚ニ相成候、惣テ川ヲ荒し候故、猟業之障りニ成、川師致迷惑候段、町奉行申聞候条、以来右之族無之様相心得可申候事

右之通、得其意組・支配之人々ヘ可申渡旨等今月廿三日於金沢御用番奥村左京殿御廻状写ニ例之通安房守殿御添書ヲ以申来候旨、代判人ヨリ告来候事

癸亥十月小　金沢御用番［（空白）］

朔日　微陰、夕番、今日蝕ニ付暁七半時御供揃ニテ御登城、五時過御帰殿、且昨日横山蔵人殿依御紙面四時過罷出候処、八時頃於御居間書院河内山久大夫・自分一集ニ被為召、遠路大義ト御意ニ付誘引之蔵人ヘ迄御請申述候処、御取合有之、御礼申上退出、直ニ為御礼村井久兵衛殿・横山蔵人殿御小屋ヘ相勤候

同日　左之通被仰付

松寿院[1]様附御用人並
　御役料御格之通五十石被下之

祐仙院[2]様附御用人ヨリ
　安田六平

一、正姫[3]様来四月中御出府ト今日被仰出

二日　快天、朝番自分[4]・夕番河内山、前月廿五日記之通矢部・永原今朝発足罷帰候ニ付、今日ヨリ朝夕詰番右之通繰々ニ付是以後記略、且前月十九日金沢発之町飛脚今日来着、玉川七兵衛御先筒頭兼御近習、御内御用之趣候間、用意出来次第出府被仰渡候旨申来八月朔日記之通

　正姫様来春御出府御用ト云々、今日十三日金沢発廿五日江戸着

三日　快天、火事御行列帳、矢部・永原罷帰ニ付相改、一昨朔日於御横目所披見之処、書漏ニ付爰ニ記、則左之通

　　三ッ輪　河内山久大夫　内
　　　　　　津田権平
　　稲妻　　河内山久大夫　内
　　　　　　津田権平

御持方頭指支候ニ付河内山久大夫・津田権平内支配仕、或ハ御一門様等ヘ御先手物頭二手合共被遣候得ハ仙石兵馬指引可仕候、御中屋敷ヘ御人数被遣候節、御先手物頭手合、御持方頭手合、右二手合共河内山久大夫・津田権平内引集可罷越候

右ニ付、当時三ッ輪河内山、稲妻自分持罷在、何れニモ押出有之次第、替合持申筈ニ示談極置候事

四日　快天、今日公事場方御用、七月晶紙ニ記ス互見

1重教女頴
2吉徳女暢（保科容詮室）
3前田利道女（大聖寺藩五代）（治脩縁女）
4政隣

五日　快天、六日七日八日同、九日雨、十日十一日十二日十三日十四日十五日十六日十七日十八日十九日廿日廿一日廿二日廿三日廿四日廿五日廿六日廿七日廿八日廿九日晴陰交、時々起風之日有

六日　四時過ヨリ**水戸様**[1]へ被為入、夜五時前御帰館

七日　京知恩院　従伝通院御住職ニ付　今般御住職就被仰出候、昨六日為御吹聴御出之御礼同時へ相勤、使ニ罷越候事

右御使九時退出前、御近習頭**不破五郎兵衛**・**林十左衛門**ヨリ奉書ヲ以、今日八半時上之、御(ママ)馬場ニテ**自分**持馬ニテ乗馬御覧ニ被遊旨被仰出候段申来候ニ付、御次へ出、只今御使ニ出候間暫遅出候義、難計趣被申上候様、**五郎兵衛**へ申達置候処、八時過罷帰、持馬為牽御馬場へ出候処、暫有之御出之上、乗馬被仰付相済、御次へ出、御覧之御礼**十左衛門**ヲ以申上候事

十三日　五時前御供揃ニテ同刻御出、**尾張様**[2]外山之御邸へ被為入、夜四時頃御帰殿、御饗応等有之、御供人ニモ一汁三菜・御酒・御肴・御吸物等之御料理被下之、其後重テ御吸物・御酒・御肴、夜ニ入、御湯漬被下之候事

但、右外山之御邸内ニ東海道五十三駅之写有之、駅々之名物・売店・茶屋等且寺モ三ケ寺有之、間ニ村家モ有之、御庭ニ客有之節ハ其真似御設、寔ニ東海道通行之如しト云々、将又去ル七日終日**公方**様御成モ有之候故、御手入出来、一入活気共之由也

十四日　九半時御供揃ニテ増上寺へ御参詣、夫ヨリ芝御広式へ被為入、夜四時過御帰殿、今夜八

1 徳川治保

2 徳川宗睦

1前田利考（大聖寺藩八代）
2前田矩貫（寛17 294頁）
3徳川家斉女（尾張徳川斉朝縁女）
4重教室
5重教女顕（保科容詮室）

時頃強地震

十五日　御登城御下り後、上之馬場へ御出、飛騨守[1]様并前田安房守[2]殿御持馬ニテ御乗馬御所望御覧

但飛州様御馬蹄折御鞍離れ被遊候得共、御疼所ハ無御座候事

一、淑姫君[3]様来年御入輿之旨、一昨十三日被仰出候御歓之御使ニ参上、従寿光院[4]様モ右御祝使

一集ニ相勤候事

十六日　年頭初テ御表へ寿光院様并松寿院[5]様御招請有之、相公様御相伴ニテ御饗応、御囃子等

左之通被仰付、御殿詰合之御歩並以上見物被仰付

高砂 弥三郎　松風 宝生太夫　龍田 左一郎　かんたん 権五郎

盛久 権五郎　春日竜神 小太郎　紘上 宝生太夫　拍子方記略

二人大名 八右衛門　不腹立 卯之助　呂蓮 八右衛門　居喰 卯之助

禰宜山伏 卯之助　止動方角 八右衛門

一調一管　御乞

玉之段 三郎右衛門　松虫 仁九郎　笠之段 伝蔵

獅子 善五郎　熊坂 山太郎 独鼓　松山鏡 太左衛門

廿三日　尾張様[1]へ一昨日聖聡院[2]様副御殿へ御引移之御祝使ニ参上

廿四日　去九日、金沢立之町飛脚着、左之趣申来

正姫[3]様来年御出府之節

御道中奉行今月六日被仰渡

来年御留守詰御小将頭
水野次郎大夫

但御道中所相建候段、十四日便ニ申来

此次今月廿八日互見

廿六日　夜九時頃、赤坂辺火事ニ付紀州様[4]へ三ツ輪手合御人数召連罷越候処、及鎮火候上、七時過罷帰、御次へ出、及言上候事

廿八日　去十四日金沢発之町飛脚着、左之通申来

九月二十五日被仰付

筑前守[5]様御抱守

筑前守様御次番ヨリ
池田武二郎

同断
太田数馬

同廿六日　被仰付

割場奉行本役

割場奉行加人ヨリ
渡辺勝右衛門

同断
津田善助

同日　被仰付

高岡町奉行本役

高岡町奉行加人ヨリ
荒木五左衛門

今月四日被仰付

御武具奉行

定番御馬廻組
神保三八

---

1 徳川宗睦
2 徳川治行室（紀伊宗将女）（徳2 228頁）
3 前田利道（大聖寺藩五代）女（治脩緑女）
4 徳川重倫
5 前田斉広（十二代）

同　十三日
正姫様御出府御道中会所奉行加人　御大小将　坂倉長三郎
同断　割場奉行加人　同　篠嶋頼太郎

△

出雲国大社勧化銀、御見当并御組知行高割符仕、左之通御座候間、当十二月廿日切、諸方御土蔵ヘ御上納被成、右奉行請取切手御算用場ヘ御指出可被成候、以上

十月廿八日　小寺武兵衛

本多安房守様

当二月五日御知行高　但御役料知・茶湯料并与力明知、曁小川八郎右衛門転役ニ付知行高除之

高七万七千八百七拾石

一、四拾目五分二厘　但百石ニ付五厘弐毛令(零)三八当り

右別紙之通申来候ニ付、銀座封ニテ名印記之、当十二月八日迄之内可指出旨、今月廿九日安房守殿御廻状、且座封ハ十二月之封可然、猶与力之分ハ寄親之封之内ヘ可入旨モ申来候旨、代判人ヨリ告来候事

京都芳春院御造営相済候ニ付、懸り之御役人ヘ左之通九月廿五日拝領被仰付候段、今廿八日承ニ付記之

白銀五枚　八講布二疋　　御作事奉行　浅加作左衛門

同　三枚　同断　　同　御横目　高山伊左衛門

同　五枚　　与力　渡辺左兵衛

同　奥村半左衛門

右之外略ス

十月十一日被仰付候段、追テ承ニ付此処へ書入

内作事奉行　竹内直作

改作奉行　黒川平次右衛門

同　十三日

正姫様御出府御供　　御大小将横目　神田十郎左衛門

同　十九日　左之人々御大小将ニ被仰付、廿一日御請有之

六百七十石　十九才　水野庄五郎種達（ミチ）

五百石　四十一才　神尾昌左衛門直與（ヤス）

同　三十七才　岩田孫兵衛秀屯（ムロ）

四百石　二十才　樫田八三郎芎剛（タメヨシ）

三百五十石　十六才　中川又三郎美播（ヒデタケ）

三百石　廿二才　寺西左兵衛武養（タダヤス）

同　　　　廿三才　多胡嘉藤次胥徹（トモノリ）
同　　　　廿九才　姉崎勘兵衛好生（ヨシナリ）
右同日被仰付
　　　　御馬廻ヨリ　山村善左衛門
正姫様御用人　池田善兵衛
　　　　　　　加藤左次馬

甲子　十一月大

朔　日　快天、二日朝微雨巳上刻ヨリ快天、三日陰昼ヨリ快天、四日陰、五日雨天、六日朝霧大ニ立咫尺[1]モ難弁、七日八日九日十日快天、十一日雨、十二日十三日快天、十四日モ快天、十五日雨天昼ヨリ霽晴、十六日ヨリ十九日迄陰晴交、廿日雨、廿一日快天風起、廿二日陰夜雪降、廿三日雪降積雪朝迄ニ五寸計、廿四日ヨリ晦日迄陰晴交、今月気候応時例ヨリ微く晴、廿七日廿八日不時之暖気、衆人炉火ヲ離れ綿小袖一ツニテ歩行人発汗多し、蝿群飛テ面上ニ遊ふ事昼夜共同断、廿九日ヨリ当然之気候ニ復り寒冷也、因ニ記、金沢廿七日廿八日廿九日雪積七八寸無程消、初雪ハ十月十九日降

同　日　月次御登城、御供人揃之上、少々御疝邪ニ付御断

三　日　紀州様[2]ヘ左近将監[3]殿一昨日上使ヲ以御鷹之雁御拝領之御祝使ニ参上

四　日　昨日ヨリ上使之御沙汰ニ付五半時揃之処、九時過上使御使番榊原左衛門[4]殿ヲ以御拳ニテ

1（しせき）近い距離

2徳川重倫
3徳川頼興（重倫弟）（徳2 243頁）
4榊原職序（寛2 204頁）

1徳川宗睦（徳2 220頁）
2徳川斉朝（徳2 230頁）
3前田斉広（十二代）
4徳川治保
5和蘭語のジャガイモを意味するaardappelから転音したものか

為御捉之鴨一御拝領、御作法前々之通、御都合克被為済、追付之御供揃ニテ両御丸ヘ御登城、御老中方御廻勤、御三家様ヘ御普為聴御使同役河内山勤、御側衆ヘモ御使御番頭・御使番共差支候ニ付御大小将勤榊原左衛門殿ヘ上使御勤之為御挨拶、御使御大小将被遣之候事

六日 尾張様[1]ヘ御使ニ参上、愷千代[2]様一橋御逗留之処、一昨日御戻りニ付御祝之御口上也

十五日 御登城有之、自分、紀州様ヘ御使ニ参上、昨日、来年御在勤御時節、為御伺差出候以御使者御見廻申来候、御礼之御口上也

廿日 尾張様并京知恩院伝通院ヘ相勤ヘ先達テ御使者来候節、御口上有之ニ付筑前守[3]様ヨリ御挨拶之御使ニ罷越候事

廿一日 従水戸様[4]御内々蜜蜂箱入弐升、御使者ヲ以被進之、是ハ先達テ御直約ニ付御庭之内ニ飼所出来、其所ヘ右箱ヲ入置、夜ハ蓋ヲし昼ハ蓋ヲ明置候得ハ蜂飛行して諸花ヲ吸ひ、及夕景ニ右箱之内ヘ帰候、春夏秋ハ餌飼ニ不及、冬ハ青木之葉ニ蜜或ハ水飴ヲ塗釣り置、箱の中ニテ養之、且蜂箱之中ニ蜜ヲ屁出するヲ溜テ別器ニ受蓄、諸用ニ当つト云々、則今日水戸様蜜方御役人来り、御露地奉行三田八郎左衛門懸合、飼方等承受之、御飼所ヘモ右御役人同道見分有之候上、御料理等被下之罷帰候事

附、去ル十八日ニモ御同家様ヨリ御内々御使者御同朋鈴木磊阿弥ヲ以アツフル[5]一籠御進贈、其節自分当番ニテ取次候処、当十五日於殿中是モ御直約之旨也、アツフル形状里芋之如く、則芋之属也、調味之方薄く枇、湯煮し、吸物・煮物等ニして水戸様御賞味有之由、且作り方ハ春三月植付里芋之如く、度々さく方きり、蔓出候ニテモ無構さくヲ切り懸候方宜し、助

け之致方モ芋同断、十月ニ入候得ハ実入候也、入用之節ハ八月頃ヨリ取出用之、種芋ハ十月下旬ニ不残掘出し、里芋之通り霜気不申様ニ砂交之土ヘ生け置候、春植付候地面モ砂交り之土地宜しト云々

大目付

前々ニ見合、銭相場下直之上、諸色之内高直之品々モ有之、宿々及難義、人馬継立指支候趣意モ相聞候ニ付、東海道ハ品川より守口迄并佐屋路共、来未正月ヨリ来ル辰十二月迄拾ヶ年之間、人馬賃銭・船賃共弐割増、中山道ハ板橋より守山迄并美濃路共、日光道中ハ千住より鉢石迄、但例幣使道・壬生通并御成道、其外水戸佐倉道共、甲州道中ハ内藤新宿ヨリ下諏訪迄、奥州道中ハ白沢より白川迄、右東海道ニ准、是又来未正月より来ル辰十二月迄十ヶ年之内、人馬等之賃銭壱割五分増銭請取候様、宿々ヘ申渡候間可被得其意候、右之趣向々ヘ可被相触候

午十一月

右戸田采女正[1]殿御渡候間、御嫡子ヘモ可有通達旨、御大目付ヨリ御留守居ヘ例文御廻状写ヲ以横山蔵人殿御渡之旨等御横目廻状有之、於金沢モ十二月廿五日長大隅守殿ヨリ御触出有之義等前々之通

乙丑十二月大

朔日　快天、二日陰夕方ヨリ雨夜雪翌朝迄ニ三寸計積、三日ヨリ七日マテ快天、八日九日陰

1 戸田氏教（寛14 379頁）

雨、十日ヨリ十三日マテ晴陰交、十四日微雪昼ヨリ快天、十五日ヨリ廿日迄晴陰交、但十八日夜ハ雨、廿一日暁ヨリ雪降終日風雪、廿二日陰夜雪、廿三日ヨリ廿九日迄快天、晦日雨天、今月気候寒気大ニ穏テ如例々、硯水閉凍氷柱一円無之

同　日　月次御登城有之

四　日　榊原式部太輔[1]殿寒気御見廻御出之御挨拶、且従筑前守[2]様、尾張様ヘ今度聖聡院[3]様添御殿ヘ御引移之御祝使ニ参上之事

同夜六時過御大小将春日斧人外御小屋ヘ罷越、四時過帰候間ニ同人家来若党小川直助ト申者年十八才納戸ヘ忍入、金子七両二部(歩)・刀・脇指等都合廿七品盗取（着類火事装束等也）、南馬場[4]・日影町[5]塀ヨリ逃去、右ニ付夫々以書付及断置候処、年寄衆等ヨリ割場奉行ヘ召捕方等内々被仰渡、其手配出来ニ付、右直助義境(堺)町於芝居座、御先手火付盗賊改御役池田雅次郎殿御手合之者召捕禁牢、右贓物[6]似寄為見分、十三日斧人儀雅次郎殿御宅ヘ可差出旨申来候得共、斧人当病ニ付若党長谷川貞助為名代差出、聞番長瀬五郎右衛門召連罷越候処、懸り之与力罷出、於御吟味所似寄物貞助ヘ見分申付、無相違段申答候処、直助詮議之筋落着迄ハ斧人ヘ被預置候由ニテ、右廿七品并金子四両相渡候事

但、三両二歩ハ直助遣ひ失候由、且又廿九日落着ニ付重テ被呼出、小川直助義死刑ニ被処候、依テ被預置候品々御渡之段御申渡有之候事

十二日　尾張様ヨリ寒気為御見廻御使者来候、御礼之御使ニ参上

十五日　御登城

1榊原職序（寛2 204頁）
2斉広（第十二代）
3徳川治行室（紀伊宗将女）（徳2 228頁）
4現在の南品川四丁目辺り
5現在の新橋二・三丁目辺り
6ぞうぶつ（盗んだもの）

1 柳沢保光
2 柳沢保氏
3 徳川家斉室寔子
4 前田治脩（十一代）
5 前田利考（大聖寺藩八代）
6 前田長禧（高家）（寛22 244頁）

十七日 松平甲斐守[1]殿御嫡造酒正[2]殿、寒気為御見廻御出之御挨拶御使ニ罷越

廿一日 歳暮之為御祝詞、従御台様[3]御使御広式番之頭原田半兵衛殿ヲ以、干鯛一箱・白銀十枚御拝受之旨一昨日相知れ、一統揃刻限朝六半時ヨリ熨斗目・布上下着用罷出候処、五時過御拝受物来、四時過御使之方御出、御作法前々之通ニテ御餅菓子等出、相公[4]様少々御痂邪ニ付御名代飛騨守[5]様御出向等、且御礼之御廻勤モ被成候、都テ御都合能、九時前相済

前洩、爰ニ記ス今月十六日被叙四品　飛騨守様
　但右之外数多有之

廿二日 歳暮為御祝詞、従公方様・御台様、寿光院様ヘ上、（ママ）上使等御広式番之頭清水新左衛門殿ヲ以、御例之通紅白縮緬廿巻・白銀十枚・干鯛一箱御拝領、御作法前々之通、御都合克相済

但御用番御老中ヘ之御礼御勤ハ少々御痂邪ニ付御名代前田信濃守[6]殿ヘ御頼之事

廿七日 左之通被仰渡候旨佐藤勘兵衛・野村伊兵衛ヨリ廻状有之

且別紙之通ニ候得共、段々参着之月ニテ渡り方減候間詰不足之者ハ会所承合候様、又兵衛殿御申聞之由モ廻文中ニ有之

付札　組頭ヘ

△詰人一統難渋之趣等先達テヨリ委曲被申聞、外頭・支配人ヨリモ段々願之趣有之候、当年ハ折々打重り候御物入之上、御国表不作之様子等先達テ申聞置候通ニ候得ハ、此上願ケ間敷義ハ一円御聞届難被成候得共、右願之趣モ無拠義ニ付格別之趣ヲ以壱人扶持ニ金弐歩弐朱宛

之図りヲ以御貸渡被成候条、何分令勘弁取続可申候、返上之義ハ追テ可申出候、右之趣被得其意、組・支配之人々へ可被申渡候、尤諸頭中へ演述、組等之人々へモ申渡候様可被申談候事

午十二月

右会所承合候処、八月江戸へ参着ハ本文之通、九月参着ハ二歩宛、十月参着ハ一歩二朱宛、十一月并今月参着人へハ一歩宛、但壱人扶持ニ本文之図り也、右之通差別有之段申談之事

同　日　左之通、又兵衛殿被仰渡

来年頭、仮御奏者被仰付候事

中川平膳
河内山久大夫
津田権平

廿八日　御登城、自分義尾張様・紀州様へ歳暮御祝詞之御使ニ参上之事

同　日　小田切土佐守[1]殿ニおゐて敵討落着被仰渡候写、左之通申渡

寄合神保左京元家来山崎彦作後家ニテ南塗師町権三郎店ニ罷在候

みき
同人娘
はる

其方共儀、先年右左京家来崎山平内外七人之者共彦作ヲ致殺害候処、右子細モ不相弁、其節重（おもだち）も立取計候平内ヲ敵ト存込、何卒討果申度存候得共、其節ハ娘はるモ幼年ニテ殊ニ平内義モ油断無之様子ニ付指控罷在候内、はるモ致成長候間彦作殺害ニ逢候趣申聞、倶ニ平内ヲ

1小田切直年（寛7 21頁）

可討果ト六ヶ年以来心懸罷在候内、当十一月十二日深川森下町平井仙蔵方へみき・はる共致逗留、時節ヲ窺ひ居候内、仙蔵宅前ヲ崎山平内壱人罷通候ヲはる見受、刀ヲ持追駆出候ニ付、みきモ短刀ヲ携罷出候処、仙蔵義モ致助太刀呉候間、倶ニ平内ト討合、互ニ疵受、既ニ平内義ハ無程相果候始末ニ相成候段、父夫之敵、年来心懸、右及始末ニ候義とも、女之身分、別テ健気成致方ニ有之、其上はる義ハいまた若年ニテ右躰之働致し、父之敵平内へ数ヶ所疵為負、父母之憤りヲ散し候段、別テ孝心奇特成義ニ付旁両人共無構

右　**みき**

其方義、夫**山崎彦作**不埒有之、先年江戸払ニ相成候処、其後武家方へ奉公済致し候ヲ其分ニ致し倶ニ連添候段夫之義ト申、殊ニ旧悪之義ニ付咎之不及沙汰

岡崎町**忠兵衛**店
卯兵衛

下谷辻番屋敷**平七**店
清七

深川森下町家主
吉兵衛

同所元町月行事[1]
平次郎

寄合**神保左京**家来
宮所嘉兵衛

其方共義、右一件ニ付先達テ口書申付置候処、不念之筋モ無之間無構

みき・はる儀ハ**戸田采女正**[2]殿任御指図、右之通申渡一件令落着候間、其旨主人へ可申聞

1 月番の行事人

2 戸田氏教（老中）

右町役人共

右之通申渡候間、其旨可存

午十二月廿八日

右敵討之委曲ハ則前月十二日之事也、其濫觴ヲ尋ニ本所林町寄合領六千石神保左京[1]殿家来用人山崎彦作ト申者、始め小将組ニ被抱、段々御取立、用人役ニ被申付候処、主人左京殿勝手不如意至極ニ付、彦作相働倹約ヲ専ニ致し、家中減知之及沙汰ニ候ニ付、家中恨ヲ含む者モ出来、然共段々勝手取直家モ建直し候ニ付、彦作働日ニ増出頭ス、且又左京殿御身持不宜事共有之、家中相談一決ニテ隠居願之趣取計有之候処、彦作ハ左京殿取立之者ニ付、右相談不同心故、何か之恨み、此節ヨリ家老中取計、彦作不宜事共ヲ申立讒言、終ニ暇出され、彦作ハ無詮方兼テ覚モ有之神道者ニ相成、致渡世居候得共、次第ニ難渋重り、又々伝てヲ求め重テ左京殿へ軽き奉公ニ帰参相勤候内、家老中重テ讒言申立、于時五ヶ年以前之事なるニ、黒装束之侍四五人夜ニ入忍込、鑓ニテ彦作ヲ突殺し其侭退散せり、彦作妻能々考みる所、家老之せかれ崎山平内等ニ付残念至極ニ思ひ、母子浪々の身ト成しニ、恨み申事有之テハ不慮之事モ可起哉ト、左京殿ヨリ金三十両被相渡、是ニテ致渡世、必恨ヲ含間敷旨申渡ニ付、彦作妻畏り已来恨無之ト証文出し事済候得共、夫之闇討ニ逢し事全く平内が仕業ト、いつぞは仇ヲ報し度年月ヲ送り候内、最早娘モ今年十七才鑓之稽古モ心懸、仇討の心得専ニ候也、先年彦作義神道者ニ相成候節、弟子之内平井仙蔵ト申者、当時深川森下町ニ致居住手習子ヲ集、外ニハ神道講釈し当年二十六才也、右彦作ハ師匠之処、妻子の徒浪[2]気の毒

1 神保茂常（寛18 125頁）

2 あだなみ（変わりやすい人の心）

ニ思ひ、彦作娘ヲ妻ニ申受、合力可致ト内約整ひ、いまた取迎ハ不済候得共、四五日前ヨリ彦作妻子共八丁堀之居宅ヨリ仙蔵方ヘ罷越逗留之内、母子銭湯ヘ参り戻りニ彼敵平内ヲ見懸しまゝ、兼テ恨の敵なりト母より娘ヘ声懸けれハ、娘心得たりとて平内ニ向ひ、父の敵なるそ覚たるかト平内の指料刀ヲ奪ひ引抜、眉間より肩先ヘ切懸候処、平内モ心得たりとて脇指ヲ抜き、娘の肩先ヘ切付暫戦ひ居候内、平内ハ二丁計モ逃候故、召連候若党鑓持四五人モ皆々逃去り候処、娘ハ其侭追懸行、深川猿子橋伏見屋トいふ質屋の前ニテ切合候処、又々平内切抜け候テ兵庫屋ト云餅屋ヘ逃込、跡ヨリ娘追行右平内ヲ被出よト再三申入候得共、不逃込由亭主申ニ付、母娘無是非家内ヘ踏込彼平内ヲ尋候処、一間之内ニ襖ヲかたとり隠れ居る、娘ハ其侭持たる刀ニテ襖之上ヨリ突込候処、母ハ其侭声ヲ懸、必留めヲ不可刺、死切テハ片口問答不訳立ト申入、然所ヘ聟仙蔵喧嘩之様子聞付追取刀ニテ走来り、何の様子モ不分なから又一刀切付、数ケ所之手疵ニ弱りうつ伏せニ相成候処、近所より大勢はせ来り双方ヲ捕ヘ置、町御奉行所ヘ訴之候ニ付、同夜検使之御役人、双方之口上被聞届、敵討ト申ニテハ無之候、彦作義不斗闇討ニ相成候処、妻子浪々之身ト成テ渡世モ成兼難儀之事、依テ主人ヨリ金子三十両被相渡、兎も角モ可致渡世、必此末恨間敷ト証文モ出し候上ハ、此度之趣不届成事、先ハ乱心之致方、追テ可被遂御詮儀旨ニテ平内ハ主人ヘ御預、母娘仙蔵ハ居宅〱之家主ニ被預候処、娘重テ相願候ハ、御咎之趣恐入奉畏候、乍去平内義父ヲ讒言申立闇討ニ逢候事、兼々母之申ニ付、残念難忍奉存候、只今数ケ所之手疵モ蒙り候得共、平癒之上全平内ヲ討候テ恨ヲはらし、父の孝節ニ備度御座候間、此義偏ニ奉願候旨申演候口上、誠ニ無拠

不便成為躰ニ付、何れ御詮儀之上可被仰渡旨ニテ検使ハ引取有之、平内ト娘夫々引取、御
評定之上、則今廿八日如前記落着被仰付候事

但、平内義ハ前記之如く右手疵指重り、翌十三日致死去候事

廿九日　去ル九日出并十九日出早便来着、於金沢左之通之旨申来、歳末御祝詞之出仕、大ニ付
廿九日ニ候得共、御日柄ニ付廿八日出仕有之候様、去年御用番被仰聞候処、去年切ニテ当年
ヨリ前々之通出仕有之筈之旨、御用番ヨリ被仰聞候事

△

十二月

右**今月十五日**、於御帳前披見申談有之候事

今月十八日被仰付

御奏者番帰役　小松御城番ヨリ　**岡嶋市郎兵衛**

筑前守様御用　公事場奉行ヨリ　**藤田求馬**

今月廿四日、金沢発之早便未正月二日来着、左之通申来、任晶紙爰ニ記之

今月廿一日被仰付

御先弓頭　**小川八郎右衛門**代　御使番ヨリ　**山路忠左衛門**

御使番　御馬廻組割場奉行ヨリ　**橋爪又之丞**

但、去十八日御呼出之処、其節病気ニ付不罷出

かけの諸勝負ハ御制禁ニ候処、――――――毎歳之通ニ付委記略、前々今月互見

十二月廿一日　　前田大炊

右安房守殿ヨリ例之通御触出

今月廿二日、左之通跡目被仰付

青山将監

本知都合七千六百五十石、隠居知ハ本高之内ニ付被下之

亡祖父滄淵隠居知
五百石

三百石　組外へ被加之　権作嫡子　前田立次郎

同　同断　右源太末期養子　中村鉄四郎

二百石　同断　瀬兵衛嫡子　脇田虎太郎

六百石　矢治兵衛養子　富田鉄次郎

百五十石　猪之助養子　堀　綾彦

四百五十石　祐次郎養子　大嶋新左衛門

百五十石之三ノ一
四拾石　弥三せかれ　渡辺与三太郎

百弐拾石　猪兵衛せかれ　坂野義左衛門

百石　五左衛門養子　駒井武助

同　織人養子　辻　勇五郎

九十石　治兵衛養子　瓜生善兵衛
七十石　八郎左衛門嫡子　安田源左衛門
二百石之三ノ一
六十石　大作養子　和田鉄五郎
二百石　五兵衛養子　奥田重助
百五十石　作左衛門嫡子　桑嶋文五郎
五人扶持　瑞元せかれ　不破良策
百石　平左衛門養子　原　十左衛門
同　幸助養子　久世左平太
八十石　左源太養子　神戸作次郎

同月縁組・養子等諸願被仰出、其内左之内被仰出

定番頭　不破和平

役儀御免除之義、依老衰願置候処、思召有之候間、今暫可勤旨被仰出

△

嵯峨法輪寺勧化銀御身当并御組知行高割符仕、左之通ニ御座候間、来年二月中限、諸方御土蔵へ御上納被成、右奉行請取御算用場へ御指出可被成候、以上

十二月廿八日　笠間九兵衛

本多安房守殿

当九月九日御知行高、御役料知・茶湯料并与力明地除之、高七万七千七百二拾石
一、八拾目五分七厘
但百石当り壱分三毛六七
右之通申来候条得其意、銀座封ニテ、与力分ハ寄親之封之内ヘ入名印記、当月廿八日朝五時ヨリ四半時迄之内、拙宅ヘ以使者可差出旨、未正月六日安房守殿ヨリ御廻状到来之由、代判山路忠左衛門ヨリ申来、任晶紙爰ニ記

前月下旬川除方御用懸り与力西川是助、右御用序ニ堀川辺住吉社参致し下向之後ヨリ、老女声ヲ懸、私発句仕候間、御脇可被下ト
冬の野や吹かれ行身の風寒し　老女
つらなる草に暫しおく霜　西川
世の中はおかしき事に隙取て　老女
右第三之後、老女之姿見失ひ候ト云々、是虚説附会之説ニテ可有之候得共、於金府実説トテ専流行之話之由告来、任晶紙右ニ附記ス

寛政十一年

●**寛政十一**己未**歳**　丙寅**正月**小　〔（空白）〕

朔　日　陰夕方微雪、二日陰風起、三日四日八日マテ快天風起、九日陰、十日同夜雨、十一日同夜雷、十二日ヨリ廿九日マテ快天続、折々微陰風起交、気候応時

同　日　六時御供揃、御直垂ニテ同半時頃、奥之口ヨリ御出御登城、年頭御礼等御例之通被仰上、九時前表御式台ヨリ御帰殿、都テ年頭御作法共御前例之通、**村井又兵衛**始御礼被為請、七半時頃迄ニ夫々相済候事

同　日ヨリ三日迄、御年賀之御客衆へ、御例之通二汁五菜之御料理等出、但向詰・一ツ焼鯛ハ今日迄出、且二日三日七日ハ御料理一汁五菜也

四　日　**紀州様**[1]へ為御年賀御使者来候御礼之御使者ニ参上

六　日　**大膳大夫**[2]様へ今度**お教**[3]様御引取御婚姻御整ニ付、従**筑前守**[4]様御歓之御使ニ参上

十三日　年始為御祝詞、**左近将監**[5]殿紀州・**藤堂和泉守**[6]殿、今日御出之御礼使ニ罷越候事

十五日　御登城、且今日御出之御客衆等へ一汁五菜之御料理等出、尤今日一統平詰之事

十七日　於公義、左之通蝦夷地御用御老中被仰渡

今度異国境御取締被仰付候ニ付、東奥蝦夷地之内嶋々迄当分御用地ニ相成、其方共右御用被仰付候、是迄**松前若狭守**[7]右之土地ヨリ年々収納之分、従公義**若狭守**へ相渡候様被成下候ニ付、右之場所ニテ万端其方共任指図候様**若狭守**へ申渡候ニ付被得其意、猶土地之様子モ追々申談候上見分有之、蝦夷人教育之儀ヲ初、風俗ヲ替候儀并交易之趣、法迄モ任存寄ニ、一躰開国之御趣意ヲ含致服従候儀ヲ第一ニ可心得候、右御用之儀深き御趣意ニテ被仰出義ニ

---

1 徳川治宝
2 南部利敬
3 浅野重晟女
4 斉広（十二代）
5 徳川頼興（重倫弟）（徳2 243頁）
6 藤堂高嶷（寛14 298頁）
7 松前章広（寛3 201頁）

有之、御国境之事ニ候得ハ、其心得ヲ以銘々粉骨ヲ尽し、今度之御趣意不違様、進退指引精勤可被致候、尤不得止事モ候儀ハ不及伺取計可被申候、御入用向之義ハ不少分儀ニも可有之候間、追々可被相伺候

御書院番頭
松平信濃守[1]

御勘定奉行
石川左近将監[2]

御目付
羽太庄左衛門[3]

御使番
大河内善兵衛[4]

御勘定吟味役
三橋藤左衛門[5]

今度蝦夷地御用之御趣意ハ彼嶋未開之地ニ有之、蝦夷共衣食住之三ツモ不相整、人倫之道モ不弁ヘ儀不便之次第ニ付、此度御役人被遣、御徳化ヲ及し、教育ヲ垂れ漸々日本風俗ニ帰し厚く致服従、万々一外国より懐け候事等有之候共、心底ヲ不動様存込候儀御趣意之第一ニ候得共、然迚唯今俄ニ事ヲ起テ、或ハ猥ニ物ヲ与ヘ急速ニ服従ヲ取候様ニテハ往々際限モ無之、却テ永続モ致間敷候間、先当分之所ヲ土地ニ馴候、交易之業ヲ以テ、夷人共潤ひ候様可致候、此交易之義、是迄之通町人計之取計ニテハ彼地不正之趣モ有之哉ニ相聞候間、此度御直捌ニ相成、夫々御役人交易ニ附添罷在取捌候筈ニ付、扨此仕方御赦之故ト申なから猥ニ弛候テハ不宜候間、交易之極ハ矢張り是迄之姿ニ居置、升目・秤目等不足ニ無之并悪き品等不相渡、聊以不正之筋無之様精々致吟味、夷人共相悦稼方致出情候様可取計候、右躰交易方正敷相成候ニ付テハ追々出荷物等モ相増可申候得共、今度之御趣意曽テ御益を謀候儀ニテハ

1 松平忠明
2 石川忠房
3 羽太正義
4 大河内政寿
5 三橋成方

無之候間、其所ニ目ヲ付唯夷人共潤候儀専要之致目当ニ取計可申事

一、往々ハ耕作之道ヲ教へ穀食ヲ以テ命ヲ繋候事ヲ覚させ、漸々日本の風俗ニ馴候様教育可致事、但耕作の道、未整内とても、可成たけ連々肉食ニ遠かり穀類ハ肉食より尊き物ト申訳ヲ能得道可為致置候、左候得ハ追テ農事ヲ施し候節、格別進み方宜敷なり、捗行可申候、此段兼テ相含可取扱候

一、此度之御趣意難有、蝦夷人共呑込候様寄々手短ニ言聞せ可申候、乍然其言ト其実ト不違様可取扱儀第一ニ候、渠(かれら)等ハ辺鄙の夷狄ニテハ其性却テ誠実ニ可有之候間、聊たり共偽ヲ施し本邦無実の国風之様ニ存込候得ハ、先入主[1]ニ相成候テ、以之外服従之妨ニ可相成候、此処専要ニ心懸、逸々[2]実意ヲ以テ示し可申事

一、夷人共ヲ人足其外ニ遣ひ候節、賃米之義、別紙定之通、遠近ニ随ひ少モ無間違相渡、絶惑(疑)ヲ生し不申様可取扱候、尤其内ニモ格別働の者ヘハ賃米之外少々宛品物成共差遣し、又ハ酒飯ヲ給させ、其時宜ニよつて取計、功ヲ賞し可遣候、去なから姑息ニ流れ不申様致勘弁、己れ々々が働、甲乙ニ因み御恩沢厚薄有之訳ヲ能々知らしめ、銘々其職ヲ進み稼方致出情候様可取計候事

一、夷人共日本詞遣ひ候事制禁之由ニ候得共、此度御用地之内ハ其禁ヲ止め、専和語ヲ遣ひ候様申教へ、往々和人ニ致変化候様可致教育事

　但、此方の人、蝦夷詞遣ひ候義ハ決テ不致、ひたすら夷人ヘ和語ヲ遣ひ候義専要ニ可心懸候

一、夷人共追々御徳化ニ感し、御主法ニ馴れ和人の風躰ニ相成度由望之者モ有之候ハ、月代モ為

1 先入観のこと
2 いちいち

致、日本服ヲモ与へ、猶其者稼方致出情余人ヲモ励し候程の者ニ候ハ、夫々日本風之家作モ拵へ遣し、外々之者相羨み、追々見習風俗ヲ変し候様可取計事

但此義ハ此方ヨリ相勧め、急ニ日本風ニ可致ト謀り候ハ、必気精ニ拘り、成就致間敷候、渠らが方より相望候時節ヲ待テ可取計候、女の風俗なと改候義ハ猶更之事ニ候

一、上ヲ崇候義ハ不及申ニ候、親ニ孝し、兄弟親類睦敷、朋友ニ信ヲ尽し候道モ追々示し、且いろは文字并数の文字等連々ニ教へ込、往々文字之開候様可心懸事

一、彼地之習ニテ有徳なる者ハ妻ヲ大勢持、貧き者ハ無妻ニテ暮候由ニ付、おのつから出生モ少く、土地ヘ合候テハ人数モ不足之義ト被存候、此義モ純一ニ致し度物ニ候得共、急ニ令ヲ下し候ハ甚気請ニ抱り可申候、往々人倫の道ヲモ弁へ、夫々男女共独身之者無之、子孫多く生し候様致度事ニ候、急ニハ難行事ニ候得共、兼テ其趣意ヲ含み取扱可有之事

一、夷人共病気等之者有之候ハ、品ニより臥具等モ与へ、薬用其外可成たけ致手当、死亡之者多く無之様可有取計候事

右之外此ケ条ニ洩候義ハ、其場所々々請取の向々器量次第十分ニ力ヲ尽し、一躰開国の御趣意ヲ基本致し、専教育可被致候、何方成共教育服徒(従)之整候方、其場預りの面々の手柄ニ候条、相互ニ励み合、粉骨ヲ尽さるへき事ニ候

未二月

今年八月十七日御用番御老中**戸田采女正**[1]殿御書取写

御徒目付**細見権十郎**・御小人目付**西村常蔵**蝦夷地ニテ熊ヲ仕留候趣、其節之始末**三橋藤左衛**

1 戸田氏教

門ヨリ委細申越候紙面一覧之事ニ候、両人共いかにも手際よく在勤、先之勇気モ引立候働ニテ候、不慮ニ骨折り候義モ存候段各一同噂申ニ候、此趣彼者共へモ可被申聞候事

十九日　御具足鏡餅御例之通、御祝御雑煮等頂戴被仰付

廿　日　松平豊後守[1]殿へ為御年賀御出之御挨拶御使ニ罷越

廿五日　日光御門跡[2]昨日従日光就還御ニ御祝之御使ニ参上

廿七日　夜六時過、木挽町通出火ニ付、芝御広式へ御人数可被遣旨被仰出、三ツ輪手合召連押出候処、新橋手前ニテ火本見之、御使番ニ出合承候処、火事所築地ニ付引揚帰

廿八日　夜五時前三河町ヨリ出火、段々河岸通今川橋辺迄焼抜、暁六時前鎮火、右ニ付左衛門[3]尉様へ御人数被遣、河内山久大夫三ツ輪手合召連罷越、自分義モ風之様子次第、芝御広式へ御人数召連可罷越旨被仰出、小屋拵ニ罷在候処鎮候、以後不被遣旨被仰出候段、御近習頭ヨリ申来

廿九日　暁六時過、築地通ト遠板打候処、芝御広式へ御人数被遣、三ツ輪手合召連罷越候処、次第ニ及大火ニ候ニ付相詰罷在候処、御屋根ニ煙見へ御三階ヨリ松寿院[4]様御見物之処、煙体ニ見へ女中驚騒候故ト云々、是火事所々移ニテ煙ト見へ候体也候由ニテ騒候ニ付致見分候処、相替義無之候得共、従御奥之騒静り不申ニ付、御人数揚、水為蒔候、夫ヨリ御道具除始り候ニ付、御人数足軽小者へ為持運候、但火事所ハ八丁堀ニテ段々京橋之方へ燃、同所西河岸ニテ暁ニ至り焼留り候、風モ無之芝御邸へ一円火之粉ハ来り不申候得共、大火ニテ風筋定り不申、就中煙来候、見損之騒ヨリ御道具除有之、右相詰罷在候内、御吸物・御酒・御肴并御湯漬被下之候、

1 島津斉宣
2 舜仁（公猷）法親王
3 酒井忠徳（庄内藩侯）
4 重教女顯（保科容詮室）

御人数へモ兵粮つくね飯・御酒被下之、御礼御附物頭伊藤忠左衛門ヲ以申上、忠左衛門ヲ以御意モ有之、同人ヲ以御請申上、最早鎮火ニ付暁七時過右御邸退出、直ニ御次へ出、委曲言上、朝六時過帰小屋之

今月十五日　左之人々へ順番之通、当御留守詰於金沢被仰渡

御歩頭　神田吉左衛門
御用人　庄田要人

今月廿一日　左之人々へ於金沢**筑前守**[1]様当春御参府御供等被仰付

成瀬監物　青木与右衛門
井上勘左衛門　人見吉左衛門
成瀬・青木勤方同様ニ被仰付
辻　平之丞　水越八郎左衛門
戸田伝太郎

七人共御附之人々也

藤田求馬　横浜善左衛門
関屋中務　小杉喜左衛門
坂井小平　志村五郎左衛門

左之人々御附ニ候得共、此度不被召連、追テ二月十一日御供被仰付

同廿五日　左之通於金沢申談有之

正姫[2]様御出府御道中役附

御旅館取次　石黒嘉弥之助　神尾昌左衛門

1 前田斉広（十二代）
2 治脩（十一代）室

宿割并御宿拵　一木鉄之助　山口左次馬
御時宣役　樫田八十助　松田五郎兵衛
　多胡嘉藤次
御先角　中川又三郎　姉崎勘兵衛
仮御横目　松原安左衛門

丁卯 **二月大**　［（空白）］

朔日 雪降、二日ヨリ四日マテ陰、五日雪、六日陰、七日快天、八日雪、九日快天、十日雨雪、十一日十二日晴、十三日雨、十四日晴、十五日雪、十六日晴、十七日十八日雪、十九日廿日雨、廿一日晴、廿二日陰夜雪積二三寸、廿三日廿四日雨雪、廿五日廿六日廿七日快天、廿八日陰、廿九日雪、晦日快天風起、今月気候春寒大ニ強、添（淡カ）雪十一度降

同日 **日光宮**[1]様御登城ニ付月次出仕止、依之御登城無御座候事

二日 尾州**愷千代**[2]様へ**一橋大納言**[3]様御官位之御祝御使ニ参上

四日 **愷千代**様今日於大奥御対顔、御首尾克相済候、御左右御聞被成度ニ付、御附使者ニ参上相詰罷在候内、一汁三菜之御料理被下之候事

同日 御使番上使**坂本小大夫**[4]殿ヲ以御鷹之鶴御拝領、御作法前々之通ニ付、略記

十一日 左之通被仰出、但四月四日金沢御発輿之筈也、**正姫**様四月廿二日御着府之筈ニ付、同

1 舜仁（公猷）法親王
2 徳川（尾張）斉朝
3 徳川（尾張）治済
4 坂本直諒（寛3 82頁）

1 廿八日ヵ
2 徳川治宝（紀伊徳川十代）
3 酒井忠道（姫路藩三代）
4 戸田氏教（老中）
5 前田斉広（十二代）
6 榊原政敦（高田藩二代）

十八日[1]御婚姻御整可被遊旨被仰出

十九日 紀州様[2]并酒井雅楽頭殿[3]・戸田采女正殿[4]等へ御使御出ニ付、筑前守[5]様ヨリ之御使ニ罷越候事

筑前守様御出府御道中、井上勘右衛門等へ加り騎馬御供被仰付候段、今月朔日於金沢被仰渡

御用人 庄田要人
物頭並聞番 恒川七兵衛

今月十三日 於金沢被仰渡

同断 仮御横目 御大小将 杉山新平

同断 正姫様御供 江戸御広式御用物頭並 土肥庄兵衛

廿八日 榊原式部大輔[6]殿へ、今日為御年賀御出之御挨拶使ニ罷越

今月十五日 於金沢左之通被仰付

御馬廻頭 伴源太兵衛代 前田甚八郎
御小将頭 前田甚八郎代 篠嶋平左衛門
新番頭 篠嶋平左衛門代 神田吉左衛門
御歩頭 神田吉左衛門代 御先手兼御用人ヨリ 奥村十郎左衛門

但同月十九日兼役御用人御免、江戸詰被仰渡

今月廿四日　金沢於神護寺、**孝恭院**[1]様二十一回御忌御法会有之、於此表モ於上野従公儀御執行有之、依之遠慮触等前々之通ニ付記略

△今月二日公事場触、十日出銀触、廿二日火之元之義御用番等御廻状前々之通ニ付記略

出雲守[2]様御供数左之通

三人御供頭　拾人平士　九人御歩

百三十人足軽・小者・又者共　都合百五十二人

飛騨守[3]様御供数左之通

壱人御供頭　七人平士　九人御歩

十一人足軽　九十二人小者・又者共　都合百二十人

右此間承ニ付記之

正月八日　**関屋中務**組御馬廻**奥村吉左衛門**与力**村上均之助**妻自害仕損候ニ付、寄親**吉左衛門**へ検使乞書付出之、**吉左衛門**加奥書、頭**中務**へ指出、夫ヨリ**中務**以奥書御用番**長九郎左衛門**殿へ相達候処、御横目へ被仰渡、**三宅平太左衛門**・**堀九郎兵衛**罷越検見、翌九日朝五半時過相済、右之節**中務**儀ハ**均之助**宅へ不罷越、八日夜ヨリ組方家来為相詰置候処、検使相済帰、尤寺社奉行寄親**吉左衛門**ハ罷越、御横目中ト立合疵見分有之、尤**均之助**・同人妻・同人母・弟・家来口上書、**均之助**名宛ニテ取立、同人ヨリモ書付ヲ以**中務**名宛ニテ出之候ニ付**中務**加奥書、御用番**九郎左衛門**殿へ相達候段承ニ付記之

1徳川家基（家治男）
2前田利謙（富山藩八代）
3前田利考（大聖寺藩八代）

1 徳川治宝（紀伊徳川十代）

2 前田長禧（高家）（寛22 244頁）

朔　日　戊辰三月大　［（空白）］
二日三日快天、四日五日六日雨天、七日八日快天、九日陰夕雨、十日陰、十一日微雪、十二日ヨリ廿一日マテ快天、廿二日陰、廿三日雨、廿四日廿五日快天、廿六日廿七日廿八日陰雨、廿九日快天、晦日陰夕ヨリ雨、今月気候応

同　日　左之通被仰付
当御帰国御供於御前　村井又兵衛
被仰渡　横山蔵人
当御道中奉行并御行列奉行相兼　御小将頭　野村伊兵衛
但平膳ハ御道中切御用人兼　御歩頭　中川平膳

三　日　紀州様[1]御着府ニ付為御附使者参上、相詰罷在候内一汁二菜之御賄、御酒・御吸物・御肴被下之、且従御両殿様上巳御祝詞御使モ相勤候事

同　日　諸頭等当御帰国御供、夫々被仰渡、且左之通被仰渡
御道中御筒支配　玉川七兵衛
同　御弓支配　不破五郎兵衛
御近習　国府佐兵衛
騎馬　仙石兵馬
御道中御長柄支配　御表小将　山崎弥次郎

六　日　去冬御拝領之御拳之鴨御披ニ付、御小書院御上裏、飛騨守様及前田安房守殿等十二
［2 前田信濃守殿ハ御断也］

1 斎藤総良（寛13 161頁）

2 前田武宣（七日市藩利理男）

人、御勝手座敷横山兵庫助殿等十八人、右両御席御取持斎藤長八郎[1]殿等七人、二汁五菜之御料理、御本汁御鳥也、御大書院御勝手ヘ御酒、飛騨守様ハ御盃事有之、御引菜御持参、其外ハ数之御土器・御肴并御引菜御取持衆御持参、且御取持衆ヘハ御隙明ニテ御料理出、御引菜御客之内前田要人[2]殿ヘ指遣御頼御持参、其外御作法御前例之通ニテ八時過相済候事

一、頭分以上并聞番見習岩田源左衛門、長いろり之間ニテ左之通頂戴、御礼於御次石野主殿助ヲ以申上

御酒

御吸物　御拳之鴨　よめな
　　　　うどせん　松茸
　　　　丸むき大こん

御肴　巻鯣

七日　紀州様ヘ、就御参府昨日上使ヲ以、被蒙上意候御祝之御使ニ参上

御婚礼御当日

出雲守様等御見廻懸之趣ニテ御出被成候迄ニテ、押立候御客モ無之、万端御省略ニ付御給事相勤候人々ヲ初都テ着服ハ不被下候事

△

別紙覚書横山蔵人殿御渡、及演述候様御申聞之旨、佐藤勘兵衛ヨリ廻状有之候事

御婚礼当日着服

一、年寄中・御家老中、無地熨斗目・同上下

一、頭分以上、無地熨斗目・同布上下、且上下ハ無地小紋入交、平士等ハ無地のしめ・腰明熨斗目、無地・小紋上下入交着用、上下ハ返小紋除之

一、御歩組、服紗小袖・布上下、返小紋除之

1 徳川宗睦
2 宗睦養嗣子 敬之助
3 前田斉広（十二代）

以上

右於御横目所披見申談有之、写記之

十二日 尾張様[1]へ瑞巌院[2]様御三回忌ニ付、従御両殿様御見廻之御使ニ参上

同 日 七時前大久保通出火ニ付、尾張様へハ人数被遣召連罷越候処、火事所内藤宿ニ付御使控候事

十三日 御中邸詰御歩横目中村左平太家来嘉内、当正月十四日致出奔候処、今月六日立帰候ニ付遂吟味候様被仰渡、則今日河内山久大夫申談、御横目水原清左衛門立会遂吟味、口書取立、御席へ持参、又兵衛殿へ御達申候事

今月七日、於金沢被仰付

筑前守[3]様御用物頭並

御大小将横目ヨリ
神田十郎左衛門

十七日 聞番物頭並長瀬五郎右衛門へ御国へ之御暇被下、御序無之候ニ付、御目見ハ不被仰付段、於御席又兵衛殿被仰渡、但於御次石野主殿助ヲ以詰延相詰、其上御内御用モ被仰付候ニ付、御内々御紋付・御召上下・生絹二疋拝領被仰付、十九日発足罷帰候事

△ 前々ヨリ江戸御供等ニテ罷越候人々へ致餞別、又ハ罷帰候節土産物無用ニ可仕旨被仰出、申渡有之、去々年御帰国之節

――御発駕等之節、衣類見苦敷義不被及御貪着候間、不及相改旨被仰出

――其支配へモ可申渡旨可被申談候事

未三月

右覚書**又兵衛**殿御渡之旨等、**佐藤勘兵衛・野村伊兵衛**ヨリ廻状有之、前々同文段ニ付略記、前々互見、於金沢モ四月十六日御用番**長九郎左衛門**殿ヨリ御触出

今月朔日、於金沢被仰付

公事場奉行　御奏者番ヨリ　**横山大膳**

御用人加人兼帯　御先手　**小原惣左衛門**

廿日　左之通御覚書ヲ以**又兵衛**殿被仰渡

津田権平

当御留守中御手前儀、大御門方可有支配候事

廿一日　**一條**[1]**様**御使者**保田遠江守**旅宿紀州様赤坂御邸内ヘ御使者ニ罷越

当御帰国御発駕御日限五月七日ト今日被仰出候事

廿二日　夕七時過、板鼻駅ヨリ之早飛脚着、左之通申来

筑前守様御機嫌克、今月十一日金沢御発駕之処、御道中雪降、別テ関山前後積雪多、荷物人足、持乗馬ハやうくねこだ[2]越之族ニテ御通行不被為果敢取（はかどり）、榊駅ヘ暁天七時過御着、追分駅ヘハ朝六時過御着被成候ニ付、同日一日御逗留、廿一日板鼻可被遊御発駕候処、御風気ニ被為在候ニ付同日并廿二日御逗留、廿三日本庄増御泊也、御泊廿四日熊谷御泊、廿五日蕨御泊、廿六日御着府之段申来、夜半頃重テ御飛脚来着、御風気段々御快旨申来候事

右ニ付御表小将**山崎弥次郎**ヘ為御見廻早打御使被仰付、今夜発出、但廿五日罷帰候事

廿六日　四半時頃、**筑前守**様益御機嫌克御着府、御作法御先例之通、夕方御老中方御廻勤モ被

1　一條忠良

2　藁縄を編んで作った背負莚又は背当て

遊候、且御待請之御客衆等ニ汁五菜之御料理出

廿九日　上使御老中**松平伊豆守**[1]殿ヲ以御国許ヘ之御暇被仰出、御例之通白銀・御巻物御拝領、御懇之被為蒙上意、従**水野出羽守**[2]殿ヲ以**大納言**[3]様モ、御巻物御拝受被為蒙上意、従**御台様**[4]モ御使**中山長門守**[5]殿ヲ以御巻物御拝受、**筑前守**様ヘモ御参府ニ付御懇之上意有之候ニ付、**伊豆守**殿御送迎ハ被遊候、**出羽守**殿・**長門守**殿ヘハ**相公**[6]様御壱人御送迎被遊候、但御口中御痛ニ付、御相伴且御廻勤ハ**飛騨守**[7]様ヘ御名代御頼被遊候事

右ニ付**日光御門跡**・**御三家**ヘ御普為聴之御使ニ参上之事

今月　於金沢、左之通被仰付

御倹約奉行兼帯　御馬廻頭　**高畠五郎兵衛**

宗門奉行加人兼帯　御小将頭　**高田新左衛門**

正姫[8]様御出府御供、且直ニ江戸詰　御大小将横目　**三宅平太左衛門**

御作事奉行　御馬廻組　**杉浦逸角**

己巳**四月**大　［　（空白）　］

朔日　二日三日晴陰交、四日雨、五日六日晴雨交、七日八日九日十日晴陰交、十一日十二日雨、十三日晴、十四日昼ヨリ雨、十五日雨、十六日ヨリ廿日マテ晴陰、廿一日昼ヨリ雨、廿

1 松平信明
2 水野忠友
3 徳川家慶
4 徳川家斉室寔子
5 中山信勝（寛11 99頁）
6 前田治脩（十一代）
7 前田利考（大聖寺藩八代）
8 治脩室

二日ヨリ廿六日マテ陰雨交、廿七日廿八日廿九日快天、晦日暁ヨリ大雷数声雨天、昼又雷鳴晡時(ひぐれ)ヨリ快天、今月気候冷暖交

同　日　昨日依御奉書**御両殿**様御登城、御暇之御礼・御参府之御礼被仰上、上意・御拝領物御前例之通、依テ於御席御意之趣**又兵衛**殿御演述、畢テ為御祝詞於竹之間御帳ニ附候義モ前々之通

但、御拝領之御馬栗毛・鹿毛昼過来、御鷹ハ夜ニ入来

八　日　於広徳寺、**祐仙院**様御一周忌御法事御取越御執行、御邸内御法事中鳴物等遠慮之旨等先達テ御横御目廻状出

十一日　**日光御門跡**へ、従**筑前守**様御参府ニ付、御進物御使ニ参上

十五日　御暇之御礼被為済候ニ付、月次御登城不被遊候事

今月朔日於金沢被仰付

御先弓頭　**奥村十郎左衛門**代　組外御番頭ヨリ　**中村八郎兵衛**

同七日同断

割場奉行　**三浦重蔵**

廿二日　**今月四日正姫**様金沢表御発輿之処、御道中御日図之通御旅行、昨夜蕨御泊、今朝六時御供揃ニテ御下邸ヘ御立寄、昼八時頃益御機嫌克東御門ヨリ御本宅御広式ヘ御着、依之御表向当番人一統服紗袷・布上下着用昨日御横目廻状出、且御着府之上、頭分以上於竹之間御帳ニ附、恐悦申上候事、但**飛騨守**様為御待請御出有之、**出雲守**様ヘハ御待請御断ニ付、御着府

1重教女頴（保科容詮室）

之上為御祝詞御出之事

廿四日　左之通御用所ヨリ申談有之

　正姫様御婚礼御整之上御順之儀左之通

相公様・**正姫**様・**寿光院**[1]様・**筑前守**様ト申御順ニ候事

付札　御横目へ

正姫様御婚礼御整候上ハ**御前様**ト奉称筈ニ候条、御家中之人々一統承知候様相触可被申候事

四月

右**横山蔵人**殿御申聞候旨、廿五日御横目廻状出、於金沢モ五月七日同廻状出

今月十一日、於金沢被仰付

組外御番頭　**中村八郎兵衛**代　御大小将組会所奉行ヨリ　**林　清左衛門**

同十五日同断

物頭並　御右筆兼帯只今迄之通　定番御馬廻御番頭ヨリ　**土師清吉**

名替　清左衛門事　**林　源太左衛門**

廿七日　左之通、**又兵衛**殿被仰聞候段、御横目廻状出

付札　御横目へ

御婚礼相済候為恐悦、御歩並以上之人々、頭・支配人御小屋へ廿八日・廿九日之内罷出候様
可被申談候事

△

四月

廿八日　五半時飛騨守様へ今日御婚礼御内祝御整之為御祝儀、塩鯛一箱・昆布一箱、桐陽院様[1]へ塩鯛一箱、従筑前守様も右御両方様へ塩鯛一箱宛被遣之、御使ニ致参上候処、飛騨守様ハ御直答二汁五菜之御料理等被下之、桐陽院様ハ御附頭ヲ以、御答有之候事

但夕方自分御小屋へ従飛騨守様御使者御小将組市川丈助ヲ以、晒布五疋・包熨斗御目録被下之、其節御殿詰不在合、家来取次申越候ニ付、其段達御聴、御用所へも申達、翌日為御礼参上仕候事

一、今日御婚礼御内祝御整ニ付、御客出雲守様・飛騨守様・前田安房守[2]殿等御内縁有之御出入衆迄都合十五人御出、三汁五菜之御料理等壱ツ焼鯛出、飛騨守様ハ於御居間書院御祝、夫々御都合克相済、且御歩並以上御殿詰合之分一統へ御吸物・御酒・御取肴被下之、足軽・小者へハ御酒等被下之、尤是又御殿詰合之分迄也、但頂戴席年頭御具足餅御雑煮之節之通

廿九日　昨日御婚礼ニ付今日、来月朔日も平詰、着服昨日同様之事

同　日　御婚礼為御祝儀、今日上使并御台様御使御兼、御広式番之清水新右衛門殿ヲ以、三種二荷ト二種一荷、従大納言様も上使御広式番之頭築山文左衛門[3]殿ヲ以、二種一荷御拝領、御疝邪ニ付御名代出雲守様上意等御拝聴、御都合克被為済、御広式へも上使并御台様御使御兼御広式番之頭原田半兵衛殿ヲ以、御前様へ二種一荷宛御拝領、御都合克被為済候事

1 前田利幸（富山藩五代）女豊（大聖寺藩七代利物室）
2 前田矩貫（幕臣大番頭）（寛17 294頁）
3 筑山義雅（寛22 182頁）

但、昨今之御作法委曲ハ別記ニ有之
右記之内、上使御使兼ト有之候得共、御表ヘ新右衛門殿・半兵衛殿・文左衛門殿御三人御越、御広式ヘモ新右衛門殿・半兵衛殿御両人御越ニテ御兼之義ハ無之、前記書誤ニ付附記ス

今月二十五日、於金沢被仰付
御大小将横目　神田十郎左衛門代
御大小将ヨリ　坂井権九郎

木下淡路守[1]殿二万五千石備中足守今月参勤之旅中、愛妾同半、於金谷駅女芸者数人集、其外不埒之趣有之ニ付、家来之者諫言申候処、聞入無之ニ付於旅中切腹相果、右等之趣ニ付参府之上、急度相慎罷在候様被仰渡有之

庚午 五月小　［（空白）］

朔日　ヨリ六日マテ快天、七日八時過ヨリ雨天、八日雨、九日十日陰、十一日昼ヨリ風雨、十二日晴、十三日昼ヨリ雨、十四日雨、十五日晴申二刻地震、十六日陰夕方ヨリ雨、十七日十八日雨、十九日廿日陰、不順之冷、廿一日快天大冷此間不順之寒冷、日光山雪降ト云々、時服難用綿入小袖重二三、廿二日廿三日廿四日廿五日廿六日廿七日晴陰交、廿八日昼ヨリ雨天、廿九日雨天、気候如右（湿暑催）

同日　御婚礼之御礼被仰上候様、昨日御老中方御奉書来、御暇後ニ付御名代出雲守様ヲ以、御礼相済、御老中方御廻勤モ御同人様被成候、右ニ付一統服紗袷・布上下着用、但前月廿九

1木下利彪（寛18 140頁）

1重教室千間
2治脩室正
3前田斉広（十二代）
4重教女穎（保科容詮室）

日記之通ニ付、御表向ハ今日熨斗目着用在之

同　日　頭分以上へ一昨日御拝領之御酒・御肴等三種共頂戴被仰付、但於長囲炉裏之間、年頭御具足鏡餅御雑煮頂戴之節之通ニ候事

二　日　**飛驒守**様御発駕御帰邑

為御留守詰、前月廿一日金沢発
昨朔日参着

御家老役
前田織江殿

四　日　御表居間へ御婚礼後初テ、**寿光院**[1]様・**御前様**[2]・**筑前守**[3]様・**松寿院**[4]様御招請、**御前**御相伴ニテ御料理等御饗応、於御敷舞台、御能左之通被仰付、御歩並以上当番并無息之人々父兄等同伴在府之分也見物被仰付

加茂　宝生弥三郎　尾上万二郎　　忠則　波吉甚次郎　尾上万右衛門　　箙　宝生太夫　宝生万作

御同間　脇本藤三郎

望月　宝生権五郎　宝生新次郎　　安宅　宝生太夫　宝生万作　　一角仙人　宝生弥三郎　土田孫丞

間　弥左衛門

祝言
岩船　松林小太郎　中田徳太郎

三本柱　脇本藤三郎　　釣狐　大蔵弥右衛門　　黒塗　倉谷八三郎

苞山伏　脇本藤三郎　　縄ない（綯）　大蔵弥右衛門

右、朝四時過始り、夜四時前相済、今日御表向ハ常服、御近辺等ハ布上下

前洩、**前月朔日・二日**、金沢長谷観音祭礼能書附、左之通

千歳　権八郎
翁　三番叟　専三郎
面箱　弥作
高砂　権進
田村　鍋太郎
六浦　宮内
鍾馗　陸之丞
烏帽子折　幸三郎
右近　仁三郎
三本柱　庄吉
宗論　兵八
朝比奈　三次

二日

千歳　六蔵
翁　三番叟　半二郎
面箱　又十郎
九世戸　万三郎
清経　清助
小蝶（胡）　権進
照君　宮内
金札　勘蔵
唐人角力　幸助
花折　喜市
鎌腹　徳次

同前月十五日、寺中祭礼能番組、左之通

千歳　元助
翁　三番叟　勇五郎
面箱
淡路　忠蔵
生田敦盛　卯之助
西行桜　権進
車僧　陸丞
海人　幸三郎
祝言
岩船　源次郎

船渡聟　貞吉　狐塚　理右衛門　雷　徳次

五日　端午ニ付前々之通平詰、御三家様ヘ当日御祝詞御使ニ参上
明後七日御発駕ニ付、一四火事御行列前々之通、明日昼ヨリ不相建段、火事方主附御近習
△頭・御横目連名之廻状到来之事
六日　三月廿日記之通ニ付、今日御在府中大御門支配之不破五郎兵衛ヨリ引請、組足軽小頭
等ヘ為致勤番、尤幕打替致見分候上、及言上、都(カ)テ御門方一件別帳ニ記之
七日　四時之御供揃ニテ九半時頃大御門ヨリ益御機嫌克被遊御発駕、其節舟之間ニテ篠崎玄順
御通り懸り之御目見、奏者相勤、御勝手通り御先ヘ走抜、幕番所前ヘ出蹲踞、尤与力両人
受取為相詰、御跡御行列通り候テ御門大扉為打候事
同日　出雲守様等御見立之御客衆ヘ御料理出
一、公義御二男敦之助[1]様今日巳中刻御卒去ニ付、鳴物等ハ今日ヨリ三日遠慮、普請ハ不及遠慮
段、七時過御大目付衆ヨリ御廻状来、暮頃小屋触モ有之候事
九日　敦之助様御葬式上野之内有之ニ付、方角留火消間廻、朝六時ヨリ遠方御成格、八時ヨリ
御葬式済候迄ハ近方御成格ニ候事、但明日ヨリ御法事中遠方御成格ニ候事
十五日　尾張様[2]・水戸様[3]ヘ御使ニ参上
十六日　四時御供揃ニテ御前様、寿光院様御同道、浅草筋ヘ御行歩御出
廿八日　今度御帰国、十八日御着城、但十八日津幡御泊、十九日御着之御図りニ候処、俄ニ高
岡ヨリ御帰城ト被仰出、右之通之旨、今日御飛脚着、相知れ候事

1 徳川家斉男　法号瑞巌院
2 徳川宗睦
3 徳川治保

今月十一日五時過可致登城旨、前々日御用番長九郎左衛門殿御廻状ニ付、各登城之処、左之通御演述、但頭分以上布上下着用登城也

相公様御婚礼前月廿八日万端御首尾能御整被成候、此段何モヘ可申聞旨被仰出候事

右ニ付為御祝詞、今日・明後十三日両日之内、年寄中等宅ヘ相廻可申旨、如例御用番被仰聞候段、御横目申談之事

付札　御横目ヘ

今般御婚礼御首尾能相済候為恐悦、御歩並以上、頭・支配人宅ヘ罷出可申筈ニ候条、組・支配之人々ヘ可被申渡候、組等之内才許有之面々ハ其支配ヘモ不相洩相達候様可被申聞候、罷出候日限、御日柄外可相勤候、右之趣夫々可被申談候事

五月

右御横目廻状出

喧嘩追懸者役　田辺長左衛門代

六月十二日ヨリ

永原半左衛門

例之通半左衛門ヨリ今月廿九日廻状出

只今迄之通

安達弥兵衛

附、安達弥兵衛代広瀬武大夫、七月十七日ヨリ相勤候段、六月廿八日廻状出

今月上旬、清人[1]、長崎ヘ来り有之、左之狂歌読候由

1 程赤城（明国の船主）

習ハずにかくや此かな文字まじり
今ハからにもかくや此かな
附、当時ハ朝鮮人等日本之仮名文字ヲ見習、任便利専流行之由云々
承ニまかせ左ニ書ス
和歌につゝと留たるハ漢文の助語にて而といふ
字ニあたる也、上下ヲ繫ぐかすがいになる字と云々

辛未六月小

朔日 二日三日四日雨天降続、不時之寒冷衆人綿入小袖畳、五日六日七日八日九日十日十一日十二日十三日十四日十五日十六日十七日十八日快天折々陰交、十九日モ快天夜雨、廿日雨天、廿一日ヨリ廿九日迄晴陰交、今月気候上旬如前記、中旬俄ニ炎暑、下旬弥増烈暑也（夜大雨雷鳴至暁）（炎暑ニ移ル）

同日 人持組**深美主計助**、御着城之上被指出候御使被仰付、則前月十八日金沢発今日参着、夫々御使相勤、十三日登城御目見拝領物有之

四日 四時頃、前月廿六日夕七半時頃金沢強地震之由相知ル、委曲ハ今月末ニ記之

七日 頭分以上御席へ出、前月廿六日金沢表強地震有之候処、**相公**様益御機嫌克被為在候恐悦、猶更御容体奉伺候段、**前田織江**殿へ迄申演
右詮儀之趣有之、及延引候得共、何モ去四日相伺候趣ヲ以被達御聴候筈之事
右強地震ニ付、従**筑前守**様**相公**様へ御機嫌御伺之御使、御附御歩頭**井上勘右衛門**へ一昨日

被仰渡、昨朝発足、道中指急之図りニテ、八日振旅行之筈、且寿光院様初ヨリ御見廻之御使被進候儀、御指留申来候ニ付、右勘右衛門ヘ御一伝ニテ相済候事

八日　御預地方御用戸田五左衛門義、同役溝江勘左衛門ト為交代、今月六日金沢発足之筈ニ候処、前月廿六日強地震之趣、寿光院[1]様・御前様[2]・筑前守[3]様・松寿院[4]様ヘ被仰進候指急之御使兼帯被仰渡、同廿九日金沢発足今日暮頃参着之事

廿一日　前月廿九日出町飛脚来着、同月廿五日於御前、左之通被仰付候旨申来、且廿六日地震之委曲モ申来、是ハ今月末ニ合記ス

定番御馬廻御番頭　金森猪之助代
御馬廻組宮腰町奉行ヨリ　伊藤権五郎

同断　土師清吉代
同断高岡町奉行ヨリ　岩田内蔵助

廿八日　暑御尋之宿次御奉書、今夜相渡、如前々発、七月十八日互見

今月十四日、於金沢被仰付

御預地方御用
外作事奉行ヨリ　大嶋忠左衛門

同断
高岡町奉行
御馬廻組ヨリ　湯原長大夫

同断
宮腰町奉行
同断　玉井主馬

1 重教室千間
2 治脩室正
3 前田斉広（十二代）
4 重教女穎（保科容詮室）

『日本随筆大成20巻』の「正治二年百首」

今月廿四日、同断

御加増五十石　先知合二百石

御馬乗役
有田俏右衛門

俏右衛門義、馬術宜敷格別御用相立候ニ付如斯
被仰付

△

火之元之義、前々被仰出一統申渡置候間、油断有之間敷義ニ候、今般地震ニ付テ御家中之人々居屋敷初囲等損所多、仮囲等ニテ縮方行届兼候場モ有之躰、且又末々ニ至候テハ家居難相成、致明家ニ置候哉モ有之旨被聞召候間、此節火之元之義猶更厳重相心得候様一統可申渡旨被仰出候条、被得其意、組・支配之人々ヘ可被申渡候、組等之内才許有之面々ハ其支配ヘモ相達候様被申聞、尤同役中可有伝達事

右之趣、可被得其意候、以上

六月三日

奥村左京

右之通御用番左京殿ヨリ御触有之候段安房守殿ヨリ御廻文有之旨、代判山路忠左衛門ヨリ先達テ申来候事

去秋自分出府以来相勤候御使ヶ所、且公事場方御吟味者之義モ是迄令粗記候得共、当御留守中モ同様之義ニ付略テ不記之候事、任畾紙爰ニ附記ス

或書ニ曰

柴折（シヲリ）　枝折ニハ非す

『南嶺遺稿』（多田南嶺著）

『南嶺遺稿』

1藤原忠平

『南嶺遺稿』

『南嶺遺稿』

柴の戸の跡見ゆはかりしをりせよ
　わすれぬ人のかりにこそとふ

又扶木集に**如顕法師**

しほりしてならひにけりな里人の
　帰る山路に出る月かけ

右、柴折トいふ事ハ山ヘ入る者、元の道ヘ帰る時の心覚へに柴ヲ所々に折懸て置事也、則しば折といふの略語なりト云々

同断

人ヲえらふにハ選の字ヲ書へし、撰の字ハ
　手ヲ以、善悪ヲえりわくる事ニ用る字也
　干支（エト）　同上ニ　兄弟　杜撰（ヅサン／ツクリコト）

同断

扇箱ニ焼杉ヲ用る、是喪中の進物也、木の容ヲやき焦してハ吉事ニハ不相応なりト**貞信公**[1]の記ニ出たりト云々

一、神前ニ毛氈不可敷、是血毯又獣血ニテ穢有

一、神物ニハ大和錦ヲ用ゆへしト云々

今年五月廿六日申三刻頃加州金沢強地震有之、続テ弱地震三度有之、御城内石垣等初所々損

じ、御殿ハ御別条無之、御城下武士町等町家損所多有之、二之御丸昼番組頭高田新左衛門羌種 御小将 領二百五十石、泊番宮井典膳直経 御馬廻領六百石モ、新左衛門ト為交代罷出有之ニ付、両人共御次へ参、格別之強地震ニ付当番御近習頭有沢采女右衛門有貞物頭並二百石まで奉伺御機嫌候処、何之御障モ不被為在旨申聞、然処人持組并諸頭追々登城、何モ御近習頭ヲ以奉伺御機嫌、依之御馬廻頭兼御倹約奉行領千三百石江守平馬値房ヨリ御月番へ申達候ハ、御表向相勤候者共ハ御月番ヨリ被仰渡モ無之候処、遮テ奉伺御機嫌候儀、如何敷奉存候得共、人持中等追々登城、御近習頭ヲ以奉伺御機嫌候間、同席共ニモ同様ニ仕候、此段御達申置候段申述、依テ宮井・高田モ一統之通重テ御次へ出、御近習頭ヲ以奉伺御機嫌候旨申演

一、御城代 領壱万八千五百石 前田大炊孝友 今月御月番且御城代モ御用番也 即刻登城、直ニ御次へ被出、夫ヨリ御席へ被参候上、御大小将横目当番堀左兵衛秀親 四百五十石ヲ被呼、御本丸等損所見分可致旨被仰聞、泊番御横目追付可罷出時刻、其上宮井・高田両人罷在候ニ付左兵衛儀モ一所ニ見分ニ罷出、暫御横目所明候趣等大炊殿ヨリモ被申上候趣取計、宮井ヨリ采女右衛門ヲ以達御聴、御大小将横目 四百五十石 坂井甚右衛門直諟無程泊番ニ出、御横目所久敷ハ明不申、尤地震ニ付差続追々御横目中登城有之、且又定番御馬廻御番頭 四百五十石 吉田八郎大夫兼忠モ大炊殿跡ヨリ見分ニ罷越

一、御城代 一万七千石 奥村河内守尚寛、乍病中押テ登城、其外御年寄中等追々登城、暮過各退出、御用番大炊殿ハ夜五半時頃退出

一、前記之通、人持組等以下役儀御免等之頭分モ罷出奉伺御機嫌候段、於御次御近習頭ヲ以申

上候事
一、江守平馬等ヨリ外御用モ無之哉之旨、御年寄衆等御退出ニ付御用番ヘ御尋申候処、一統相待罷在候様被仰聞候ニ付、各在合候分相待有之候得共、宅々門前囲等及大破候人々モ有之儀ニ付、夫々縮方指図等モ仕度段及御示談候処、門前等及大破候人々ハ可罷帰候、併御呼出之義モ可有之候間、其心得ニテ可罷在旨被仰聞候ニ付、大破之人々迄罷帰候、其後何等之御用モ無之、夜五時前ニモ至候ニ付、御様子承度段執筆役組外小竹直右衛門ヲ以御尋申候処、先御用モ無之旨ニ付、当番之外一統致退出候
一、同夜半頃迄ニ七度震申候得共、強き地震ニテハ無之候事
一、同夜御次辺御仕廻無之、翌朝迄直ニ詰切之事
一、同夜六時過火事沙汰有之、大浦辺出火ト申事ニテ暫有之鎮候、但右火事ハ黒津船神主家等地震ニテ震り潰し、火事ニ相成候事也、其節之委曲末ニ記之
一、右強地震後、御使番二百三十石渡瀬七郎大夫政勝ヲ小立野辺并三社辺為見分被差遣、但七郎大夫野袴・布羽織着用罷越
一、廿七日暁八時過少々、七時過二度、朝六半時過二度、昼之内モ少々宛三度震、同日曇蒸暑、昼後少々風立
一、昨廿六日モ曇蒸暑之事
一、廿七日宮腰ヘ御使番二百石堀兵馬善勝為見分被遣候処、潰れ家二拾軒計、大損家百軒計有之段言上、粟ケ崎黒津船ヘ御使番五百石津田権五郎居方為見分被遣候処、粟ケ崎ニ潰れ家

十三軒計有之、黒津船ヘハ砂沈み難罷越、根生（ふ）迄罷越承合之処、黒津船御宮坂下神主等之
家潰れ、砂山モ潟ヘつき出し候由、同所御宮モ潰れ候由云々

一、廿八日暁八時過、朝五時前少々宛地震、昼八時過微雨、無程霽

一、同日昼宮坂ヘ**渡瀬七郎大夫**、粟ケ崎辺ヘ**堀兵馬**再為見分被遣、附今日雨晴候後大暑ニ相成

一、同日従大聖寺**飛騨守**様御家老**山崎権丞**ヲ以、強地震ニ付為御見廻御登城被成度思召候、先
以御使者被仰上候旨ニ候処、御登城御断被仰進

一、時鐘所甚右衛門坂高也此度地震ニテ石垣等及大破候ニ付、今廿八日ヨリ鶴之丸ニ有之鐘ヲ時鐘ニ
被仰付、暮六時ヨリ撞之、依テ鐘撞足軽詰所出来迄、当分三之御丸御馬廻組番所次之間ニ
相詰候、昼弐人、夜三人、小者壱人宛相詰候事

一、廿九日暁七半時過、少々一度震候事

一、同月廿四日日色[1]出入共如朱雲、色モ久敷赤く大風ニテモ有らんト評区、廿五日・廿六日モ同
様、廿六日昼曇西真風ニテ常ニ無之けしからぬ空也、其頃燕子巣立之折なるニ燕共子ヲ喰ヘ
て何地不知飛去行しト云々、又三太郎船トテ二千五百石積の船、宮腰浦ヘ先日以来参り居候
処、水主梶取等廿五日之気色ヲ見テ、是只事ならずト不取敢逗留中之指引方ヲモそこ〳〵ニ
して早速帆ヲ上テ乗帰候事

一、今年ヨリ七十三ケ年以前強地震有之、其節ハ能州震強し、駄荷馬地面之割れ目ヘ入、不得
動き程之為躰ニ候由、**鳥屋吉右衛門**関助馬場町居住、小鳥商売人今年九十七歳申聞候事

1 太陽

一、金沢町奉行七百石香林坊橋上川縁居住富永右近右衛門助有前鬼之末孫也ト云々屋敷ハ古き普請ニテ損所多、囲之土塀なとモ古く損し有之候処、右地震之節ハ一向損所無之、無難至極なる事、於金沢只此一家而已也、于時此月廿五日廻国之旅僧来り中ハ、於旅中異僧ヨリ伝附之由ニテ 霽平峰夕雱 如斯札ヲ壱枚持参、是ヲ何卒早く届候様被頼候由、申聞指置帰候旨也、此札之守護ゆへか右近右衛門屋敷ニ限り家ハ勿論塀壁ニ至迄少しの損じモ無之候、右異僧ハ先祖之前鬼欤ト云々

一、能州輪嶋産之由ニテ、乞食白子ト云者金沢ニ在之候処、同月廿五日ニ明廿六日ハ強地震可有之ト申候処、果テ符合、又六月十一日ニハ火災可有之ト申ゆへ、金沢中厳重ニ致用心候故か無別条候、右白子ヲ盗賊改方役所ニテ相糺候処、九才之時ヨリ江戸ニ在之、易学致稽古候ニ付、右之変相考候段申聞候事

一、御持弓頭兼御異風才許三百石彦三五番町窪田左平秀政、右地震之夜、家内何モ夜半迄庭ニ居候処、虚空ヲ大きなる鳥飛行、羽ヲ広め候所ハ十間計ト見へ、形ちハ青鷺の如く、毛色ハ夜陰之事ゆへ不相分、至テ静成羽つかいニテ候旨、其後 日ハ失念、同人庭ニテ昼過之事なるに、大なる蜂飛行、真鴨程の大さニテ有之候旨、又其後 日失念 庭ニテ耳有之蛇石垣へ入候、長サ二尺計之小蛇ニテ、耳ハ余程長みモ有之ト見受候由、六月十八日御持方頭寄合宿御持弓頭兼御近習頭百八十石不破五郎兵衛光保宅ニテ左平話、各承之候旨之事

一、御堀石垣七歩之損しト穴生方より言上、但辰巳之方ハ損し薄く候由之事

一、河北郡第一損じ、黒津船神主并せかれ・娘・家来二人、砂山之崩れニ圧れ絶命、右神主斉藤

近江居間ニ父隠居ト致物語有之、妻ハ台子之側ニ嫡子并二男七才・女子六才咄居候処、砂山崩れ人々外へ出、近江モ出候得共、子共ハ就不出、重テ家内へ入候処ニテ砂の下ニ相成候、其人々ハ近江并嫡子・娘・家来男女五人也、妻ハ庭へ出候処、砂岩ニ乗なから湖上へ数丁出候処、引波ニテ又陸へ打戻し候ゆへ助命、隠居并嫡子并妻、且又砂山高ニ遊ひ居候女子五才助命、右嫡子之乳母当時外ニ居候処、其日参り有之、三才の子ヲ抱き出むとして砂山の下ニ成候得共、大指物の間ニ挟まれ候ゆへ圧れす、併潰れ候家の上へ砂高く懸り、中々難出候処、遙か向ニ少々明りするヲ目当トして、潰れ家の木・竹・畳等の間々ヲ潜り、ついニ外へ出助命、其後右潰れ家ヨリ出火之処、上ニ砂山覆ひ候故、消す事不能、然処御先代様之御判物等有之ニ付、嫡子ハ潰家之隅之方可有之ト存、当り之方ヨリ潜り入テ御判物等取出之、少々焼焦候得共形有之、誠ニ是ハ奇妙ト云々

一、宮坂猟師家八軒有之処、六軒砂山之下ニ成五人即死、妻子之死骸深く埋れ取出得不申由之事

　但、右生残候者共ハ翌廿七日朝手繰網之漁りニ出テ、其日之飢ヲ営む産業なから哀れ成事共ト云々

一、小立野がけ片原町家過半下へ倒れ落、或ハ大ニ傾き、依之当分毎日三百人余之三度宛賄、町会所ヨリ近辺於寺院等拵之被下之、中ニモ塩屋三右衛門土蔵ハ谷へ落候テ、名物珍器微塵ニ相成、其外町方土蔵無難なるハ無之、或ハ倒れ或ハ開き又ハ曲り、近江町魚店穴蔵モ多分崩れ、折節用事有之入居候者ハ皆々即死

1水入（水に潜ること）

一、武士屋敷等寺社家等モ右同断、損所多、土蔵モ皆々右同断

一、廿六日以後毎日昼夜二三度宛、才川上之方ニ当り山鳴有之、又海モ鳴候ト云々

一、黒津舟前大崎辺潟中ニ、百七十間ニ五十間計之嶋出来、此外ニモ右様之嶋二ヶ所、右続之潟ニ出来、是ハ砂山ヲ水中ヘ突出し候ゆへ也、都テ右辺之浜スイリ[1]して歩行危く、砂中ヘ股迄落入所多し

一、前記の如く廿六日強地震後、小地震度々昼夜共有之、此次洪水之沙汰、御儒者**新井升平**新井白蛾嗣息、易学ニ長スモ出水ト考之、今来月於無之ハ八九月之内ト云々

一、同月廿六日強地震以前ニ、黒津船向海ニ黒色長サ数十丈見へ、其内ヨリ何やらん空ヘ登る躰也、天気宜く竜巻ニモ非ずト各見居たる処、右之黒色形空ヘ上るト咢(カ)敷地震ニ及ぶト云々

一、加州ニテハ諸家壁の不切所ハ一軒モ無之、尤境塀の不倒所モ無之、然るニ前記ニ委記する如く、**富永右近左衛門**屋敷迄無別条

一、右地震上ハ小松辺迄大抵同様、御城ハ少々之損し之由也、京都ヘ之町飛脚之者、江州木の本ト長浜之間ニテ震ニ合ふ、少々之地震ニ候旨也、江戸ヘ之町飛脚之者ハ、越後雅楽駅ト外波駅之間ニテ合う処、是又少々之地震ト云々

一、連日才川縁渕之高崩れ落、此響ニテ彼筋川縁・堀縁ハ地面ニ破れ多し、歩行心配ト云々

一、六月朔日山鳴、二日ハ曇り細雨

一、都テ川縁住居ハ洪水之手当、其外雑説共区ニテ人心不穏

一、怪我人・潰れ家ハ、家来末々迄可書出旨御触有之

1こも（菰）

一、日雇賃并縄・蒋[1]等之価、俄ニ引上候ニ付、其族買人ヨリ可書出旨、急度町奉行・御郡奉行へ被仰渡有之

一、才川辺町人岡屋茂兵衛ト申者、五月廿六日薬師村本興寺日蓮宗へ参詣、帰路往還大樋町端ヨリ一町計之処ニテ地震ニ合ひ倒れ候処、暫起上り不得、田毎之水東西へ五七尺計程宛傾く内ニ、田水板の如く成テ空へ三四尺計上り、並松五六尺計震れ候ヲ見受候旨、漸無難ニ令帰宅ト云々

一、石灯籠、的場或ハ築山などニ有之分ハ、竿石之侭ニテ六尺計飛上り、落る時四方へ飛倒れ候由、尤所々ニよりて差別有之大同小異也

一、地面割れ候所へ、其後之雨ニテ口広く成、四寸五寸程宛モ明き有之、御城内ニテハ坂下御門内ヨリ石川御門前迄之地面ニ数ケ所割れ出来、其外モ所々同様

一、強地震之節不崩土塀等、六月朔日・二日迄之連日之震ニ追々倒れ、途中往来甚危く、人々心配歩行之為躰ニ候事

一、御城損し候御様子承り、町人共ヨリ為冥加日雇指上度願ひ、或ハ亭主・せかれ等出度願モ有之、六月二日迄ニ三千人余モ出候旨、其願書之内三百人**木倉屋長右衛門**・百人**宮竹屋伊右衛門**・百人**堂後屋三郎右衛門**、夫ヨリ応分限段々有之

御城内外損所大概

一、尾坂口御石垣崩れ、御櫓下大石太鼓塀共落、大手之通りモ崩れ落

一、御作事所・越後屋敷御囲不残倒れ

1罅（ひびが入ること）

一、河北・石川両御門石垣、橋爪・五拾間御長屋台石垣崩れハ無之候得共、石孕み出、或ハ割れ又ハ欠落候也
一、松坂之御居間先き御馬場ひゞり強く、松坂へ落懸り、同所御土蔵右之方へ傾がり、下通り道亀甲の如く割れ、其外御土蔵共多分損ス
一、御城中地面所々ひゞり出来
一、橋爪御門之外地割れ、枡形之内、石垣大ニ孕み出、御門潜り之辺石垣孕み出、切合せ之両角欠け、御玄関前腰懸之辺モ石垣大ニ孕み出
一、石川頬当之外ヨリ地割れ、長サ番所際迄二筋、左堀之方ハ少し地面下り、右之方御堀際、蓮池之押廻しヨリ半分余二間余り欠ケ候テ御堀へ落、やらい半分計ハ其侭有之、右之辺地面不残ひゞり[1]、或ハ地面落入候所モ有之、蓮池御門ヨリ紺屋坂番所前迄之土塀不残倒れ、蓮池前モ割れ落入所モ有之、御堀之高土塀大高崩れ、中程二ケ所石垣共崩れ候、柵御門之方蓮池懸塀モ新敷所ハ残り、其外ハ皆々倒れ、松坂ハ高石垣崩れ、下通り候事危く、左之方御堀際ハ割れ候テ落入候様ニ相成
一、薪丸御土蔵別テ大ニ損ス
一、学校御囲不残倒れ
一、堂形御囲モ多分倒れ
右地震之節、大山モ崩るか如く鳴動し、樹木ハ幣ヲ振か如く、家ハ阿方此方へ傾き、屋根石ハ壱尺計モ飛揚り、地面ハ大波の如く、此間之刻限ハ至テ暫時也 たはこ三ふく計呑候間ト云々、震

中ハ砂煙りニテ四方難見分、家之内の塵芥飛乱し、震後むさき事、足之踏所モ無之為躰ト云々

一、御家老役壱万四千石居邸高岡町今枝内記易直下邸長町ニ居候家来息・男子壱人、人持組四千石居邸木之新保三田村内匠定保下邸白髭前ニ居候家来之娘二人、浅野町之家之娘一人、下女一人、小立野ニ壱人、震之刻塀等ニ圧れ死ス、其外半死等之者夥敷有之

但、近江町之分前記ニ有

一、野田山御廟損、別テ高徳院様御廟崩れ多く、御手洗石・御燈籠倒れ、其外野田一山之墳墓石塔多分倒れ、中ニモ甚きハ折れ候、但、越前石ハ折れ、戸室石ハ不折れ候事

一、寺院寺町筋ハ損所少く、門前之見分左而巳(のみ)目立候事無之候、墓所ハ大方倒れ、或ハ折候事等如野田山、卯辰筋ハ損所多く、墓所等之大破、寺町筋ヨリ大ニ強し、或ハ石塔谷ヘ落、寺庵等破損過分也

一、必死ヲ遁れ候者其数難算へ、土塀之下ヨリ堀出され助命之者等夥敷有之、御馬廻組四百石八坂下居邸鷹栖左門嫡伴吉娘モ、守女共土塀下ヨリ穿り出し助命

一、大小之怪我人難枚挙

一、小立野欠原町辺谷ヘ落候家数三十軒計、小立野大乗寺坂高ニモ六軒、其外新坂・嫁坂等ニモ有之、然処地震ヨリハ崩れ之間ハ有之候哉、皆々逃出、人損し僕一人、馬坂ハ追テ崩れ家二軒也、百々女鬼橋落、退路無之

右家崩れ落候者共三百十九人也、於慶恩寺等ニ町会所ヨリ賄也、前記互見

一、当座御用金欤、町家ョリ銀五十貫目御借上有之
一、御城中損所御囲、まづ当分簀垣或ハ松板並べ打ニテ出来
一、右強地震同刻、越中富山御米蔵焼失
一、右強地震、越中川上今石動辺ハ厳く、津幡・竹之橋モ同断
一、能登ハ高松辺ョリ奥、左のみ厳敷ハ震り不申
一、上口ハ松任辺迄ハ厳く、浜手震後塩干有之、二三日ニテ如常
一、大聖寺ハ不厳震之由
一、幼年御年寄役列三万石居邸材木町横山山城隆盛邸内、其外浅之川筋・田井筋・小立野筋、暨御城内石川御門外辺、強地震之刻地割れ強く、ふかくくト割れ目二三度モ開きてハ合ひ致候事、足軽番所其外モ、所之者等見受、往来人モよくく見請候、田井筋・鶴間谷などハ別テ三尺余モ地割れ、其中ョリ水吹出し候処ヲ見受候者共多く有之、其内吹水一丈余モ空へ上り候処モ有之候由之事
一、三社筋等家、縁柱倒れ候所モ所々ニ有之
一、御馬廻組加州御郡奉行五百石居邸ハ瓢箪町堀端栂喜左衛門家ハ大損し居住難成、依之家内何モ類門杉江長八郎宅へ引移令同居、右家ハ当分明ヶ置、其外修理不加してハ当冬住居危き家共ハ、所々ニ多く有之、惣体家損し強弱甚有之、隣家ハ大破、此方ハ左程ニ不損ト云類ひ夥し、土蔵・土塀之損しハ大抵一統なれ共、是又甚強弱あり、町中土蔵平均八歩通り之損じニテ、一円手入ニ不及ト申土蔵ハ武家・町家等ニ至迄一円無之、就中四面土等震ひ落し

1 惣構堀

一向用事ニ難立土蔵モ数多有之

一、枯木橋高、尾張町入口右之方、新町ヘ之小路惣構川縁之家共、多分惣川之方ヘ傾く、別テ同所銭商売人小払屋小右衛門家座敷并土蔵共惣川[1]ヘ崩れ込、右之外惣テ惣川等之高、或ハ坂之高ニ有之家共ハ多分傾き或ハ崩れ落

一、尾坂之下、大家ハ長屋等之損別テ甚く候事

一、浅野川橋場町銭商売人羽歩屋伊右衛門借家也、家主ハ荒木屋八左衛門トいふ土蔵後之惣川ヘ崩れ落、此並ひ家多く破損

一、新町福井土佐旅屋等続之後地、石垣崩れ地面モ欠け落、母衣町・主計町之町家等ヘ落重り、家共ハ悉く大破ニ及候得共、怪我人ハ無之

一、尾張町・今町等之町家・土蔵多分壁割れ落、或ハゆがみ、戸前開閉難成分多し

一、前記ニモ有如く、近江町魚肆(し)之穴蔵多分崩れ、隣家之穴蔵ト一つニ成候処モ有之、家共天秤釣ニ致置候所モ又多し、然るニ井戸ハ一円崩れ不申、方円之違故歟ト云々、其外所々ニモ井戸之崩れハ至テ少き由也

一、全体浅野川ヨリ北、才川ヨリ南之方ハ損し薄く候事

一、強地震後、所々井戸水三尺計モ増、翌日ヨリ如元ニ減少、且川水悉く二三日モ濁る、是山崩れ故ト云々

一、小立野ハ、材木町高之方続ハ損し薄く候事

一、大樋口、地面之割れ目ヨリ焰出候所有之由之事

一、小松ヨリ上、越中筋モ強地震トハいへ共、金沢之震ニ競べ候テハ半ニモ無之由之事
一、第一浜手震強し、宮腰道之大石辺ニ休居たりし者之話ニ、大石地中ヘ埋入候様ニ見へ、並松ハ倒れ候様ニ見へ候由云々、宮腰町家潰れ家夥敷、粟ヶ崎宮之左右崩れ、其下ニ有之百姓家不残押倒し、併死人ハ無之
一、強震暫前、宮之腰等之海波立、けしからぬ事三度有之、無程震之節、数多之蟹類・諸魚共水面ヘ浮出候由也
一、粟ケ崎筋、砂地八角ニ割れ、其割れ口ヨリ塩水吹出候処有之、其中ニハ四五間モ続テ割れ候処有之、其底ニモ又割目ヨリ水見得候事

銀六十五貫目　人夫六万五千人代　新川郡ヨリ
同三十五貫目　同　三万五千人代　（砺波郡ヨリ／射水郡ヨリ）

右ハ御城損所等為御用人夫ニ可罷出処、遠所且農業ニ付、代銀ヲ以上納相願、御聞届之事
但、壱人ニ付壱匁宛之図り也

御届書左之通

今月廿六日申刻、国許大地震ニテ金沢城中并櫓ハ無別条候得共、所々囲損所有之、其外城下侍屋敷・町家等モ破損所多、怪我人等モ有之躰ニ御座候、委細之儀ハ未相知不申候間、追テ御届可仕候、先右之趣御届申達候、以上

五月廿六日　　御名

右ハ六月中旬当日之日付ニテ御届有之、追テ左之通、八月中旬頃委曲之御届書被出之

加州金沢城中ヲ初、地震ニテ損所等之覚

一、本丸之内　石垣孕所　七ケ所
一、二之丸之内石垣孕所　六ケ所
一、同　石垣崩所　四ケ所
一、三之丸之内石垣孕所　七ケ所
一、同　石垣口開所　壱ケ所
一、大手口石垣崩所　壱ケ所
一、玉泉院丸之内石垣孕所　二ケ所
右之外惣囲土塀大半崩れ損申候
一、四千百六拾九軒　城下損家数
内
弐千三百五拾七軒　侍并歩・足軽・小者曁家来召仕之者
弐百六拾軒　寺社
千五百五拾弐軒　町家
一、弐拾六軒　同潰家数
内壱軒　社家

一、九百九拾弐　　廿五軒　　町家
　　　内、三ッ　　同損土蔵数
　　　　　　　　　潰土蔵
一、千九百六拾七軒　加州能美郡・石川郡・河北郡、損家等数
　　　内千三軒　　損家
　　　九百六拾四軒　潰家
一、八ッ　　　　　石川郡・河北郡之内損土蔵
　　　内、壱ッ　　潰土蔵
一、拾五人　　　　死人
　　　内、六人女
一、拾弐人　　　　怪我人
　　　内、五人女
一、牛馬別条無御座候
右、当五月廿六日国許大地震ニ付、先達テ金沢城中并櫓ハ無別条候得共、囲等損所有之、其外城下侍屋敷ヲ初、破損所等有之候段、御届御達申候処、其後モ少々宛地震有之、元来初発之強地震ニ城中石垣ゆるみ候躰ニテ追々損所出来、且又城下侍屋敷ヲ初、損所等如斯御座候、右之外、家来之者等居屋敷囲土塀大半崩申候、以上
　　未八月　　　　　　御名

附記

今年鄰[1]東邸[2]の官舎ニ在り、于時六月四日巳之上刻、金沢ヨリ之早飛脚着テ、五月廿六日大地震其後小地震度々いまた震り不止、公の御障りなき事のみ告来りて、只何方モ損じぬる由、ことく〳〵敷言越したり、日ヲ経テの便りニハ初めニ聞し程ニなけれ共、当御家初めより以来聞及ばぬ程の地震也、此事前記の如し、それにつきて思ひ慮るニ、東都ハむかしより地震する事常ニして珍しからねど、今度加府の地震ニ似たる程なるモ稀なり、然れ共元禄十六癸未歳十一月廿二日の夜半の地震こそ古今未曾有の事ト思はる、其後モ

是ニ似たるもなし、載籍のまゝヲ左りニつゞる

癸未[3]の年十一月廿二日の夜半過る程ニ地おびたゝ敷震ひ、衆人目さめて起出るニ、爰かしこの戸障子みな倒れぬ、地裂る事モあらめト東の方の庭ニ出テ、倒れし戸とも並へテ妻子ヲその上にあらしめ、我ハ殿中ニ参りぬトせし程ニ、道ニテ息切るゝ事モあらめト、小船の大波ニ震るゝか如くなる家の内へ入テ、薬器取出し側らニ置テ、衣モ改め着せしが、彼の薬の事ヲ忘れテ走り出候ニ、神田明神の辺りヲ通りし頃、又強く震ひ出テ、其辺なる町家あたかも舟の大波ニ動く如く、少し損じある家ハ片端より覆り倒れたり、昌平橋ヲ過テ暫くはせ行所ニ、地裂けテ水の涌出るヲはね越しして、神田橋の此方ニ出る頃、又強く大ニ震ひ出テ、数百の箸ヲ折る如く、又蚊の数万聚(あつま)り鳴如くの音聞ゆるハ、家々の倒れて人の叫ふ声成也、神田橋の石垣モ崩れテ微塵空ヲ蔽ふ、かくてハ橋モ落むト思ふうち、橋ト台との間三四尺計崩れしかバ、躍り越して門ニ入しニ、家々の腰板放れテ大路ニ横たはる、辰之口ニ至

1 政隣のこと
2 江戸屋敷
3 元禄十六年

1 新井白石（寛18 361頁）

2 附木店（地名）

る頃諸方の門など、塀モ地ニ倒れ重ること山の如し、そこヲやうく過テ殿中ニ至り、常ニ候する所ニ参りテ見るニ、戸障子たをれテ入へらず、かゝる時なれバ推参せめト、常の御座近く参るニ爰かしこモ戸障子倒れテ上ニハ庭ニ御座ますなりトいふ、まだ此時モ地震ふ事頻りなり、やうやく夜ハ此時明ケ渡りぬ、され共まだ地震ひやまず、午の半は頃ニ至りテ、震ひ少し静まりしまゝ御暇出テ、未の初め頃拙家ニ帰りぬ、此地震ニ殿屋悉く傾きたれバ、東の御馬場ニ仮家うたせて御座ます、翌廿三日モ終日地なを震ひやまず、それより日ヲ重ねテ震ひしが、同月廿九日の夜、我家の辺り火出テ焼失ぬ、其外諸方火起れり、大火ニハ至らす、地震モ日ヲ重ねて漸々ニ止みたり

右ハ新井筑後守君美[1]、湯島ニ住宅之頃、自書ありし書より、因みニ任せテ附書す

七月大 壬申

朔日 ヨリ晦日マテ晴陰交、多分快晴、且六日夜子上刻頃ヨリ雷鳴数百連綿、大雨如傾盆、間々雹降、大ハ目量百目余、小五六匁余、草木之葉悉く皆破裂、暫時行路如川、丑刻ニ及テ霽晴静謐、右雷本郷四丁目附木棚[2]此方様定府与力領百石池田弥十郎居宅庭へ落、榎等覆へる、廿九日晦日夜微雨洒（そそぐ）、上旬炎暑、中旬秋暑応時、下旬昼夜共蒸暑難堪気候

同日 於金沢左之通被仰付

御馬廻頭　渡辺主馬代

御小将頭ヨリ　野村伊兵衛

同日 同断、半納米価左之通、余ハ準テ可知之

地米五十五匁　羽咋米四十四匁　井波米四十壱匁五分

右之通ニ候処、二日ヨリ段々下直ニ相成、及下旬テハ井波米等之分三十八九匁計、八月下旬ニ至候テハ地米四十五六匁、右ニ准遠所米皆々三十目余ニ相成

二日　金沢強地震二度、翌三日モ一度有之、最初之地震ハ余程強、人々竹藪等ヘ逃入、御近習向ハ伺御機嫌罷出候程之由、尤去月廿六日ニ競ヘ候テハ微少ト云々

四日　於金沢、跡目等左之通被仰付

四百五十石　御馬廻ヘ被加之　才記嫡子　河地松之助

三百石　組外ヘ被加之　伊左衛門せかれ　横地虎十郎

千七百石　御馬廻ヘ被加之　猪之助養子　金森量之助
内、二百石与力知

二百三十石　組外ヘ被加之　又之丞せかれ　橋爪左門

二百石　組外ヘ被加之　右平太養子　賀古橘江

三百石之内
二百石　三蔵嫡子　木村兵群

御配分
百石　同人二男　木村新平
兵群・新平ヘ被下置候御切米ハ被指除之

千五百石　弥市郎家督相続　岡嶋常五郎

千石　九郎兵衛養子　溝口乙哲

六百二十石　権兵衛嫡子　進士求馬

六百石之三ノ一　二百石　兵助嫡子　杉江長八郎

四百五十石　直右衛門せかれ　森田馬之助

四百石之三ノ一　百三十石　老次郎末期養子　別所五百次郎

三百五十石　隼太せかれ　小川早之助

二百石　平之丞嫡子　水越覚左衛門

百五十石　勘左衛門養子　寺西勘六郎

同　丹助養子　行山八郎左衛門

百三十石　平左衛門嫡子　藤井弁太郎

百石　弥守養子　小泉守之助

七十石　宗左衛門養子　蓑輪平作

五十石　善大夫二男　青木助左衛門

六百五十石　元右衛門せかれ　岡田長太郎

百石　忠蔵養子　藤田吉三郎

遺知三百石之内　弐十人扶持　貞元養子　端　一庵

遺廿人扶持之内
十五人扶持　元良養子　黒川元恒

百三十石　七郎嫡子　宇野源大夫

源大夫ヘ被下置候御切米被指除之、御鷹匠ニ被仰付候

百石　勝助養子　中村猪助

残知
百四十石　本知都合二百石　組外ヘ被加之　亡父宗右衛門知行無相違　原　亥之助

九十石　本知都合百三十石　亡父織人同断　石黒鍈之助

四百四十石　本知都合六百六十石　亡父瀬兵衛同断　大野八九郎

四百石　本知都合六百石　亡父左平太同断　浅加貞二郎

八十石　本知都合百二十石　亡父左兵衛同断　田辺仙太郎

百四十石　本知都合二百石　亡父大作同断　和田鉄五郎

百石　本知都合百五十石　亡父南左衛門同断　南　源左衛門

七十石　本知都合百石　亡父清大夫同断　新井勘三郎

六日　於金沢、縁組・養子等諸願被仰出、且左之通
病気ニ付願之通役儀御免除　小松御馬廻御番頭　津田孫兵衛

七日　同断、左之通被仰付
御小将頭　野村伊兵衛代　御歩頭兼御用人ヨリ　岡田助右衛門

定番頭へ

当時調達方別テ不通用ニテ御家中之人々難渋躰被聞召候、依之役銀曁学校銀之外、当月上納銀之分格別之趣ヲ以御用捨被成候、不指支人々ハ指上候義、勝手次第候、且又町方指引之義ハ不筋之族無之様可相心得候事

右之趣被得其意、組・支配之人々へモ可被申渡候、組等之内才許有之面々ハ其支配へモ相達候様可被申渡候事

右之通一統可被申談候事

未七月

右御用番被仰聞候旨、例之通定番頭廻状出

十日　於金沢、左之通被仰付

御用人本役　御用人加人ヨリ　小原惣左衛門

同断　御先手ヨリ　安達弥兵衛

十一日　同断、於御前被仰

御歩頭　岡田助右衛門代　御先弓頭ヨリ　矢部七左衛門
兼御倹約奉行ハ御免

御先弓頭　矢部七左衛門代　組外御番頭ヨリ　千田治右衛門

今月十三日病死　御馬廻頭　享年六十七才　多田逸角
但、病気指重候刻、一類安達弥兵衛ヲ以かたこ之粉・串海鼠、御内々被下之、最前御近辺相勤候故歟ト云々

十三日　於金沢、左之通被仰付
定検地奉行　江戸御広式御用人ヨリ　武藤伊織
但、只今迄被下置候御役料五十石ハ被指除之

十七日　同断、於御前被仰付
組外御番頭　千田治右衛門代　御馬廻組新川御郡奉行ヨリ　篠原権五郎

十八日　前月廿八日記ニ有之暑御尋之宿次御奉書、今月四日金城ヘ着、御礼之御使御馬廻頭関屋中務ヘ翌五日被仰渡、同八日金沢発、今日四時過参着
御用人本役被仰付　御用人加人　庄田要人
右、今日於御席前田織江殿御申渡

廿八日　於金沢、左之通御用番安房守殿御宅ニテ、左之通被仰渡
附記　人持組御算用場奉行　永原大学
組頭並同断　笠間九兵衛
各義今般御召米一件ニ付、御馬廻頭ヨリ申聞候品有之、右取捌方之様子相尋候処、答之趣委曲紙面等被指出候ニ付、前々右様之義モ有候哉ト相尋候処、寛政二年・同三年ニモ有之由ニテ、給人名前等写モ被指出、委曲相達御聴候処、前振トハ様子モ致相違、御家中之人々名

前ヲモ書記、御算用場印紙面ヲ以町奉行ヘ申談候以後追々詮議、変候族等彼是以軽々敷取
捌方不都束(ふつつか)之至被思召候、御咎モ可被成候得共、其段ハ御用捨被成候、以後之義相心得候
様可申渡旨被仰出

附記　御馬廻頭兼御算用場奉行　**小寺武兵衛**

御手前義、今般御召米一件ニ付、本役ヨリ申聞候品有之故、取捌方之様子相尋候処、答之
趣委曲、**永原大学**等連名之紙面等被指出候ニ付、前々右様之義モ有之候哉ト相尋候処、寛
政二年・同三年ニモ有之由ニテ給人名前等之写モ被差出、委曲相違御聴候処前振トハ様子モ致
相違、御家中之人々名前ヲモ書記、御算用場印紙面ヲ以、町奉行ヘ申談候以後、追々詮儀、
変候族等彼是以軽々敷取捌方不都束之義ニ候、持組モ有之候処、別テ未熟之至ト被思召候、
依之指控被仰付候、此段可申渡旨被仰出

七月廿八日

右、**小寺武兵衛**指控、九月十三日御免許被仰付

前洩
今月廿一日於金沢、左之通於御前被仰付

御馬廻頭　**河地才記**代　御小将頭ヨリ　**青地七左衛門**

及老年ニ付月番御免許　**長　大隅守**

同廿五日同断

御小将頭　**青地七左衛門**代　御歩頭ヨリ　**団　多大夫**

稲ニ花付、実入ニ相成候間、石川・河北両御郡、当月十日ヨリ九月廿五日迄、御家中鷹野遠慮有之候様仕度旨、改作奉行申聞候間、夫々被仰渡候様仕度奉存候、以上

七月三日　　　　　　　　　　　　　　　　小寺武兵衛

本多安房守様

右御触出

関屋中務組御馬廻長屋左近家来池田権大夫、鍛治町ニ罷在候処、家伝薬良勝散ヲ諸人為助、看板出し売弘度旨、左近紙面出之、中務ヨリ町奉行中ヘ申達候処、薬種肝煎手前ニテ遂詮儀候上、於町会所誓詞申付、売弘候様ト申来、則二月十五日誓詞相済候上、看板等出し売弘候事

癸酉八月小

朔日　晴、二日雨、三日晴、四日五日六日七日雨、八日陰、九日十日陰晴、十一日同、十二日陰雨、十三日十四日十五日晴陰交、十六日十七日十八日十九日雨、廿日廿一日廿二日廿三日廿四日陰、廿五日雨、廿六日陰、廿七日雨、廿八日廿九日陰、今月気候秋冷多分

同日　御館、前々之通平詰

同日　於金沢、左之通於御前被仰付

御先筒頭兼御異風才許ヨリ　今村三郎大夫

御歩頭　団　多大夫代

兼役ハ御免除

1榊原職序（寛2 204頁）

三日　同断、名代ヘ御用番村井又兵衛殿被仰渡

　病気ニ付依願役儀御免除　　御大小将御番頭　古屋也一

四日　上使御使番榊原左衛門[1]殿ヲ以、御鷹之鶬（まなづる）三十、筑前守様御拝領、御例之通御作法之事

六日　於金沢、左之通被仰付

　会所奉行　　御大小将　土方勘右衛門

同日　暁、坂井小平筑前守様附御大小将横目在金沢、居宅宗淑町居宅ヘ賊躰忍入候様子ニ付起出候処、脇差一刀帯し候者逃出候ニ付、小平壱人ニテ難召捕候故、帯し有之脇差ニテ突留置、検使乞書付指出候処、同日夕令絶命候ニ付、重テ書付出候処、同夜公事場検使相済、死骸ハ賊躰ニ付公事場ヘ引揚有之

　但、右賊躰之者ハ当年三月迄小平方ニ召仕候小者次助ト申者、当時ハ大隅守殿御家来召仕候小者ニ付、御同人ヨリモ検使乞有之

七日　於金沢、左之通被仰付

　大組頭　古屋孫市代　　御持筒頭ヨリ　生駒伝七郎

　御近習只今迄之通

　御異風才許兼帯　　御先筒頭　田辺長左衛門

　御射手才許兼帯　　御先弓頭　久能吉大夫

　新川御郡奉行　　御馬廻組　稲垣三左衛門

玉薬奉行　　　御異風　今村源蔵

土清水薬合奉行　　　同　井上丈助

十一日　同断

御大小将御番頭　古屋也一代　　　御大小将ヨリ　中村織人　改宗左衛門

十五日　同断

五十石宛御加増　　　御表小将　上坂久米助

先知都合弐百石宛　　　同　松平康十郎

本吉湊才許　近藤次郎助代　　　御馬廻組　白江金十郎

次郎助ハ先達テ御指除

廿五日　今月七日ニ付御年寄衆等御連印奉書今日到来、左之通被仰付

御持筒頭　坂野忠兵衛代　　　御先筒頭ヨリ　庄田要人

兼御用人只今迄通

廿八日　於金沢、左之通被仰付

小松御馬廻御番頭　津田孫兵衛代　　　御馬廻組御普請奉行ヨリ　阿部昌左衛門

同　日　金沢暮頃地震、所ニよりて強し

1 小松・七尾・宇出津・今石動・魚津・高岡

前洩
定番頭へ

△学校銀当七月上納之筈ニ候処、取立方指支候間、当月上納有之筈ニ候、御城御造方人足賃金モ当月上納之筈ニ候得共、今以調達方不通用ニテ御家中之人々難渋躰被聞召候、依之当月上納右両様之分、本納時節迄御用捨被成候間、当十月可致上納候、尤上納不指支人々ハ指上候義勝手次第ニ候事、右之趣被得其意（例文ニ付略ス）

右之通可被申談候事

未八月

△御当地両銀座并於遠所六ヶ所[1]封付之銀子、江戸表へ指遣候得ハ目減相立候旨、彼地会所ヨリ申来候ニ付、則会所懸合候処、右会所ニ用来し分銅、年久敷相立、すれ等ニテ外之分銅ヨリ軽目之由ニ付、去々年ヨリ新分銅ニ相改候後、到来候銀子目減相立候段申越候ニ付、銀座共手前遂詮議候処、御国ニテ是迄用候分銅之義モ年久相成申義ニ御座候間、すれ等ニテ軽目相成候義モ難計、何れニモ新分銅取寄相しらへ度段申聞候ニ付、則京都座ヨリ為取寄しらへ合候処、百目ニ付弐分計新分銅ニテハ強く相懸り申候、依之御当地銀座両所・遠所六ヶ所天秤座共、新分銅ニ相改、九月朔日ヨリ右新分銅相用度段、銀座共申聞候、左候得ハ八月晦日迄封付渡候銀子ハ於御領国之定入目共百目弐分可有之候処、前段之通分銅軽目相成候ニ付、弐分之入目無御座候ニ付、封付替候節ハ弐分入目不足仕候段、銀座共申聞候間、九月朔日ヨリ封付替ニ指向候節ハ、其心得有之候様、御家中一統并町方等へ夫々被仰渡候様ニト奉存

候、且八月晦日迄封付候銀子一時ニ封附替候義ハ諸向指支候、於銀座モ手張出来兼可申旨銀座共申聞候間、当分古封入交通用仕可然奉存候、右之趣一統被仰渡候様ニト奉存候、以上

八月六日　　永原大学

村井又兵衛様

右御触有之

今月廿二日　於金沢、江守平馬御馬廻頭兼御倹約奉行 領知千三百石家来給人三人・足軽壱人・小者馬捕壱人都合五人一集ニ令出奔、且平馬印章盗出、押之銀三貫目出入之町人ヨリ謀証文ヲ以借受取逃、且又自分々々之由緒帳并請合証文モ取逃致候事

大高東栄 御医師江戸在住　家蔵、左之両品令所望、今月十七日初テ一覧

蛮産鼉龍[1]　以薬水蓄硝子壜[2]中

同　蛤蚧[3]　同断

右鼉龍形似守宮(やもり)、背尾有鱗、甲長サ一二丈、尾長半レ身、是咬𠺕吧噶羅[4]之洋海中ニアリ、又蛤蚧モ形如守宮蟾蜍[5]ニ似タリ、右両品共尺計之者、東栄蔵蓄セリ

或書曰、立春大吉の四字、裏より見ても同字ゆへ邪鬼之呪也ト云々

1だりゅう（古代中国の鰐に似ている空想上の動物）
2ビン（罎と同じ）
3こうかい（オオヤモリ）
4ジャガタラ
5せんじょ（ひきがえる）
立春に玄関に張る御札の立春大吉の文字は裏から見ても同じ字なので、邪鬼がこの家に入るのを間違えて逆戻りするという言伝えが京都にあるという

九月大 甲戌

朔　日　二日三日四日五日六日晴陰交、七日風雨昼后ヨリ快晴、八日ヨリ十九日マテ晴陰交、廿日雨、廿一日陰、廿二日微雨、廿三日ヨリ晴陰、廿六日昼ヨリ雨、廿七日雨、廿八日廿九日晴陰、晦日雨天、今月気候応時

四　日　左之通被仰付

江戸御広式御用人　**青山数馬**　附定府

御加増五十石　先知都合二百石

数馬義、江戸御広式御用向入情ニ相勤、今度御婚姻御整ニ付テモ彼是骨折候ニ付如此御加増被仰付

五　日　左之通於御席、**前田織江**殿御申渡

表御納戸奉行　**飯尾半助**

野田太郎左衛門ト為交代此間参着之処、来春御参勤御時節御伺之御使被仰付候条、今月廿一日金沢発足之趣ヲ以、来月ニ至可相勤旨今日被仰渡

同　日　左之人々於金沢、御大小将ニ被仰付

六百五拾石　廿三才　**岡田求馬　貞久**

六百石　十七才　**富田鉄次郎　孝至**（ノリヨシ）

五百石　十九才　**太田兵之助　定吉**

四百五十石　二十才　**大嶋新左衛門　弘道**

同　二十五才　**河地松之助　秀実**

四百石　十八才　斉藤金十郎　詢司（サダヨシ）
三百石　十八才　中村鉄四郎　義崇（ヨシナリ）
三百石　十九才　横地虎十郎　惟直

九日　重陽、前々之通平詰

十日　氷川祭礼山等引候ニ付御見物旁御中屋敷へ寿光院様[1]・御前様[2]御同道、六時御供揃ニテ被為入御物見ヨリ山等御見物、夫ヨリ王子筋御行歩、夜ニ入、御帰候事

廿六日　五時御供揃、御忍御行列ニテ青山仙寿院へ寿光院様[3]・御前様[4]御同道御参詣之処、御附頭土肥庄兵衛煩引ニテ指支候間、騎馬御供可相勤旨、前田織江殿昨日御申渡ニ付、則御広式へ相揃候処、五時過御出被遊候、於仙寿院二汁五菜・酒肴・吸物等之料理、夕方一汁三菜之料理被出之、且為御持之御小盞・酒被下之、翌日御附御用人ヨリ奉文ヲ以、生菓子被下之、御礼返書ニ申上候様申来、将又右仙寿院ヨリ御歩行ニテ近辺之八幡へ御参詣并百姓家之水車御覧 龍（岩）元寺庭・円座松等モ御覧之筈ニ候処、雨天ニ相成御延引、暮六時過御立ニテ五時過御帰、御表ヨリ之御供自分・御横目三宅平太左衛門・御大小将神尾昌左衛門・水野庄五郎之事

今月六日　於金沢、左之通被仰付

御弓矢奉行　南御土蔵奉行 組外ヨリ　寺西弥八郎

同　十日　同断

南御土蔵奉行　組外　木村兵群

1 重教室千間
2 治脩室正
3 重教室千間
4 治脩室正

1 政隣

同　十三日　同断

御普請奉行

御馬廻組　小松町奉行ヨリ　有賀清右衛門

御大小将御馬廻組等　山崎鉦助等

同　廿八日　同断

廿三人

右二之御丸於桧垣御間、学校御主付奥村河内守殿・本多安房守殿・前田大炊殿・村井又兵衛殿御列座、左之通御演述

右之人々於武学校、武芸稽古寛政八年正月ヨリ同九年五月迄之出座三十度ニ満、其後無懈怠出情仕候段、去春御発駕前相達御聴置候処、一段之義ニ被思召候、依之御目録之通被下之候、以後猶更無油断可致出情段被仰出候事、御目録・袴地一具附地表奥嶋、裏郡内、海木馬乗袴也ハ御用人小原惣左衛門渡之、但御礼勤河内守殿等并学校御用頭佐藤勘兵衛御馬廻頭ヨリ兼之・九里幸左衛門同断・杉野善三郎御先手ヨリ同断・加藤用左衛門物頭並・富永靱負寄合、戸田斉宮宅々へ参出

右之内、在江戸之分ハ代判人御呼出ニテ拝領被仰付

百二人　無息之人々与力御歩等并無息共

右御用之義有之候条、明廿八日四時頃学校迄可被罷出旨、当病等ハ代人可差出旨、役所付之来状ニ付各罷出候処、勘兵衛等六人列座被仰出之趣演述、前記同断、御目録品物モ同断御目録渡之、為御礼同日并十月朔日之内、布上下着用河州殿等并勘兵衛等宅々へ相勤候様申談有之、且父兄等ハ河州殿等四家迄へ相勤候様申談有之候事、但自分[1]せがれ辰之助義モ拝領物等被仰付候段十月十一

日告来ニ付、同十四日便ニ左之通紙面折紙認ニテ指出之

一筆啓上仕候、然ハ私せかれ**辰之助**義、前月廿八日段々被仰出候趣ヲ以、於学校御目録之通拝領被仰付、存懸モ無御座、於私難有仕合奉存候、右御礼申上度、呈愚礼候、猶奉期後喜之時候、恐惶謹言

十月十三日　**津田権平** 政隣判

奥村河内守様等御主付四人へ壱通宛

右之外御組頭**安房守**殿へ別段ニ御安否御尋申文面書入出之、於金沢**辰之助**義モ別段ニ相勤候旨モ申来候事

△御家中之面々諸殺生御免場之内ニテモ網懸・もち[1]八寸以上之串指候義、且三里四方天網張小鳥捕候儀、御停止ニ候処、御免場之内ニテハ不苦様ニ末々心得違之者有之体ニテ猥ニ相聞候ニ付、以来右体之義無之様、天明五年・寛政元年ニモ一統相触候得共今以心得違之者モ有之、別テ天網張之義、御郡方之者ト申談、網場拵置候者モ有之躰相聞、甚猥之様子ニ候、依之以後右躰之殺生人見受候ハ厳重ニ召捕候様、御郡方之者へ申渡候条、心得違之族無之様御家中之面々等家来末々迄申付置候様一統被申触可被成候事

未九月

別紙若年寄中紙面之通可得其意旨等、御用番**前田大炊**殿ヨリ今月十日御触出有之

1 黐（とりもち）

石川・河北両御郡山々御家中鳥構場之内ニ、松枝等下し或ハ生松之枝ヲ枇き根ニ火ヲ焼、損木等多出来、彼是山々荒申ニ付、寛政五年・同八年御届申上候通り御座候、然処御家中家来末々之者共心得違有之、今以山々所々ニ右様之義多有之、其上是迄構場ニテ無之場所ニ新たニ札ヲ入立、枝等ヲ伐荒候ヶ所等有之旨等、山廻り之者共及断申ニ付、札之義ハ見付次第為取除申義ニ御座候、将又御休之内成長最中之松木之真等打、構場之様ニ仕なし候ヶ所モ有之、甚猥之趣共有之、御縮方行届兼申候間、以来心得違無之様御家中家来末々之者共迄厳重被仰渡御座候様仕度奉存候、以上

未九月廿日

馬場孫三
栂　喜左衛門

前田大炊様

右大炊殿ヨリ同月廿九日御触出有之

乙亥 十月小

朔日　晴、二日降晴交、三日四日陰、五日六日七日雨、八日九日十日快天、十一日雨、十二日十三日十四日十五日晴陰、十六日雨、十七日ヨリ廿九日迄晴陰交、折々夜雨アリ、今月気候応時、上旬微か暖也

同日　金沢本納米価左之通、余ハ准テ可知之
地米四十六匁　羽咋米三十六匁五分　井波米三十四匁

四日　金沢二之御丸へ人持・頭分筆頭壱人宛御呼出、各四時過致登城候処、於桧垣之御間、四五人宛へ左之御書立御用番安房守殿御渡之被成候事

御家中一統難渋之処、当夏地震ニ付人々居宅囲廻りモ損所多様子被聞召、弥増可致難義儀ニ付何卒格別御救モ被仰付度思召候ニ付、早速御僉義モ被仰付候得共、累年御勝手御難渋之処、近年打続過分之御物入有之、別テ御逼迫至極ニテ被成方モ無之候、去々年モ御家中難渋ニ付増御借知之分一作被返下、小身等之人々ヘハ御貸銀モ被仰付候事故、当年ハ誠ニ非常之物入モ有之、其上近年トハ米価モ下直ニ候得ハ御借知モ全被返下、御救モ被仰付度儀ニ候得共、御手繰モ甚六ヶ敷、中々其所ヘハ至不申、御心外ニ思召候、乍然誠精御詮儀之上、増御借知之分今年一作一統被返下、三百石以下之人々ヘハ増御借知共都テ拾石宛被返下候条猶更遂勘弁取続可申候事

今般増御借知等一作可被返下旨被仰出候趣、別紙ヲ以申渡候通ニ候、御勝手振ハ去寅年以来申渡同様之内、近年別テ不時御物入モ有之、中々御借知難被返下候得共、今年非常之物入モ有之義、其上頭々ヨリ段々願之趣モ有之ニ付、別紙之通被返下候、右之趣ニ候間、其侭指上度人々ハ勝手次第ニ候、此段モ達御聴申聞候事、別紙両通之趣被得其意、組・支配之人々ヘ可被申渡候、且組等之内才許有之人々ハ其支配ヘモ相達候様被申聞、尤同役中可有伝達候事、右之趣可被得其意候、以上

十月　　　　　　　　　　本多安房守

付札　御横目へ

今日申聞候被仰出之趣ニ付、布上下ニ改、為御礼人持・頭分二三日中ニ御用番宅へ相勤可申候、幼少・病気・在江戸等之人々へハ同役又ハ筆頭代判人ヨリ可有伝達候、右人々御礼名代人、御用番宅へ相勤可申事

一、組・支配之人々、御礼ハ其頭等宅へ相勤、頭・支配人ヨリ御用番へ以紙面可申聞候事

一、与力へハ其寄親ヨリ可申渡候、御礼モ寄親迄罷出可申事

但自分御礼ニ相勤候節、与力之義モ一集ニ可申述候事

右之通夫々可被申談候事

十月四日

付札　定番頭へ

△

今般一昨被返下候増御借知等、御米ヲ以被返下候テハ売捌出来兼可申躰ニ付、此節之直段極ヲ以、代銀ニテ御調達次第来月中ニ可相渡候、尤御米ヲ以請取申度人々ハ勝手次第ニ候条、猶更直ニ御算用場懸合可申候事

右之趣被得其意、組・支配之人々へ可被申渡候、組等之内才許有之面々ハ其支配へモ相達候様可被申渡候事、右之通一統可被申談候事

未十月

付札　定番頭へ

右定番頭へ御用番安房守殿御渡之旨、例之通廻状有之

△学校銀当七月并御城御造営人足貸銀、同八月上納有之筈ニ候処、調達方不通用ニテ御家中之人々難渋之体被聞召候ニ付、本納時節迄御用捨被成候旨先達テ申渡置、然処今以調達方不通用、一統指支候躰ニ付、右学校銀・人足貸銀今年分曁御役人ヘ御貸渡金等、都テ諸方御土蔵ヘ返上之分当年一作御用捨、其分末ヘ繰延返上可仕候、今年当り上納相済候人々ハ、来年上納御用捨、其分末ヘ繰延返上可仕候、尤当り之通上納仕度人々ハ勝手次第之事

一、役出銀之義ハ尤当年当り之通可有上納候事

右之趣被得其意、組・支配之人々ヘ可被申渡候、組等之内才許有之面々ハ其支配ヘモ相達候様可被申聞候事

右之通一統可被申談候事

未十月

御大小将
永原七郎右衛門

右同断廻状有之

五　日　於金沢、左之通被仰付

大聖寺横目　**堀　勘兵衛**代

附七月十二日病死

覚

△一、足軽之分都テ壱人　弐拾目宛

一、坊主　弐拾目宛

一、小者　拾目宛

1 重教室千間
2 徳川重倫
3 酒井忠道（姫路藩三代）
4 （一橋）徳川斉匡（治済男）
5 鳥井忠熹（寛9 298頁）
6 徳川家斉女（尾張）斉朝室

右御貸付方之義、委細御算用場奉行へ申渡候条、直ニ承合可申候事

付札　定番頭へ

御家中一統難渋之処、当夏地震ニ付人々居宅・囲廻り等損所多様子被聞召、弥増可為難渋義ニ付、御借知等今年一作被返下候義、一統申達候通、付足軽等へハ別紙割方之通、御貸渡被成候事

右之通被得其意、組・支配有之人々ニ夫々可被申談候事

未十月

九　日　於金沢、左之通被仰付

小松町奉行　**有賀清右衛門**代　　御馬廻組　**由比勘兵衛**

廿七日　**寿光院**[1]様今日**紀州様**[2]へ為御年賀被為入御道筋、大手御門ヨリ**酒井雅楽頭**[3]屋敷脇御堀端通り、竹橋御門田安馬場前、**右衛門督**[4]殿屋敷前脇、田安御門**鳥井丹波守**[5]屋敷脇、三番町通り市ヶ谷御門、

△御守殿**淑姫**[6]君様御道具、明朔日・二日・四日被遣候ニ付、別紙御道書之通、方角留ニ候条、彼辺御家中家来末々迄不罷越候様、夫々可申談旨**前田織江**殿御申聞候間、御承知被成、御組・御支配、早速御申談可被成候、且又御組等之内、才許有之人々へハ其支配へモ不相洩相達候様、是又早速御申談可被成候、以上

十月廿九日　**三宅平太左衛門**判

津田権平様　組諸頭連名

下書判形

今月二日金沢下口於桃ヶ坂、女両人磔被仰付、為検使永原佐六郎・永原半左衛門罷越

同廿二日　於金沢、左之通被仰付

御先筒頭　今村三郎大夫代　御表小将御番頭ヨリ　村　杢右衛門

御近習只今迄之通

同廿五日　同断

御表小将御番頭　村　杢右衛門代　御表小将横目ヨリ　山口清大夫

定番御馬廻御番頭　大藪勘大夫代　御馬廻御普請奉行ヨリ　村　八郎左衛門

同廿七日　同断

御表小将横目　御表小将配膳役ヨリ　前田作次郎　改　清八

△今般被返下候御借知米、右被仰渡候節之直段ヲ以、代銀ニテ可相渡旨、御用番ヨリ被仰談候ニ付、当月初、於当場、御郡方貯用米買上候直段平均相極、先達テ一統申談候得共、頃日町方売買米直段引立候様子ニ付、遂詮儀御用番へ相達、右申談候直段之上、加州米壱石ニ付三匁宛、能越米壱石ニ付弐匁宛、増直段ヲ以可相渡候条、人々受取切手ニ加場印、来月六日ヨリ隔日毎ニ、米銀共可相渡候条印形之以紙面、受取人可有被指出候、尤同役中可有伝達候、以上

十月廿九日　　　　御算用場

右先達テ一統申談之趣、前洩ニ付左ニ記ス

今般被返下候増御借知代銀渡極直段左之通

壱石ニ付
一、四十六匁壱分　　　　　　堂形蔵米

但百石以下并御扶持方被下候人々

同断
一、四十壱匁七分　　　　　　本吉蔵米

但御切米被下候人々

同断
一、三十六匁八分七厘　　　　越中平均直段

同断
一、三十七匁弐分　　　　　　能州平均直段

右之通ニ候事

右添紙面写記略ス

丙子十一月小

朔日ヨリ七日迄快天、八日ヨリ十一日マテ雨天、十二日十三日晴陰、十五日雨、十六日同、

但今暁初雪降、十七日ヨリ廿七日マテ快天、廿八日廿九日雨

五　日　上使御使番石河甚太郎[1]殿ヲ以御鷹之雁二筑前守様御拝領、御作法等御例之通

六　日　暁、御用番安藤対馬守[2]殿御宅へ于時御老中、且去年三月廿九日互見 聞番御呼出ニ付、則、恒川七兵衛罷出候処、聖堂御普請出来ニ付、右辺若火事之節火防之義、此方様へ御頼之旨被仰渡、依之防方之義御家老衆ヨリ御国表へ伺有之

一、只今迄板倉主水佑[3]殿へ聖堂受取火消被仰付置候得共、此方様へ御頼被仰付候ニ付、以来不及火防ニ聖像遷座并大成殿御額持退之義迄相心得候様、是又今暁主水佑殿へ御用番ヨリ被仰渡有之候事

　此次十二月十日互見

十五日　淑姫[4]君様今日御婚礼、尾張様[5]御守殿へ就御入輿、此方様御邸御門留之旨御成之通、昨夕小屋触有之

廿　日　夜、御書院番領七百石松下専助[6]殿、本所筋辻番被相廻候処、彼筋ニテ先へ立塞り、道ヲ塞き候者両人有之ニ付、供之者ヨリ除候様申候処、彼両人帯刀ヲ抜、供之者両人ヲ切殺候ニ付、専助殿被立向候処、二三ケ所手疵ヲ為負、行衛不知逃失候事

但、右逃失候両人ハ、酒井修理大夫[7]殿歩之者ニテ候処、右ヨリ屋敷へ立帰、委曲書置ニ認、令逐電候事

廿一日　夜、湯嶋天神台町儒士名前不詳方へ押込三人有之、妻ヲ犯し飯ヲ食し逃去、尤其間主人ハ縮り等致置候由、余り無面目趣ニ付穏便ニ相済し置候旨云々、今月上旬已来所々ニおゐて、右二ケ条之族度々有之由云々

1 石河政央（寛5 428頁）
2 安藤信成（老中）
3 板倉勝喜（寛2 155頁）
4 徳川家斉女
5 徳川斉朝（中将）
6 松下昭徳（寛19 344頁）
7 酒井忠貫（小浜侯）（寛2 27頁）

今月朔日　於金沢、左之通被仰付

魚津町奉行　三浦重右衛門代　　御馬廻組御番人ヨリ
高畠采男

同四日　同断

定番御馬廻御番頭
吉田八郎大夫

今月・来月之内江戸表ヘ御使御内意被仰渡、廿一日今般淑姫[1]君様御入輿ニ付、御使表立被仰渡、廿八日金沢発足十二月十一日江戸着、夫々御使相勤、同十九日発足可罷帰筈之処、此表御人少指支候ニ付当分相詰有之、物頭席ヘ加り御番等相勤可申旨十八日被仰渡、尤御使ハ相勤不申筈、此次翌年正月十二日互見

十日　於金沢、御判・御印物頂戴被仰付、自分御役料知御印物頂戴被仰付候段等、代判山路忠左衛門ヨリ告来、写并御請書付、左之通

先筒頭料百五拾石事、扶与之訖、可領納之状如件

寛政七年(ママ)十一月朔日　御印

津田権平殿

去十日御役料知御印物壱通、私就在江戸、為名代津田権五郎罷出於御目通頂戴仕、写指越拝戴仕、難有仕合奉存候、以上

己未[2]十一月廿八日　　津田権平判

奥村左京殿　今月御用番也

十三日　於金沢、左之通

1 徳川家斉女（尾張斉朝室）

2 寛政十一年

寒気御伺之御使被仰付

御馬廻組
大河原助丞

十二月七日発足、十九日江戸着

廿一日　於金沢、左之通被仰付

組外御番頭ヨリ
堀部五左衛門

御先筒頭　庄田要人代

御倹約御用只今迄之通

廿五日　同断

御大小将御番頭ヨリ
堀　万兵衛

組外御番頭　堀部五左衛門代

廿九日　御歩頭奥村十郎左衛門、当夏以来中風之気味、頃日痰血浮腫等ニ付、御国へ之御暇奉願、明朔日此表発足罷帰候筈、跡支配之義ハ筑前守様附御歩頭井上勘右衛門へ被仰渡候事

附翌年正月十二日互見

於金沢、御馬廻頭中示談之上、左之紙面御用番小寺武兵衛ヨリ覚書ニ認、御年寄衆へ及御内談置候処、左之通御用番長甲斐守殿御付札ヲ以、紙面之通可相心得旨被仰渡

本文之通ニ可被相心得候事

いとこ違或又いとこ、又ハ養父、実方之筋目之者等有之候得共、其者存念ニ不相叶候得ハ、養子ニ不相願、筋目無之者ヲ相願申儀モ可有之候、併、帳外之者ニ候得ハ、私共穿鑿行届不申義モ可有御座候、然処若右いとこ違等之者不相願他人ヲ相願、末期ニ至彼是申分致出来候テハ心外之義ニ御座候、尤随分相糺可申候得共、全行届申義モ難計奉存候、其上右等之者存念ニ不相叶者相願不申とて存寄申出候テハ申分相立候様ニ罷成候テハ、仮令人品不宜者ニ候共、人品不

宜義申立致義絶候儀難仕、無是非養子ニ仕候様之義モ可有之、左候テハ心外、家ニモ相障申様之義モ可致出来哉ニ候得ハ、此処ニ至り候テハ不容易義ニ御座候間、帳外之者ハ右様之族有之候共、養父之存寄次第ニ相成候様ニ仕度奉存候、依之御内談申上候事

十一月

御馬廻組割場奉行ヨリ
津田善助

御普請奉行

今月　日　於金沢、左之通被仰付

今月　江戸寒冷例年ヨリ穏和成気候也

今月　日　於金沢、左之通

付札　定番頭へ

△御家中一統難渋之処、当夏地震ニ付、人々居宅囲廻り等損所多様子被聞召、弥増可為難渋義ニ付、増御借知之分等今年一作被返下候趣等、先達テ申渡通ニ候処、半知并三之一被下置候人々モ難渋同様之義ニ付、右人々当時之知行高ニ応し、三百石ヨリ以下ハ百石ニ付拾石宛、夫ヨリ以上ハ百石ニ付五石宛之図りヲ以、御貸渡被成候条、本知被下候上、一時可有返上候事

右之趣被得其意、組・支配之面々へ――――前記同断略ス、付札定番頭へト有之所互見

右之通一統可被申談候事

未十一月

＼聖堂銀当年非常之物入等ニ付、元銀返上今年御用捨、末ヘ繰延返上、利足銀ハ今月廿日切

△上納、且上納相済候分ハ元銀受取ニ向次第可相返旨、**不破五郎兵衛**等紙面ニ会所奉行添状ヲ以前月廻状有之

△前月返上之御次銀、元利共今年非常之物入等ニ付御用捨、今年当り末ヘ繰延等之義、是又前月改作奉行**林弥四郎**等ヨリ廻状有之

丁丑 十二月大

朔日 二日晴陰、三日雨天、四日ヨリ十三日マテ晴陰交、十四日雨雪、十五日ヨリ廿二日マテ晴陰交、但廿日夜雨、廿三日昼后ヨリ雪夜雨、廿四日廿五日晴陰、廿六日雪降、廿七日廿八日快天、廿九日雨無霽間晦日陰、今月気候寒気穏和、**予**此度ニテ江戸詰七度之処、是迄不覚程之事也、附十二日ヨリ入寒之処不順之暖也

二日 今度**淑姫**[1]君様御入輿、為御祝儀於殿中御能有之、依之**筑前守**[2]様暁七時御供揃ニテ六時頃御登城、御供人代り合有之、夜五時過御帰殿、且御能御番組左之通

翁 三番叟 大蔵弥右衛門

松竹風流 鷺仁右衛門

難波 宝生大夫 開口 宝生新之丞

田村 宝生権五郎 進藤平右衛門

羽衣 喜多十大夫 福王茂十郎

石橋 観世大夫 福王久右衛門

金札 祝言 観世三十郎 福王茂十郎

末廣かり 大蔵弥太郎

いくゐ 大蔵伝右衛門

1 徳川家斉女（尾張斉朝室）
2 前田斉広（十二代）

石橋間　大蔵伝右衛門

開口

それ相生のかけふかく　契りかわせる姫松の　小松

あまたにおひ添て　栄ふる千代のすえ〳〵ハ

目出たかりける時とかや

筑前守様ヘ於御白書院、三汁九菜之御料理等左之通出、御かよひ御書院番衆御勤

御白書院　三汁九菜　木地丸角

本

鱠　たひ　くり
　　せうか　金かん

香の物

汁　つみ入　皮ごほう　めうと
　　榎たけ　葉付かふ

煮物　むし貝　長いも
　　くしこ　漬わらひ

食

二

杉箱　苞半弁　くわい
　　岩たけ　敷みそ

汁　ほや　切たい
　　ゆ

煮梅くるみ

切焼一塩鮭

三

杉地紙足付

指味　鯉子付　すゝき　わさひ
　　くらけ　九年母

改敷　南天
　　熊笹

1板倉勝喜（寛2 155頁）

2由良貞雄（寛2 115頁）

小猪口　いり酒　　　汁　小な

当座鮨　たい 漬たて　車ゑひ　　　向詰　小鯛

肴一魚でん　鰡　　　吸物　いか ひれ

一煮染麩　平ふし　　　茶菓子　養生餅 川たけ　水くり やうし

後菓子　筋有平 葛せんへい　さゝけやうかん 枝かき　黄朧まんちう やうし

以上

三日　昨日御能御見物等之為御礼、筑前守様五時御供揃ニテ御登城并御老中御廻勤

十日　前記十一月六日ニ有之通ニ付、神田筋町中ヘ従公義左之通被仰渡有之

御名――――居屋敷最寄火消之心得ヲ以、在府・在国共聖堂火消之手当申付候様、此度被仰渡、板倉主水佑[1]義ハ向後防人足不及指出ニ、聖像遷座大成殿御額持退之義相心得候筈ニ候、若出火之節、町火消人足共混雑無之様、組合限り人足并月行事共ヘ兼テ可申聞置旨、名主共ヨリ可申通候

未十一月

同夜五時過、湯嶋三丁目表高家千石由良慎六郎[2]（新）殿屋敷内隠居所ヨリ出火、御近所火消一番杉山新平・二番加藤直次郎押出、御人数ヲ以消留四時頃帰入、右ニ付類焼ハ無之候事

但、御櫓ニテハ最初石町通見直、昌平橋外通之遠板打候ニ付御邸内ハ静ニ候事

十一日 御小人目付**鈴木半十郎・金橋徳次郎**持参候書面左之通

昨夜湯嶋出火之節、聖堂火消人数凡何人程出候哉

一、聖堂近火ニテモ屋敷最寄定例火消場之内ニ候得ハ聖堂ヘ風筋之善悪ニ不抱、火元之方第一ニ致消防、火元防兼候得ハ、聖堂ヘ人数相懸候心得モ候哉、又ハ初発ヨリ別段聖堂御場所内ヘ人数指出候心得ニ候哉

一、聖堂ヘ火消人数指出候節并引取候節モ何れ之面々ヘ相届候心得ニ候哉

右ニ付聞番ヨリ相答候覚書

一昨夜湯嶋出火之節、最寄火消人数弐百計指出候事

一、聖堂近所出火之節、是迄之通最寄火消人数指出、火元之方致消防、聖堂ヘ風筋等悪敷候得ハ、尤聖堂之方第一ニ相心得、夫々其時宣ニ応し消防候心得ニ候事

一、聖堂ハ右人数指出候砌并引取候砌モ御目付様方等ヘ御届申候心得ニ候事

右之未承知以前之儀ニ付、当時之心得先右之通ニ御座候、尤承知之上ハ追々手当申付ニテ可有御座候事

十一月

一、左之御覚書**前田織江**殿御渡

付札　物頭ヘ

今度聖堂御普請被仰付、御場所モ広く、御補理有之ニ付、此方様御屋敷最寄之事ニモ候故、

火御防之義最寄火消之御心得ニテ御手当有之様御書付相渡候処、御近隣火消御人数迄ニテハ御人少之儀ニ候間、追テ御手当之義モ可被仰付候得共、当分三ツ輪・稲妻二手合之内ヨリ御人数指出、御近隣火消ヘ相加り相防候様可被相心得候、且又御一門様方幷御中屋敷御近火之節ハ、各被申談防方之義可被取計候事

一、聖堂御囲中井戸数等絵図別紙織江殿御渡之事

一、聖堂ニ表御門・裏御門有之ニ付、彼筋出火之節ハ右裏御門ヨリ入、御玄関前等空地ニ御人数指置可申候、騎馬之者ハ控所モ御手当有之由ニ候間、其様子ニヨリ御玄関ヨリ上り其段申達控罷在可申候

一、当時水溜桶等無之、井戸数モ少く候間、少ト水之手不自由ニモ可有之候、尤火消役水之手等見分ニモ及不申、御承知之上、表立折合申義可有之、当時之処先是迄之通ニ相心得置宜候旨、林大学頭[1]殿御申聞被成候事

右織江殿御申聞ニ付、夫々御同人ヘ相達相極候條々左之通

三ツ輪手合御人数ハ聖堂御手当ニ相極置候事

但、御一門様方等ヘハ当分御人数不被遣候、併火之様子等ニテ時ニ臨み不被遣テハ難計候節ハ御用人中ヨリ申談次第、稲妻手合召連罷越候筈之事

一、御中屋敷御近火ハ只今迄之通ニ候事

但、壱人御使ニ罷出有之候内ハ、聖堂火消待(カ)罷在候故、相図打候テモ不罷越段織江殿ヘ相達候処、御大小将中ヘ右御使中持被居候様御申渡有之候事

1 林　衡（寛12 400頁）

一、御殿当番之節モ聖堂筋火事ニ候ハ代り人申遣置、不及存受ニ押出候事

一、御近隣火消方小頭使役等召仕候義火消方御小将中ヘ被仰渡候事

　但、三ツ輪手合小頭等モ火消御小将中被召仕度旨被申聞、其段申渡置候事

一、御近所火消詰所ニ三ツ輪手合之足軽一人・小者一人昼夜為詰置候ニ付、聖堂筋火事ニテ一番火消押出有之候得ハ、右両人早速及案内候ニ付、其節三ツ輪御人数建候様ニ為申渡候

　但、何れニモ一番押出候得ハ、及案内候筈之事

一、於聖堂、御人数出候義、御目付衆等ヘ届之義ハ一番火消ヨリ相届候筈、引揚之届ハ物頭ヨリ届候事

一、御人数押出候迄之節ハ防入之上、御用人ヘ相達可申候、尤防有之節ハ物頭并一二番火消三人連名ヲ以一紙可及言上候筈之事

一、聖堂ヘ兵糧取寄、且火事装束取替之義等都テ御近所火消之振合ヲ以、取計候段小頭ヘ申渡、以来定入之紙面、**織江**殿ヘ指出置候事

一、聖堂火消当番朝五時代りニテ**河内山久大夫**・**自分**隔日ニ繰々持候事

十三日　夕、御用番**松平伊豆守**[1]殿御宅ヘ聞番御呼出ニ付**恒川七兵衛**罷出候処、左之通御覚書御渡之

此間学問所近辺出火之節御名――人数学問所ヘ相詰不申由ニ候、不及逐焼内、火元消留候得ハ大火ニモ相成不申、聖堂ヘ火移可申様モ無之事故、専ら火元ヘ懸り候心得ニモ可有之哉ニ候得共、先達テ御用被仰付候上ハ一向人数相詰不申候テハ飛火等有之節、防方行届兼候儀

1 松平信明（老中）

有之候間、向後彼辺近所出火之節ハ必人数相詰候テ林大学頭[1]并罷出候御目付之内ヘ相届可受指図候、尤火元之方等閑ニ可致筋ニモ無之候間、是迄之通人数手配可致義勿論之事ニ候

十四日 御目付衆ヨリ御呼出ニ付、聞番菊池九右衛門御城ヘ罷出候処、左之通御覚書御渡之

今度其御許居屋敷最寄火消之心得ヲ以、聖堂火消被仰付候ニ付、火防之義ハ林大学頭・御目付・御使番等罷越可及指図候得共、若出馬以前ニテモ火事之様子次第見計、学問所勤番ヘ申断手後れ無之様消防可致候

一、火消役之義モ罷越候間、若火消役組之者等其御許人数ヨリ早く駈付消防打懸り候場所ヘハ其御許人数相懸申間敷、外場所見計消防可有之候、尤其御許人数火消役組之者ヨリ早く駆付、消防懸り候場所ヘハ火消役組之者共相懸り不申筈ニ候、畢竟双方之人数不打交争論等無之様消防可致旨末々迄申合可被置候

十二月

矢部彦五郎

小長谷和泉守[2]

十六日 右ニ有之御用番伊豆守[3]殿并御目付衆御渡之両通写、前田織江殿御渡書面之趣ヲ以相心得候様御申渡被成候事

十七日 御席ヘ御呼立、明十八日四時ヨリ聖堂御囲中為見分、同役河内山久大夫申談、一人可罷越旨、且火消役御小将中ヘ申渡候趣有之候間、猶更申談不指支様可相心得旨織江殿御申聞被成候、右火消役中ヘ御申渡候趣左之通

付札 御用人ヘ

1 林衡（寛12 400頁）

2 小長谷政良（寛6 373頁）

3 松平信明

今度聖堂御防之義、被仰渡候ニ付、御手当之義ハ追々被仰出筈ニテ、先夫迄之内、若聖堂筋出火之節ハ御近所火消一番迄押出、於聖堂林大学頭[1]殿等ヘ届方等之義ハ先達テ申渡候通ニ可相心得、尤別火有之一番御人数押出候後ハ、二番之者一番之心得ニテ聖堂筋出火之節、早速罷越可申候、若又二番御人数揃不申内、聖堂筋出火ニ候ハ御纏并鳶之者迄ニテモ召連、先聖堂ヘ指向可申候

一、聖堂筋火事之節ハ、三ツ輪手合物頭モ被指向候間、御人数指引方等申談打込可相勤候

一、是迄一二番共押懸防候場所出火ニテモ、先一番御人数迄罷越、二番之者ハ聖堂御手当之心得ニ罷在可申候、併火事之時宜ニヨリ二番御人数モ押懸申義モ可有之候、其節ハ猶更御用人ヘ及示談可申談候事

一、聖堂筋火事之節、一番御人数右場所ヘ罷越候後ハ、二番之者都テ方境相守可申候、火事之時宜ニ寄一二共聖堂ヘ罷越申義モ可有之、其節ハ猶更御用人可申談候事

一、二番火消之分、聖堂ヘ罷越候節ハ、御纏可指遣候、尤三ツ輪手合物頭モ被遣候間、於聖堂大学頭殿等ヘ届方并御人数打込相勤候儀等、前条之通ニ候

但、二番火消御纏指遣候義ハ、当分格別詮儀之品有之候ニ付、火消御小将ヘ直ニ申渡候間、断次第御近所火消御纏之内ヲ以、可被相渡候

一、一番火消之分、聖堂ヘ相詰罷在候内、若他方ニ御近火有之候ハ其所ヘ二番火消迄罷越、尤御纏モ指遣、於火事場勤方等前々之通ニ可相心得候

右之通、当分御手当ニ候条被得其意、火消御小将ヘモ可被申談候事

1 林 衡(寛12 400頁)

十二月

十八日　昨日ニ記通ニ付、今日四時前先手**河内山久大夫**、聞番**恒川七兵衛**、火消役御大小将**一木鉄之助・加藤直次郎・山口左次馬**、御殿へ相揃同道ニテ聖堂へ為見分罷越、八時前罷帰候
但、**河内山**ハ三ッ輪手合之使役足軽壱人召連、火消役御小将中モ御近所火消方使役足軽両人召連罷越候事
右罷越候処、於聖堂**林大学頭**殿役人ヨリ左之通覚書指越、尤書面之趣夫々見分等申談有之候事
一、井戸之数ヶ所見せ可申事
一、瓶埋込之水溜ヶ所見せ、且鋳物（カ）之水溜、此節取懸り居候間、出来次第可指置ヶ所之義モ咄し聞せ可申事
一、廻廊東雨取置習有之義モ可申達事
一、人数被指出候節、おも立候者へ役名姓名勤番之者ヨリ承り書留可申旨、懸合可申事
一、往来ハ裏御門ヲ定式ト致し、万一烈敷急火之節ハ、埋門ヲ外ヨリ突破り候共不苦、其義ハ臨期ニ可為見計旨可申談置事
一、遠火ニテ風筋不宜程之事ニテ人数相詰候節、おも立候者ハ御座敷東西溜辺へ控させ可申、其以下ハ腰懸ニ罷在候様可申達事
一、御供所西裏糸壁[1]作り板部懸有之候間、非常之節取はつし候訳可申達置候事
一、同所土手、明春、冬木[2]植立候儀可申聞候

1糸屑を寸断して布海苔等で塗ったもので、金銀糸も混じるものもあり
2ときわぎ（常磐木）

一、御土蔵北裏蔀之事モ心付置可申事

昌平橋学問所勤番

肝煎 山中安之進　同上 小田小左衛門　勤番 津田平三郎　同上 内田茂兵衛
勤番 高須文五郎　同上 坂本伊八郎　同上 内山清蔵　同上 中村安八郎
鴨下丈右衛門　林　八郎次　望月辰右衛門　小林助蔵
秋山十兵衛　中川伊左衛門　蜂須賀八十五郎　杉田幸七
養(カ)田壱太郎

同所　下番

榊原藤九郎　溝口三郎兵衛　横山藤蔵　江藤六左衛門
宮下源次郎　持田勝次郎　笹本彦五郎　小沼平次郎
直井丈太郎　金井権之助　浦井伝蔵　糸賀喜之助
宮沢左市　加藤儀八　岩崎清吉　松本用助
帯(カ)金久米吉　川口徳次郎　梅村十助　今井源左衛門

一、御門外ニテ致下馬、馬鎗等ヲ初不残御門内ヘ入置可申候、勿論防方指引等モ有之節ハ御門内たり共馬上ニテ近廻り候義不苦旨、今日大学頭殿役人申聞候事

但本文之趣、時宜ニモ寄可申候、兼テはきト相極置候事ハ難仕旨追テ聞番中迄申来候事

十九日　今般聖堂御防方ニ付鳶之者十五人今日被召抱候処、御貸小屋指支候ニ付当分町宿ニ被指置候事

但廿三日ヨリ南御門続東隅鼠多門御小屋へ 俗ニ化物小屋ト云々、 謂ハ此小屋ハ元来大組頭・御持弓筒頭渡りニ候得共、往昔何某 原田又右衛門共河原藤左衛門共云不詳 此小屋ニ居候処、或夜難眠寝床之内ニ夜半頃迄不眠候テ居候処、甲冑之武者一人顕れ出候ニ付、其名ヲ尋ね候得ハ、吾ハ内蔵助也トテ壁中へ隠れ入、其後右之俗称あり、夫故是迄多分明小屋ニテ有之、邂逅外御小屋支ニテ入人有之候得ハ、兎角故障有之、必馬ハ斃等之害あり、馬ハ人之起居之内ハ眠り候得共、人寝静り候後ハ一向不眠、馬眼ニ妖物見ゆる欤ト云々 為入候事

附記

今月廿七日、前田織江殿明日聖堂為見分可罷越旨御申聞ニ付、則翌廿八日四時頃ヨリ聞番見習不破半蔵同伴ニテ、自分・火消御大小将杉山新平・篠嶋頼太郎・坂倉長三郎并夫々之使役足軽先達テ之通三人召連罷越、勤番肝煎山中安之進等并林大学頭殿役人誘引ニテ御囲中并御間之内モ不残遂見分、八時頃相済罷帰候事

一、右安之進へ内々ヲ以相頼候テ、大成殿之内并稽古所・書生部屋曁御座敷等迄悉皆致拝見候、聖像拝見之儀ハ釈奠之節之外ハ不相成由云々、併御机等御供所ハ内々ヲ以為見候

一、大成殿之結構、言語筆記ニ難尽之、御額筆ハ常憲院[1]様、且杏檀・入徳・仰高之三門額筆ハ持明院持季卿[2]也、大成殿・杏檀門之屋根棟上左右ニ鳶爪、鬼犾頭（きぎんとう）、下屋根四方ニ鬼龍子有之、尤銅ニテ包みたる屋根也、大成殿門都テ石畳、柱等悉皆黒塗、委曲不及禿筆之記ニ候事

前記十一月六日如粗記有之、御用番御老中安藤対馬守[3]殿於御宅被渡、恒川七兵衛受取来候御書付写左之通

御名

1 徳川綱吉
2 持明院基輔
3 安藤信成

1板倉勝喜（寛2 155頁）

2松平信明（老中）

今度聖堂御普請被仰付御場所モ広く御補理有之候、其方居屋敷最寄之事ニモ候得ハ、以来右場所火防之手当可被有之段可相達旨被仰出候、最寄之火防之義、兼々手配之程格別ニ有之由相聞へ、右御沙汰ニモ及候儀ニ候間、最寄火消之心得ヲ以、在府・在国共其手当有之候様可被申付候、尤聖像除之義ハ板倉主水佑[1]へ是迄被仰付置候通ニテ消防之義ハ不仕筈ニ候間可被得其意候

翌寛政十二年正月十日、左之通御家老前田織江殿御申渡

聞番

聖堂筋出火ニテ御人数出候節ハ壱人可罷越事

同年三月九日、左之覚書織江殿御渡之

聖堂へ御人数被指向候節、格別之近火ニテ防ニ懸り候節ニ至候ハ御構内馬上不苦候、万一御構内出火之節勿論ニ候事

一、前月廿八日、御用番松平伊豆守[2]殿へ聞番御呼出ニ付菊池九右衛門致参出候処、左之御覚書ヲ以被仰渡候事

聖堂火防之義、追々手当御申付候趣之品モ候哉、此間火事之節、人数之手当等モ能行届候趣ニ有之段、兼テ手配之程左モ可有之トハ存候得共、格別手厚なる次第一段之義安心之事ニ存候旨、可申聞候事

右ニ付御礼勤等之義、聞番ヨリ相伺候処、不及其義ニト伊豆守殿御指図之事

同年四月九日、左之小紙織江殿御渡、火消御小将中へモ可申談旨御申聞候事

林大学頭殿御支配
学問所勤番組頭
黒沢正助殿
鈴木岩次郎殿

同年同月八日於金沢、御用番本多安房守殿左之通被仰渡

付札　御先手物頭へ

聖堂火防就被仰渡候、為御手当物頭一手合・御大小将一手合被指出候筈ニ付、当御在府ヨリ御在府御在国共、各壱人増詰被仰付候間、三人申談、聖堂火防方繰々相勤候様被仰出候条、可被得其意候事

四月

右ニ付永原佐六郎詰順先ニ付、御発駕之砌出府、増詰被仰付、但自分詰満候ニ付代人也

同年五月十五日御合紋ハ釼格子ニテ付形御好ニ被仰出有之、且左之通此間十四日也被仰渡有之

付札　御先手物頭へ

聖堂火防御手当御治定ニ付、若火事之節、各内一手合被指向筈ニ候条申談、替々可被相勤候、且又聖堂火消ト申名目ニテ御大小将一手合被指向筈ニ候条、防方之義可被申談候、但火事之様子次第御近隣二番火消モ為加勢被指向義モ可有之候

一、各一手合之御人数高等、三ツ輪手合御人数高同様ニテ御合紋ハ新ニ被仰付筈ニ候条、火事之節押出方等三ツ輪手合之振ニ可被相心得候、尤足軽小頭并足軽・小者建人ニ被仰付候、但龍吐水等被指加候ニ付、三ツ輪手合御人数高ヨリ十一人増人有之候ニ付、都合四十九人ニ候

一、聖堂筋火事之節、南御櫓ヨリ相図之板打候筈ニ候、猶更押出方手配之義可有詮議候

一、火事之節聖堂ヘ聞番一人宛見廻り候筈ニ候、右之通被仰出候条可被得其意候事
　庚申五月
今般聖堂火防為御手当、各并御人数被指出候ニ付、以来聖堂筋火事之時々、着束ヲ初御道具等損候分取替曁御修覆方、御近隣火消之振モ有之義ニハ候得共、猶又損方等之様子、其時々厳重ニ遂僉儀山口清大夫等ヘ可被相達候事
　申五月
付札　御先手物頭ヘ
聖堂火防御手当御治定之義別紙ニ申渡候通ニ候間、右御手当・御用意物等相揃次第、三ツ輪手合之分ハ最前之通可被相心得候事
付札　御小将頭ヘ
聖堂火防御手当御治定ニ付、聖堂火消ト申名目ニテ御大小将一手合被指向筈ニ付、是迄御近隣火消御大小将六人之処、以来弐人相増八人ニ被仰付候条、御近隣火消当番之外聖堂火消モ壱人宛繰々当番相勤可申候、勤方等之義ハ直ニ申渡候
右之通被仰出候条、被得其意可被申渡候事
　庚申五月
付札　火消御小将ヘ
聖堂火防御手当御治定ニ付、以来聖堂火消ト申名目ニテ各内壱人宛御人数共被差向候、尤御纏相建候筈ニ付、出来之義山口清大夫等ヘ申渡候

一、聖堂火消御人数高等、御近隣壱番火消御人数高ニ足軽壱人・小者五人・鳶之者十人并龍吐水小一挺相増候ニ付、持参人四人共惣テ人数高九十九人ニ候、若火事之節押出方等御近隣火消之振ニ可被相心得候

但御道具数等モ御近隣火消同様之筈ニ候得共、聖堂御場所ニ応し増減等之義遂詮儀、**山口清大夫**等ヘ可被相達候

一、新御抱鳶之者三十人之分、御近隣火消鳶之者モ繰々聖堂方為相勤可被申候

一、聖堂火消御人数詰所ハ南御櫓ヘ程近明地之内ニ相建候筈ニ候

但惣御人数之内、役割ヲ以三ノ二程詰切、三ノ一程ハ食代ニ相建可申候、尤食代ニテ居小屋ニ罷在候者ハ火事之節呼集可申候、御道具置所并鳶之者共居小屋ハ先達テ被建置候

一、聖堂筋出火之節、南御櫓ヨリ相図板迄ニテ三ツ続ニ打候筈ニ候

一、聖堂火消御合紋、別ニハ不被仰付候、御近隣火消之通ニ候、但御道具等御近隣火消之分ト混し不申様、印しヲ付置可然候

一、御近隣二番火消モ火事之様子次第、為加勢聖堂ヘ被指向候義モ可有之候間、御近隣火消一二番共押出候節、可有其心得候

一、物頭一手合被指向候条、防方等可被申談候、且又聞番モ見廻り候筈ニ候

右之通被仰出候条被得其意、聖堂筋火事之節押出方等不及遅滞候様、夫々得ト可被申渡置候事

庚申五月

1刺又のような棒カ

付札　御横目へ
聖堂火防御手当御治定ニ付、若火事之節物頭一手合并聖堂火消御大小将一手合被指向候趣、別紙写三通之通、夫々申渡候ニ付為承知相渡候事
庚申五月

右之通五月十四日、**奥村左京**殿被仰渡候ニ付、御先手在府**杉野善三郎**・**久能吉大夫**・**永原佐六郎**遂詮儀、御人数建場之義、長塀通二之手建場之辺ニテ、近板御中屋敷相図之節ハ右建場ヘ相揃、近板等之節御小屋前ヨリ馬上ニテ相揃可申哉之旨等、六月五日以紙面**左京**殿ヘ御尋申候処、御付札ヲ以此通ト御指図有之

割場奉行へ
聖堂火防御手当就被仰付候、出火之節南御櫓ヨリ相図之板打候様可被申渡旨、先達テ申渡候通ニ候処、重テ被仰出之趣有之、右相図被指止候条、此段可被申渡候、依之聖堂ヘ可罷越人々、従御櫓之案内ニテ押出、又ハ火事所承合候テ罷越候筈ニ候事
申七月

右之通被仰渡候段、**奥村左京**殿被仰聞
釼格子手合行列如左
足軽
足軽
高提灯　梯子　四間半　小者四人　梯子懸　俣棒1　小者弐人　梯子才許　足軽
高提灯　龍吐水　小者四人　入子車桶　小者二人　龍吐水等才許　足軽

高提灯　大水籠　小者四人　小籠三十　釣瓶二ツ　細引七筋入　水才許足軽

高提灯　入子車桶　鉄砲水二挺入 小者二人　鉄砲水才許 足軽　箕形団扇[1]十枚

莚二十枚添 小者二人　高提灯　足軽 足軽　小頭 小頭　高提灯

目印鎗　使役足軽 拍子木役足軽　丸子 丸子　騎馬　従者　建役加人足軽 拍子木役加人足軽

道具才許　足軽 足軽

一、杉野善三郎等腰指提灯無之テハ於聖堂指支候趣有之ニ付山口清大夫ヲ以相伺候処、腰指提灯持候様同人ヲ以被仰出候事

同年八月朔日ヨリ聖堂火防方御人数打建候事

学問所肝煎並

学問所勤番ヨリ 中村安八郎

同　勤番

稲守(カ)三左衛門
向井平八郎
小林溜次郎

右之通被仰付候段、為承知先達テ三月十五日也前田織江殿御申聞候事

1大うちわは火の粉を払うもの

1徳川家斉室寔子
2石尾氏武（寛20 404頁）
3前田斉広（十二代）
4鈴木義忠（寛18 18頁）
5長谷川長熙（寛14 102頁）

金沢ニ於テ、今月廿八日左之通御用番長九郎左衛門殿被仰渡

鷹栖左門

白銀三枚　生絹二匹

御目録

左門儀御番等数十年相勤、当時及極老候得共、今以御番モ相勤候段被聞召、神妙思召候、其上御先代御近辺之御用モ相勤候ニ付旁格別之趣ヲ以御目録之通被下之

右前田甚八郎組御馬廻也

附、来年正月雖為一覧、任有畾紙于茲書入

廿二日　歳暮為御祝詞、従御台様[1]御使御広式番之頭石尾喜左衛門[2]殿ヲ以、白銀十枚・干鯛一箱・御目録御拝受、御名代若殿[3]様、従公方様・御台様、御前様ヘ上使鈴木左門[4]殿御広式番之頭ヲ以、縐紗紅白廿巻・白銀十枚・干鯛一箱御拝領、寿光院様ヘモ上使御広式番之頭長谷川藤太郎[5]殿ヲ以、御同様三種御拝領、都テ前々御例之通御作法ニテ被為済候事

付札　水野次郎大夫ヘ

当春以来、此表米価ヲ初諸物高直ニテ詰人難渋ニ付、御救方之義願之趣有之、其時々金沢表ヘ申遣候処、一統難渋之段、無拠義ニハ候得共、御勝手向連々御難渋之上、別テ今年不時御物入多、就中当夏依地震莫太（大）之御物入、其上御家中之人々御救方モ被仰付、彼是弥増之御逼迫ニ付、此表御仕送方モ指支、追々御調達ヲ以、漸御間ヲ合せ候、御手繰故、詰人御救等ハ難被及御沙汰旨申来、則其段委曲先達テ申達候通ニ候、然処何モ取続難相成、勤仕ニモ指支可申躰之由ニテ、重テ段々願之趣誠無拠相聞ヘ候得共、最早御国表ヘ往返之日間モ

無之、一円手段無之候、併一統指支モ無拠事ニ付打返詮義之上、此表切之取計ニテ御調達ヲ
以、乍少分、当八月中迄ニ此表ヘ参着之人々ヘハ一人扶持ニ金弐歩宛、九月以降着之人々ヘ
ハ一人扶持ニ付金壱歩宛之図りヲ以、御貸渡之義承届候条、右之趣ヲ以、何分相弁可申候、
返上方之儀、来三月御扶持方代相渡候上、取立候筈ニ候
右之趣被得其意、組・支配之人々ヘ可被申渡候、且又諸頭中ヘ演述、組等之人々ヘモ申聞候
様可被申談候事

未十二月

右、**次郎大夫**ヨリ廻状之事

廿三日　**尾張大納言**[1]様御所労之処、次第ニ御疲相増候旨、今朝**河内山久大夫**御使之節承罷帰、
依之従**筑前守**[2]様為御使**自分**暮頃御小屋出罷越、御進物清水米壱箱・串海鼠壱籠也、然処、
及御大切候旨御返答ニ付早速罷帰夜四時前于時御大小将御番頭**平田三郎右衛門**物頭御人少ニ付テ
也為御附使者参上、相詰有之候処、翌暁寅中刻御逝去ニ付罷帰
同夜九時前根津裏門通出火ト近板打、一番火消**笹嶋頼太郎**押出、二番**山口左次馬**義モ御用人
依指図押出候処、火事所**板倉主水佑**[3]殿下邸ヨリ出火、御人数ヲ以防留、類焼ハ無之、九時
過鎮火

廿四日　**尾張中納言**[4]様等并**紀州様**[5]・**水戸様**[6]、暨**御守殿**[7]ヘ、**大納言**様今暁就御逝去ニテ之御悔使出

廿五日　昨暁**尾張大納言**様就御逝去ニ、為伺御機嫌不時惣登城、**筑前守**様モ右ニ付御登城
付札　御横目ヘ

1 徳川宗睦
2 前田斉広
3 板倉勝喜（寛2 155頁）
4 徳川斉朝
5 徳川治宝
6 徳川治保
7 徳川治紀室（徳川重倫女方）

1前田利謙（富山藩八代）

△尾張大納言様御逝去ニ付、普請ハ昨廿四日ヨリ三日、鳴物等ハ来ル晦日迄七日遠慮之事
右之通可被相触候事
右御横目廻状出
△筑前守様来年頭朔日各様御目見可被仰付旨、且又御先例之通献上物無之候条、夫々可申談旨前田織江殿御申聞被成候条、御承知可被成候、以上

十二月廿七日

三宅平太左衛門
戸田伝太郎

津田権平様　但諸頭連名

右之通ニ候処、御殿揃刻限五半時、且元日御使等ニテ相残り候頭分等二日御登城、御戻後御礼被為請候、右之趣織江殿御申聞候条、組・支配御目見之人々ヘモ可申談旨、翌廿八日三宅等ヨリ重テ廻状有之

晦日　暁七時頃、下谷茅町出火ト近板打、無程池之端ト見直し触拍子木到来、各御殿ヘ出候処、暫有之鎮鐘打候ニ付退散、于時右火事所ハ出雲守[1]様御上邸之内御馬飼料処ヨリ出火、三間四方計燃立候処、御手勢曁此方様御人数一番火消杉山新平、二番山口左次馬罷越防留、右ニ付出雲守様御指控御伺書御指出、此方様ヨリモ御同様之御伺書出候処、不被及其義ニ旨即刻御用番御老中御指図有之、依之御門方等何之相替義モ無之候、但御松飾ハ昼頃迄見合有之迄ニテ相済候事

今月七日　於金沢左之通被仰付

松寿院様附物頭並　伊藤甚左衛門代
定番御馬廻御番頭ヨリ　佐藤弥次兵衛

御大小将御番頭　堀　万兵衛代
御大小将ヨリ　中村助大夫

十　日　同断

割場奉行　杉本孫六

付札　定番頭へ

御当地ニ家持罷在候者、不届有之、於公事場禁牢申付候者ニ生所御郡地ニテ村方ハ御当地へ稼ニ罷出候躰ニ申延置、人別帳ニモ離れ不申者有之、不埒至極ニ付其様子遂吟味候処、右之通村方ハ稼ニ出候趣ニ申罷出、於御当地ニ奉公ニ在附候上、家ヲ求候趣主人ニ相達、送り状ヲ申受候故、家求候義相成、其上ニテ奉公指止め、一度送り状有之ニ付宅ヲ替候義等不指支、折々ハ在所へモ罷越候故、村方百姓人別帳ニモ離れ不申訳ニ候、右之通ニテハ御縮方相立不申候間、都テ一季居奉公人請人ヲ以召置候者、送状指出申間敷候、且又一季居奉公人奉公ヲ止め、侍方長屋等ニ罷在稼致し候義、従前々相成不申義ニ候条、猶更自今右躰之者へ長屋貸申間敷候、町方等ニ家持罷在候者、及難渋家売払長屋ヲ借り候者ハ是迄罷在候居町役人之送状ニ、外請人ヲ取、長屋貸可申候、其者長屋ヲ為明、外へ罷越候節ハ先送状ニ添書ヲ以相送可申候、将又当時長屋貸置候者有之候ハ、御郡方百姓等之稼ニ出居申者ニテ無之哉相糺、無心許者ハ請人へ申渡為相返可申候

一、町方并寺社門前其外町続之御郡地ニ罷在候者、下人ヲ召仕候共一季居之者ヘ借宅等之送状指出間敷候、年久敷召仕、畢竟家ヲ求候者ハ其者之生所ヲ糺、家相求御当地ニ居住不指支哉、出生所之役人手前承糺候上、送状指出可申候事

右之通公事場奉行申聞、承届候条、被得其意組・支配之人々ヘ可被申渡候、組等之内才許有之面々ハ其支配ヘモ申渡候様可申渡候事

右之趣一統可被申談候事

未十二月

右今十日安房守殿ヨリ御廻状到来之由申来

今月十一日　於金沢左之通被仰付

定番御馬廻御番頭　佐藤弥次兵衛代

御役御免之頭分ヨリ
津田孫兵衛
当七月迄定番御馬廻　御番頭

同　十四日　跡目等左之通被仰付

五百五十石　逸角嫡子　多田勝江

三百石　数馬養子　上月与左衛門

弐百石　忠左衛門養子　伊藤弥門

七百石　勘大夫せかれ　大藪庄次郎

四百石　伊右衛門せかれ　丹羽富之助

百五十石　善八郎嫡孫　高柳助三郎

三百石　勘兵衛末期養子　堀　孝次郎
　　　　　　　　　　　└堀　平馬二男

二百五十石　平十郎せかれ　桜井新八郎

新八郎へ被下置候自分知被指除之

千二百石　鳥左衛門養子　森　小十郎

五百石　喜蔵養子　千秋次郎吉

同　杢兵衛末期養子　水越縫殿太郎

四百石　喜左衛門嫡子　木村藤兵衛

二百五十石　大助嫡子　山本源助

三百石　九左衛門養子　津田織江

同　次郎大夫嫡子　大塚左右助

左右助へ被下置候御扶持方ハ不指除之、組外へ被加之、御右筆方御用只今迄之通可相勤

百七十石之三ノ一
五十石　九大夫養子　寺西安五郎

末期願置候通、養方弟安五郎養子被仰付

百五十石　新平せかれ　飯沼助左衛門

助左衛門へ被下置候自分知ハ被指除之、御異風ニ被付

百石　八郎兵衛嫡子　佐賀関助

百五十石　才兵衛嫡子　村井佐仲

御算用者小頭並、新知八十石被下之　御家老衆執筆御算用者ヨリ　**園部宗助**

今月十五日於金沢、左之通被仰付

来春御参勤御供　**奥村左京**

附記　左之通被仰付候旨、晦日江戸ヨリ申来

来秋迄詰延　**前田織江**

同十六日　同断、縁組・養子等諸願被仰出

同十七日　同断

百石　**孫右衛門**せかれ　**馬場躬**（チカ）**太郎**

同廿四日　かけの諸勝負ハ御制禁ニ候処、近年――

例年同断ニ付記略、**安房守**殿ヨリ御廻文有之

同廿八日　於金沢、御内々ヲ以左之御詠歌并御道服八丈嶋被下之

大組頭兼御近習ヨリ隠居　安永六年十一月朔日　**堀**[1]　**遊間勝周**　御使番**堀兵馬**祖父

今年九十五歳

老の坂越へ残すなよ　百とせの

つえをたよりに　春を待へし

附、右**遊間**儀、及百歳ニ候ハ献上可仕ト兼テ貯置候鞍有之、然処次第ニ老病相募、翌春九十六歳俗ニ九六百[2]ト云ニ付献上仕度段相窺候処、指上候様就被仰出候、則翌年正月十一日献上仕

1 堀　遊閑

2 一文銭九十六箇を百文として流通させる事に擬えた事

候処、御懇之御意ヲ以、饂飩・小鴨・一角・人参拝領被仰付、于時老病段々指重、同月十八日死去、隠居料知百五十石被下置、尤孫兵馬宅ニ同居也

同　日　同断、御先手組足軽三人以上之欠人、代召抱候段御聞届、都テ二人宛之欠ニ相成候事

来春御参勤御道中奉行等今月廿三日被仰付

御供番御小将頭　高田新左衛門

御用人　小原惣左衛門

右之外、会所奉行佐久間大作改武大夫、割場奉行三浦重蔵御供被仰付

寛政十二年

● 寛政十二庚申歳　戊寅正月大

元旦　陰、長閑寒気穏和、昼ヨリ快天、二日三日四日快天、五日昼ヨリ雨天、六日快天、七日雪、八日雨、九日晴、十日雪、十一日十二日晴、（夜ヨリ寒威大ニ烈）十三日陰、十四日同、十五日雪二三寸積、十六日快天、十七日十八日雪、十九日雨、廿日ヨリ廿七日マテ晴或陰或風起、廿八日晴陰交、昏ヨリ雨降続、廿九日昼マテ晴之処、昼后霰雪降、晦日快天愈寒烈

同日　五半時御供揃ニテ筑前守[1]様御館ヘ御出、四時過於御居間書院二之間ニ、前田織江年頭御礼被為請、同四之間ニテ人持・諸頭并御附平士一統御礼被為請、且右之節御用ニテ相残候人々、二番座ニ被為請候事

　但頭分以上ハ右御礼相済、御席ヘ出、織江殿ヘ年頭御祝詞申述、退出之事

一、出雲守[2]様御出、於御小書院御対顔、御盃事有之、尤御料理出、其外御客衆御料理出候義等、前々之通

一、於御席、左之通被仰付

組外定府五左衛門末期養子五左衛門兄数馬二男　青山主鈴

五左衛門御扶持高之通
二十人扶持

御用所執筆御算用者ヨリ　二口五郎兵衛

御算用者小頭並
附御知行只今迄之通九十石也

御席執筆同断ヨリ　服部直助

同断
同断八十石也

右旧臘十四日金沢発之町飛脚ニ申来、年内着候得共尾張様[3]之御遠慮中ニ付御控置、今日被

1 前田斉広（十二代）
2 前田利謙（富山藩八代）
3 徳川斉朝

1徳川宗睦

2徳川斉朝

仰渡候旨之事

二日　昨日ヨリ七日迄御例之通御表向一統平詰、今明日御客衆へ御料理出候義等御例之通、四日ヨリ止、七日御料理御例之通出、**筑前守**様御登城年頭御礼被仰上

十日　上野へ御成

十一日　**尾張大納言**[1]様御所労御大切之義言上早飛脚到着ニ付、去二日夜御持弓頭**窪田左平**へ為御見廻早打御使被仰付、翌三日朝金沢発之処、於旅中気分悪敷及遅滞、今十一日夕七時頃参着 **庄田要人**御貸小屋ニ同居、御用人其上本役同役故也、翌十二日**尾張様**[2]并御内輪御使相勤、翌十三日暁発足指急歩ニテ罷帰候事

但於金沢如御定、小払金九十両借用来候処、雪途ニテ果敢（はか）取不申、彼是失墜多、其上当時ハ雖為早打、夜中之旅行ハ相対之訳等ト様々ゆすりケ間敷趣申聞、就中病気之節旅中所々ニテ医師へ診脉（脈）ヲ乞、薬臍（剤カ）申請候等ニテ入用相増、都合六十八両遣切、帰旅右余金ニテ無覚束候ニ付、於此表三十両拝借願有之候処、廿五両御聞届之事

十二日　夜前追儺御規式、御年男会所奉行**半田惣左衛門**勤之

一、御歩頭**今村三郎大夫**、今年詰番ニ付繰上**奥村十郎左衛門**為代出府被仰渡、旧臘廿九日金沢発足、明十三日此表へ参着之筈、依之旧冬十一月廿一日ニ有之**吉田八郎大夫**今日発足、金沢へ帰暫詰有之、失墜モ懸り候ニ付金子弐拾両借用相願処、十五両御聞届之事、附前記十一月廿九日互見

十五日　御例之通御表向平詰、御客衆へ御料理出

一、寒気御尋之宿次御奉書、旧臘廿七日金沢到着ニ付、同日御礼之御使御馬廻頭前田甚八郎へ
被仰渡、今月二日金沢発、今十五日参着、廿八日登城

十九日　御例之通、御殿当番等在合之人々御具足鏡餅、御雑煮・御吸物・御酒等頂戴、御作法
前々之通

廿二日　四時過内柳原出火ト遠板打候ニ付、火消御小将杉山新平一番御人数召連、拙者義三ツ
輪手合御人数召連、聖堂へ罷越候処、石町辺出火、其上鎮候ニ付、山中安之進へ相届引揚
帰候事

廿三日　御守殿淑姫[1]君様へ清水米・紅葉海苔一箱宛、中将[2]様へ氷砂糖壱壷・乾瓢壱箱、聖聴院[3]
様へ干饂飩・椎茸壱箱宛、且中将様へ従筑前守[4]様糸饂飩壱箱、夫々御朦中為御見廻被進之、
自分御使相勤

同　日　尾張大納言[5]様御逝去之段、於御国御承知被遊候ニ付、今朝尾州様へ為御悔御使御家老
前田織江被遣之

廿七日　暁八時過、谷中通出火ト遠板打候処、段々及大火、上野谷中門内へ火移候由ニテ上野
相図打、朝六半時頃鎮打、大抵五六町計焼失、谷中門内佐竹右京大夫[6]様御宿坊へ飛火ニテ
少々焼失、右ニ付一番火消山口左次馬、二番一木鉄之助モ御用人依指図押出、御人数ヲ以
防留候事

廿九日　尾張中将様へ以上使、御遺領御相続被仰付、依之従筑前守様御祝儀御使、御附人持成
瀬監物相勤、従御前様[7]ハ今村三郎大夫御歩頭相勤并紀州様・水戸様へモ御祝之御使同人相勤、

1 徳川家斉女（尾張中将斉朝室）
2 徳川斉朝
3 尾張徳川治行室
4 前田斉広
5 徳川宗睦
6 佐竹義和（寛3 77頁）
7 前田治脩室正

1 前田重教室千間
2 池田治道男斉邦
3 曽祖母の筈
4 伯母の筈

従寿光院様ハ就御忌中御使無之
附一昨廿七日銀之進様因州鳥取主御母堂桂香院様御卒去
寿光院様御姉(ママ)ニ付御忌中、依之普請ハ一日鳴物ハ三日遠慮之旨
一昨日小屋触有之

今月三日於金沢、左之通被仰付

御先筒頭 永原佐六郎

御異風才許当分加人

同十五日 同断

御先手 杉野善三郎
久能吉大夫

当春出府、善三郎義ハ河内山久大夫、吉大夫儀ハ津田権平ト可致交代旨、御用番前田大炊殿被仰渡、但今月七日順先書出

同十六日 同断

松寿院様附御用人並 内田伊助

及老年候ニ付役儀御免除
定番御馬廻組ヘ被指加、御役料知被指除之、且及老年候迄全相勤候ニ付白銀五枚・染物二端御目録ヲ以被下之

同十八日 同断

御先弓頭 永原半左衛門

御射手才許加人

同十九日　同断

御近習御用　石野主殿助
上ニ同　勝尾半左衛門
御近習頭　関沢安左衛門
御表小将御番頭　林　十左衛門
御表小将御番頭　山口清大夫
御近習御使番　田辺判五兵衛
上ニ同　加藤次郎左衛門
御表小将横目　横山引馬
御道中御筒支配
御持筒頭　伊藤津兵衛
御道中御弓支配
物頭並聞番　長瀬五郎左衛門
御馬廻頭　高畠五郎兵衛

右当御参勤御供、当春江戸詰被仰付

御前様

深みとり色そふ春の松かえに
　千代のよはひを契ることのは

寿光院様

咲花も百々路こひの色そへて
　やそちの春に匂ふ梅かえ

右ハ年寄女中**幾野**、八十の賀ヲ御祝ひ被下候由之事

江戸中橋柳町**政五郎**、ト申者、強盗ニ付死刑ニ相極候処、母度々命乞相願候得共、御聞届無之、于時母詠歌

　照します神と君との恵みをは

母ゆへ闇に迷ふ我子はト詠し候得ハ
加役岡部内記殿不取敢返歌
母ゆへに迷ふと聞は親の
道も直なる神の恵みを
評議之上、死刑一等御免、此間之事ニ候由、任承記之
尾州へ之御代香御使今月
十六日於金沢被仰渡、廿五日発足
御馬廻頭
野村伊兵衛

己卯
二月小

朔日　二日三日四日快天、五日同、昏ヨリ雨天、六日雨天、七日ヨリ十二日マテ快天、十三日微雪、十四日十五日十六日晴陰交、十七日昏ヨリ風雨、十八日十九日快天風起、廿日昼后ヨリ雨、廿一日雨天、「暁七ツ時過強地震之処長大、同半頃止」廿二日ヨリ廿七日マテ晴陰交、廿八日陰夕ヨリ雨、廿九日快天、今月気候不霽寒暖混雑

大目付へ

於日光山、御法事四月十三日初テ、十四日中日、十五日結願日、当四月於日光山御法事中前々之通、式日立合内寄合可被仕候、勿論拷問・手鎖或籠舎或縄懸候類之義ハ可為無用候事

一、御法事中、普請・鳴物・祭礼・法事等不及相止候事

1松平信明（老中）
2家斉女（尾張斉朝室）

以上

正月

右松平伊豆守[1]殿、御渡候御書付写二通、御大目付衆ヨリ到来、夫々可申談旨前田織江殿御申聞之由ニテ御横目三宅平太左衛門ヨリ今月六日廻状出、尤判形物也、且左之写モ同断

当年御法事ニ付テ日光ヘ参候輩上下共、聞忌服ハ他ヨリモ不申越様ニ致し、本人不承候得ハ日光山中并御宮等ヘ罷出候テモ不苦候

△

一、聞忌服之義、日光ヘ相知、他人ハ承候共、本人ヘさへ不申聞候得ハ本人穢無之候、勿論他人之忌服承候分ハ穢ニ成候事無之候

右之趣被得其意、日光ヘ罷越候面々ヘ可被相達候

正月

十九日　淑姫[2]君様ヨリ今朝五時過御用人宇田川平七殿御使ニテ御入輿被為済候ニ付、御祝被成、干鯛一箱・御目録筑前守様ヘ被遣之、取次横浜善左衛門御附御近習御用同人ヲ以御請相済、右平七殿ヘ御餅菓子・御吸物等出、御目録副并才領等ヘモ御菓子被下之

廿三日　夜九時頃新吉原出火、娼家等悉皆焼失、大門入口之小家三軒僅ニ残、翌朝六時頃鎮火

江戸表御式台ヲ初、御表向都テ綿衣等粗服可致着用候、御見廻懸り御客等ハ、御給事たり共、綿衣等御貪着無之候間、勝手次第着用、御内輪相勤候人々ハ尤可致着用候事

△

一、江戸詰中、於御貸長屋、無益之参会無用之事

一、餞別并土産物堅く無用之旨、前々被仰出候得共、違失之人々モ有之躰ニ付、自今以後堅相

互ニ指止可申候、近年被仰出候通、猶更厳重相守可申候事
一、足軽以下御門外たり共、綿衣着用、刀・脇指拵金銀相用申義ハ可為無用候事
一、御家中家来・若党、衣類不相応之族無之様、主人々々ヨリ厳重ニ可申付候事
右大綱前々被仰出候得共、当時万端厳敷御省略中ニ候間、猶更急度相心得候様可申渡旨被仰出候条、被得其意　組・支配之人々ヘモ可被申渡候事
右前田織江殿御渡、諸頭中申談不相洩様可相心得旨御申渡之段、水野次郎大夫ヨリ廻状到来之事

廿八日　**松寿院**[1]様為御年賀御広式ヘ御出、今夜為御馳走傀儡師[2]・野良間[3]被為召候事

今月朔日　於金沢、左之通被仰付

御用番見習　**横山山城**
前田内匠助

同六日　同断

隠居料三百石　定番頭　**不破和平**　七十歳改**介翁**

和平儀、先達テ役儀御免除相願候処、思召有之ニ付、今暫相勤候様被仰渡置候、**泰雲院**[4]様御近辺御用等、数十年及極老候迄全相勤候ニ付隠居家督被仰付、**和平**役料知ハ被指除之、**東作**儀御馬廻ヘ被指加

1重教女穎（保科容詮室）
2くぐつ師（あやつり人形師）
3のろま（野呂間人形つかい）
4重教（十代）

家督無相違五百石　和平嫡子　不破東作

隠居料二十人扶持　御先筒頭　印牧弥門　七十二才改永終

弥門儀、極老其上病気ニ付、役儀御免除願之通被聞召候、護国院様御代以来数十年品々役儀全相勤候ニ付、隠居家督被仰付、弥門役料知ハ被指除之、多門儀組外へ被指加

家督無相違三百五十石　弥門嫡子　印牧多門

同七日　同断

定番頭　池田禔平代　御馬廻頭ヨリ　江守平馬

御奥小将御番頭　河内山久大夫代　御近習御使番ヨリ　中村才兵衛

御使番御近習頭兼　御表小将横目ヨリ　横山引馬

江戸御広式御用人　武藤伊織代　御膳奉行ヨリ　安宅三郎左衛門

同十日　同断

新知百石　御近習新番御歩ヨリ　神田忠太郎　吉左衛門せかれ

只今迄被下置候御切米御扶持方ハ被指除之、組外ニ被仰付御表小将見習

同十一日　同断

御表小将横目　横山引馬代

御表小将ヨリ　山崎弥次郎　改小右衛門

同　日　同断　御組頭、於前田土佐守殿御宅、本多安房守殿御列座、前田内蔵太・本多内記へ

御横目水原清左衛門・堀左兵衛指引被仰出之趣被仰渡

前田兵庫[1]儀、先達テ不慎之趣被聞召候故、遠慮被仰付置候得共、病気之躰被聞召候ニ付御免被成、病気弥遂保養可申旨、去夏兵庫并一類へ被仰渡置候処、去秋縮所ヨリ忍出候為躰ニ付、急度曲言ニモ可被仰付候得共、乱心之躰無紛候ニ付知行被召放候、せかれ等無之候間一門共へ被指預候、此段一門共へ可申渡旨被仰出候事

今月十三日　於金沢、左之通被仰付

前田故兵庫跡相続　前田橘三[3]

故兵庫[2]知行三千五百石　内五百石与力知之内

一、弐千五百石　内五百石与力知

兵庫義、乱心躰無紛候ニ付、知行被召放、跡式不被及御貪着候、乍然本家故美作守[4]遺知之内配知ニ付、格別之思召ヲ以故兵庫為名跡、前田権佐[5]弟橘三[6]被召出、如此相続被仰付

同十五日　同断

御家老役　今枝内記

日光山大猷院[7]様御霊前へ御代拝御使被仰付

附四月三日金沢発足、右相済直ニ出府、前田織江ト交代

御先弓頭　吉田彦兵衛

中宮[8]御平産――正月廿三日也

1前田道暢

2前田孝理

3前田孝弟

4前田孝行

5前田恒固

6前田才記孝弟

7徳川家光（三代）

8中宮欣子

若宮[1]御降誕ニ付、京都へ之御使表立被仰渡　御内証ハ旧臘被仰渡有之
附今月廿一日ニ三月朔日発足ト被仰渡、則発足
三月十五日金沢御発駕、同廿六日御着府

同　日　右之通被仰出、附御疝邪ニ付御延引ト三月七日被仰出

同十九日　同断　**長　大隅守**（六十九才）
隠居料　二千石
家督無相違三万三千石　内二千石与力知　**同　九郎左衛門**（同月廿一日ヨリ改恵廸斉）
人持組頭被仰渡

同廿六日　同断　町外料ニテ公事場等三ケ所懸り　**長谷川学方**
十五人扶持被下、御外料ニ被召出、当御参勤御供被仰付

同廿八日　御判・御印物頂戴被仰付
今月廿一日病死　享年七十六　最前定番頭ヨリ隠居　**津田道簡**
同　十九日病死　享年七十二　今月六日御先手ヨリ隠居　**印牧永終**

今月二日　公事場触、十日出銀触**庄田兵庫**ヨリ、十三日年中御組頭**安房守**殿ヨリ両度触有之、前々同
断ニ付略記ス

或書ニ　忘草　忍草　水仙　青木香　萱草　山吹
　　　　　　ウツギ　紫苑　唐芥子　以上皆忘草の名有

1魏の曹冏の著書
2曹冏の著『群書治要巻26』2以外は呉の韋昭の博奕論『三国志巻65韋曜伝』

六代論[1]
百足之虫至レ死不レ僵扶之者衆レハ也[2] 君子之居レ室也 勤レ身以致レ養其在レ朝也 竭レ命以納忠臨レ事 且猶旰食ス而何ソ暇ヲ博奕之足レ耽ルニ仮令世士移ニ博奕之力一メテ用ニ之於詩書一是有ニ顔閔之志一也 用ニ之於智計一是有ニ良平之思一也 用ニ之於資貨一是有ニ倚(猗)頓之富一也 用ニ之於射御(禦)一是有ニ将師之備一也 如此則ンハ功名立而鄙賤遠矣 旰ヒタケト訓ス

庚辰三月大

朔日 陰雨昼ヨリ晴、二日三日四日快天、五日六日、七日雨、八日晴、九日陰夕ヨリ雨、十日十一日十二日晴陰交、十三日昼后折々雨風夜大風雨、十四日昼ヨリ折々雨風、十五日十六日十七日晴陰交、十八日雨天、十九日昼ヨリ属晴、廿日廿一日廿二日快天、廿三日暁寅ヨリ大風雨巳ヨリ快晴、廿四日ヨリ廿七日マテ晴陰交、廿八日雨天、廿九日晦日快天、今月気候寒暖不霽
（七日雨に注：夜雪三寸計降積）

同日 左之通被仰付候段、**前田織江**殿御申渡
日光山**大猷院**様御霊前へ御代拝御使**今枝内記**へ就被仰付候指副被仰付、右相済直ニ金沢へ可罷帰候
聞番物頭並
菊池九右衛門

三　日　上巳ニ付御例之通、御表向一統平詰

五　日　御馬廻頭今井甚兵衛金沢古寺町居宅土蔵ヨリ暁八時過燃出、土蔵并同玄関焼失、本家等ハ無別条、但後ろ（うしろ）町家土蔵之玄関計類焼之事、此次今年九月四日互見

七　日　左之通、於金沢被仰付

芝御広式附御用人並　組外御近習番　萩原又六

八　日　同断

会所奉行加人　御馬廻組　伊勢与九郎

廿四日　左之通御覚書ヲ以、前田織江殿御申渡　津田権平[1]

当春為交代久能吉大夫等出府之上、両人ニテハ指支之趣有之候間、御手前儀御着府迄暫詰延、大御門方支配モ致し候様可申渡旨被仰出候事

廿七日　今月十九日金沢発之町飛脚今日着、杉野善三郎・久能吉大夫儀、御発駕暫御延引ニ付、追付可致発足候、御留守中モ三人詰ニ被仰付、依之津田権平儀御着府迄暫詰延、御門方支配モ致し候様被仰遣候、御在府詰高之義ハ追テ可被仰渡候段、今月十五日御用番長九郎左衛門殿被仰渡、今廿七日発足之筈ト申来候事

今月十八日　桧垣之御間於御別席、定番頭・御馬廻頭・御小将頭ヘ御用番九郎左衛門殿御対談有之、趣意不相知旨モ右同便ニ申来候事

廿八日　左之通、於金沢被仰付

1 政隣

定番頭並
御近習御用只今迄之通　組頭並ヨリ　勝尾半左衛門
御馬廻頭　江守平馬代　御小将頭ヨリ　和田源次右衛門
御歩頭　奥村十郎左衛門代　御先筒頭兼御異風才許ヨリ　田辺長左衛門
御持筒頭　槻尾甚助代　御先筒頭　玉川七兵衛
御近習只今迄之通
御先筒頭　印牧弥門代　組外御筒頭ヨリ　本保六郎左衛門

付札　御横目へ
来月朔日辰刻ヨリ日蝕ニテ九分ニ候間、出仕之面々蝕終り次第四時過相揃可申事
△右之趣被得其意、出仕之面々へ夫々可被申談候事
三月　御横目
別紙之通、夫々可申請旨、御用番河内守殿被仰聞候条御承知被成、御同役御伝達可被成候、以上
三月廿三日
御先手物頭衆中
右今廿八日告来
左之二首[1]ハ和邦朱引之法ト云々、承ニ付記之

1　『貞丈雑記巻16書籍之部』漢籍等の字に朱引がある場合

1字の中の一本右朱引は所名
2字の中の一本中朱引は人名
3字の中の一本左朱引は官名
4字の中の二本中朱引は書名
5字の中の二本左朱引は年号

右所[1]中[2]は人の名、左[3]をは官の朱引と是をいふ也
二ツ引中[4]の朱引は物の本、左り二ツは年[5]号と知れ

辛巳**四月**大

朔日 二日三日晴陰交、四日雨、五日快天昼后雨天、六日七日晴陰、八日雨天、九日ヨリ十八日マテ快天、十九日廿日雨天、廿一日快天、廿二日巳ヨリ雨、廿三日廿四日雨、廿五日快天、廿六日雨、廿七日廿八日晴陰、廿九日雨、晦日快晴、今月気候寒暖不齊

同日 辰刻ヨリ九分之蝕、前月廿八日触状写互見

八日 前月廿七日記之通、**杉野善三郎**・**久能吉大夫**同日発、道中人馬支等ニテ今日江戸参着、依之同役**河内山久大夫**致交代、翌九日暁発足帰

十三日 前々月金沢記之十五日・前月朔日記ニモ有之通ニ付、**菊池九右衛門**今暁江戸発、明後十五日日光山ヘ到着、廿五日迄罷在、夫ヨリ直ニ金沢ヘ罷帰候筈、右ニ付此間御内々金小判百両**石野主殿助**奉書ヲ以被下之并七十両御定之御貸渡、外ニ百五十両御貸渡都合三百二十両也、且又一昨十一日直ニ御国ヘ之御暇被下候段、**前田織江**殿猶更御申渡、但**九右衛門**今日ヨリ精進、廿六日倉ケ野駅ニテ精進解き候筈之事

附、今日ヨリ右倉ケ野迄召連候供廻、左之通同所ヨリ相減、常旅行之供廻ニテ金沢ヘ帰候筈之事

馬　沓籠　具足櫃　矢籠　鎗　従　鎗　従　駕籠　若党　若党

若党　挟箱　挟箱　立傘　手明　荷挟箱　荷挟箱
若党　挟箱　挟箱　草履取　手明
手明
笠籠　笠籠　合羽掛　合羽掛　押足軽

十八日　左之通御横目三宅平太左衛門ヨリ廻状有之

御書取写

△出火之節、御使番白き塗笠相用候処、近年外々ニテモ相用紛敷指支候事モ有之由ニ付、以来火事場役人之外、白笠相用候儀無用ニ可致候、此段向々ヘ寄々可被達置候、松平伊豆守[1]殿御渡候御書取写壱通相達候間、被得其意御嫡子ヘモ可有通達候、答之義ハ松浦越前守[2]方ヘ可被申聞候、以上

二月廿六日　大目付

御名殿　留守居中

出火之節、火事場御役人之外白塗笠相用候義無用之段、大御目付衆ヨリ先達テ到来之御書付写壱通相達之候条、被得其意御家中一統可被申談候、以上

四月十九日　前田織江

御横目中

廿日　前記之通大猷院[3]様百五十回御忌ニ付上野御成、御作法前々之通、筑前守[4]様御予参可被遊候処、就御風気ニ御断之段、昨日被仰出

1 松平信明（老中首座）
2 松浦信程（大目付）
3 徳川家光
4 前田斉広（十二代）

廿日　前記今月十三日記ニモ有之通ニ付、御家老役今枝内記殿今月三日金沢発足、同十六日日光山ヘ参着、今日御代拝首尾能相済、且先例之通、日光責饗応之義申込有之候処、翌廿一日辰五時ヨリ於法門院ハ次第左之通

御名代　今枝内記

副使　菊池九右衛門

此両人敷居ヲ隔着座　内記家来　藤沢助三

同断医師　木村嘉大

床つき土器　冷酒　取積　かや　くり　こんぶ

本膳　盛分　ろくしやう　大根　せんくり　岩茸　松葉のり　うこぎ

汁　白みそ　鴬な　はつ茸　白玉とうふ

香物　なら漬　こく漬

めし

二の膳　平　よせとうふ　葛あん　わさび

猪口　梅ひしほ　かたこ

汁　青のり　とろゝ

三の膳　小茶碗　梅干　酒麸

汁　すまし　しめぢ　白髪こんぶ

壷　みそ　午ぼう

1 参考資料 『栃木県の強飯』（栃木県　民俗資料調査報告書題　十二集）日光輪王寺の院坊の一つ

筆羹　しいたけ　竹の子　大和煮
　　　湯葉　長鹿尾菜

台引　揚くわゐ
　　　はせくわひ

一、一旦器の納る頃、宿坊法門院[1]出座、続テ院代両観坊并一院之僧徒列座ス、于時次之間ヨリ法螺二口、山モ突貫く高声ニ吹立テ、編衫・踏込・頭巾・鈴懸・小手・臑当したる背高き骨組太き、さもあらけなき大山伏、耳盥の如き金鉢ニ見上る計白飯ヲ嶽形ニ盛りたるヲ台ニすへ、箸一膳・五器の蓋一ツ取添テ、ノッサ〳〵と携へ出、片膝折テ御名代の前ニ指置、扨盛たる飯の頂きヲ少し箸挟み、持たる五器の蓋ニ受させて退たり、但此山伏霜月ヨリ山中ニ入、赤裸ニテ昼夜山ヲかけり谷ヲ廻り、或ハ断食し、或ハ滝壷ニ夜ヲ明し、雪ニ閉られ氷ニ臥し、翌年三月迄人界ニ不出、一山第一の荒行ヲ行ひ得テ、一之坊主ト呼るゝ強胆不敵の者也

中禅寺の木から皮
蓼の海の蓼
御前載の蕃菽
寂光の生大根

次ニ右山伏、長一尺四五寸、廻り一尺計の丸木の棒二本左右ニ脇挟み、畳テ蹴立出立テ、白飯台ニ寄テ、右二本の棒の木口と〳〵つき合せ、膝元ニ揃へ置、片膝立テ身ヲそむけ、肩ヲ片方張立テ、両の腕（かいな）ヲ組、眼ヲ怒らし、歯ヲむき出し、山谷モ震く如き大音声、噛付ばかりニのゝしりわめきテ曰、

コリア　抑此(そもそも)白飯ト言フハ当山の古実、かけまくも東照大権宮ヨリ下し置るゝ万代不易の重礼也、今般御名代として登山し、全く無障相勤たる之段、於其許満足たるべき処也、依之忝くモ従東照宮被下候条、慎テ頂戴仕ニおゐてハ、武運長久息災延命、皆令満足疑なし、早くもスル〱ト取上テ、一杯二杯ニ非ス、七十五杯一粒モ不残くらいヲろう〱ト責、終つて引退く、次ニ以前ニ増りたる荒山伏、件の通り白飯ヲ持出、副使九右衛門之前ニ指置、飯ヲ箸ニ挟み、蓋ニ請させて退出ス、扨丸棒二本脇挟み出る容躰等都テ前の如し

コリア　口達　御名代の一ヶ条ヲ省く、其外前の如し、次ニ藤沢助三、次ニ木村嘉大次第前の如し、右四人共相済、台の物ヲ持出、一種宛手抓みニして、各白飯台ニ盛添、扨又詈つて曰、

コリア　此品々ハ当山の名産、中禅寺の木辛皮、蓼の海の蓼、寂光の生ま大根、御前栽の唐からし、品々珍味ヲ取揃へ、為御料理ト被下候条、不残取上テくらはふ、取上テ食ひおろふトわめき付テ引退く、次ニ右山伏共、面々の前ニせまり付、今般忝モ従東照宮の御饗応、かゝる仕合ニ逢ひ奉る冥加至極モ無之義、不取上事不罷成ト詈つて、右の金鉢ヲ取持テ面々の手ニ持たせ、難有儀だ〱食らへ〱ト責はたりて引退く、次ニ又立出テ、御名代ヲ始面々ニせまり寄り、頭が高い〱トわめきつくニ依テ、各左右之手ヲ畳ニすり付ながら、成たけ頭ヲモ畳ニすり付る時、荒蒹の廻り七八寸ニないたる大縄の、鉢巻如きヲ輪ニ結び成したるヲ、面々の頭上に覆ぶせ、

コリア　毘沙門の金甲だ、慎テ是ヲ戴くへし、是ヲかぶり戴くニ於テハ、七難即滅、寿命長久、

福録増長、天人和合、諸願成就、如意満足、武運開運都テ闕所なき物也、敬み慎テ是ヲ戴くへしト詈りわめきける音、高山の崩るゝ如きに恐れて、各冷汗五体ニ流れ怖れ入テ居たりけり、次ニ又、次の間ヨリ戸襖ヲ打敲き、畳ヲ蹈轟して法螺ヲ吹立、鯨の声ヲ上げ、堂塔伽藍鳴動して、長四五尺廻り二三尺計なる捻棒、長二三尺計の煙管、其らふの廻り弐尺余り、雁首ハ一升ますヲ丸めし如く、吸口右ニ応じ斗升の如きたばこ銅乱提げ、天狗面覆りテ、大勢の山伏一同ニのさばり出、足ふみならし、ねじ棒暨きせる等ニテ畳ヲうち敲き、足ニテ膳部ヲ散乱し、今や魔界ニ墜落せしかト思わるゝ、虎狼の如き齦（はぐき）きヲむき出し、火炎の如き息ヲ吹出し、只口々ニ食らへ〳〵ト詈る音天地ニ響き、半時計座中震動して引入たり

一、最前ヨリ責ふり之手ひどき事、其次第種々様々ありて肝魂ヲ消す如く也、古昔柔弱の生質なる者絶命ニ及び候由、中頃ヨリ神勅度々有テ、聖慮仁愛の御代、おのつから中和の気ニ移り、此一風土の強モ相和らぎ、今程ニテハ古実の形ち計なりトいへども、猶すさましき事共也、抑此礼トいへるハ、上ハ勅使・宮御門跡・将軍家・諸大名、重務大役之祝儀たる時是ヲ行ふ、一山の古実大礼第一の御馳走なり

次ニ法門院出、挨拶して退出せしむ、院代僧徒モ退出ス、次ニ左之通出

酒　引盃　重積　輪唐からし　氷とうふ　吸物（すまし）　てうろぎ　じゅんさい　つくはね

湯　畢テ膳部引入る

口取 枝柿 くり こうたけ　　濃茶　　干菓子 一器宛

煎じ茶

右あらまし如此ト云々

同　日　金沢於神護寺モ、右御法事御執行有之、御執行中御寺近辺之外、鳴物不及遠慮儀等、都テ前々公義御法事之節之通ニ付、記略ス

廿一日　右御法事相済候ニ付、今朝筑前守様御登城、且昨日御参詣不被遊候ニ付、廿二日五時過御供揃ニテ上野御参詣

廿七日　筑前守様、御国許へ被為入候御願書、此間就被指出候、来月廿一日御発駕ト今日被仰出

廿九日　今枝内記殿、前記廿日ニ有之通、日光御用相済、今日江戸参着、但前田織江殿ハ御着府之上御暇被下次第、発足被帰候筈之事

今月朔日　於金沢、左之通被仰付候段、御用番安房守殿被仰渡

御小将頭　和田源次右衛門代　町奉行ヨリ　伊藤平大夫

町奉行　伊藤平大夫代　御歩頭ヨリ　井上井之助

組外御番頭　本保六郎左衛門代　御細工奉行ヨリ　村田久左衛門

同　夜　今枝内記殿家来藤村八大夫年廿八才ト申者、傍輩志田三郎左衛門ヲ刺殺逃去ニ付、人

相書ヲ以、右躰之者於有之ハ、其所ニ召捕置、早速公事場奉行ヘ及断候様、組・支配・家来末々迄可申渡旨等、今月八日御用番安房守殿ヨリ御触出之処、右八大夫儀於卯辰山藪之内ニ自害相果有之ニ付、右八大夫不及相尋候段、同月十九日御横目廻状出

今月二日　於金沢、左之通被仰付

御細工奉行　加州御郡奉行御馬廻組ヨリ　馬場孫三

同六日　同断

江戸御広式御用　学校方御用御免　物頭並　加藤用左衛門

御倹約奉行兼帯　宗門奉行御免　御馬廻頭　宮井典膳

御倹約奉行御免除　定番頭　江守平馬

同十一日　同断、左之通被仰出

御疝積段々御快ニ付、当月廿五日御発駕、来月七日御着府被遊候事

同十七日　同断、左之通被仰付、但就御快ニ於御前也

御先筒頭　田辺長左衛門代　定番御馬廻御番頭ヨリ　吉田八郎大夫

御倹約奉行只今迄之通　御役御免之頭列ヨリ　吉田又右衛門

物頭並　学校方御用　御台所奉行ヨリ　沢田伊佐右衛門

定番御馬廻御番頭　吉田八郎大夫代

同十八日　役儀之御礼等被為請

同廿一日　於金沢、左之通被仰付

人持組頭　横山故山城跡組御預　奥村左京

御台所奉行　沢田伊佐右衛門代　組外御年寄衆席御用ヨリ　馬淵順左衛門

御加増　三拾石　組外ニ被仰付　御年寄衆席執筆御算用者小頭並ヨリ　原篠喜兵衛

同　五拾石　御近習組外　石黒嘉左衛門

同　弐拾石　御異風小頭　井上源兵衛

新番組御歩、御宛行御格之通　定番御歩ヨリ　笠松栄蔵

御近習只今迄之通

跡目等左之通

三百五十石　十郎左衛門末期養子　奥村八百之助

千百石　重右衛門せかれ　三浦勇次郎

八百石　一郎右衛門せかれ　岡田三六

四百石　八十左衛門養子　福嶋七之助

但其侭ニテ御儒者役被仰付、御番ハ不及相勤、只今迄之通於学校読師相勤可申候

三百五十石　新兵衛嫡子　金子吉郎左衛門

三百石　左源太せかれ　村田貞三郎

同　次郎左衛門家督相続　大原弥三

末期願之通被聞召届候、依之母方おち高田弥左衛門指次弟弥三へ相続被仰付

弐百五十石　四郎左衛門養子　嶺　斧助

百五十石　源右衛門養子　富田一角

四百五十石　勘解由せかれ　高沢牛太郎

百三十石　和七郎養子　水野半佑

百石　丈右衛門養子　北川庸之助

同　義左衛門養子　塩川権佐

八十石　安左衛門養子　篠田安太郎

百十石　豊太嫡子　渡辺源五郎

六十石　定番御徒へ被加之　判兵衛せかれ　橋爪万作

残知
二百石　本知都合三百石　前波長三郎

同　　　　　同断
七十石　本知都合百石　　　　　　　　　　　　磯松紀太郎
　　　　　　　　　　　　　　　　　　　　　　近藤恒之助
不応思召趣有之ニ付役儀被　　　　　　　　御持筒頭
指除　此次八月廿六日互見　　　　　　　　　伊藤津兵衛

同廿二日　於金沢、役儀等・跡目等之御礼被為請、且左之通被仰付
　　　　　　　　　　　　　　　　　　　　　　永原佐六郎
伊藤津兵衛代　御参勤御供被
仰付、御道中御筒支配

同　日　縁組・養子等諸願被仰出

同廿三日　於金沢、左之通被仰付
加州御郡奉行　**馬場孫三**代　　　　　御馬廻組
　　　　　　　　　　　　　　　　　　　　高山表五郎
　　　　　　　　　　　　　　　　　附最前御表小将
　　　　　　　　　　　　　　　　　　　　前田主殿助
　　　　　　　　　　　　　　　　　　　　黒川平次右衛門
　　　　　　　　　　　　　　　　　　　　山本武兵衛
此三人共指控御免許

同廿四日　同断
御歩頭　**井上井之助**代　　　　　　　御先筒頭ヨリ
　　　　　　　　　　　　　　　　　　　　河内山久大夫
御持筒頭　**生駒伝七郎**代　　　　　　同断ヨリ
　　　　　　　　　　　　　　　　　　　　小原惣左衛門

同廿五日　去十一日被仰出候通、今日益御機嫌克金沢御発駕

索隠[1]天子諸侯　群妾以次進御　有月事者

1『史記巻59　五宗世家第29』

止不御　更不口説　故以丹注面

孔子[1]曰不祥有五
夫損人而益己身之不祥也　棄老取幼家之不祥也
釋賢用不肖国之不祥也　老者不教幼者志不学俗之不祥也
聖人伏匿天下之不祥也

顔渕[2]曰
獣窮則触　鳥窮則啄　人窮則詐

叔向[3]対曰
大臣重禄而不極諫　近臣畏罰而不敢言
下情不上通　是国家之患之大者也

右任畾紙抜書之

1『孔子家語(正論解)』
2『荀子(哀公篇)』
3『新序(雑事五)』

閏四月小

朔日　陰申ヨリ雨、二日三日四日晴陰、五日六日雨、七日八日晴陰交九日ヨリ道中十八日マテ晴陰交、気候応時、十九日廿日晴陰、廿一日雨、廿二日陰、廿三日ヨリ廿六日マテ雨天、廿七日陰、廿八日廿九日晴陰交

三日　当御在府詰人御馬廻頭**高畠五郎兵衛**、前月廿三日金沢発足、今日江戸参着

六日　**自分**義、近々此表発足、御国へ罷帰候筈ニ付従**御前様**帯地二筋拝領被仰付候ニ付、御

附物頭井上太郎兵衛ョリ奉書ヲ以到来、為御礼太郎兵衛御小屋迄参出、但近々交代帰之頭分以上何モ同断

七　日　九時過益御機嫌克御着府、御作法都テ前々之通ニテ御表ヘ御出、御老中方御廻勤モ被遊候事

同　日　自分義、御国ヘ之御暇被下候、以之外御取込ニ付御目見ハ不被仰付段、前田織江殿御申渡、依之明後九日発足可仕旨御達申置候事

但、頭分以上交代帰之人々右同断、明日帰候人々モ有之、且又同役永原佐六郎御供ニテ参着、其外前記ニ有之御供人奥村左京殿等夫々参着之事

八　日　明日発足ニ付、於御席奥村左京殿御逢、金沢御用番ヘ例之通言、且御次ヘ出御用モ無御座哉御近習頭田辺判五兵衛ヲ以相伺候処、御用モ無之候、無事ニ罷帰候様御意関沢安左衛門ヲ以被仰出、同人ヲ以御請申上候事

但、北之御居宅ヘモ出、御用相伺候処、御用モ無御座候、無事ニ罷帰候様ニト戸田伝太郎ヲ以御意ニ付、同人ヲ以御請申上候事

九　日　発足ニ付、駅馬人足暁八時不遅参候様申遣置候得共、及遅参朝六時過出立、夕七半時頃鴻巣駅着、瀬山庄左衛門方ニ止宿、但九泊十日歩ニ極置候得共、越後路人馬支ニテ一日之歩行逗留ニ相成、旅中之様子前々同断、此記ニ略ス

十九日　朝六時過、津幡発足、五時過大樋ヘ着、茶屋ニテ時刻見合、四時過御城ヘ出、御用番奥村河内守殿ヘ左京殿御伝言等申述退出、直ニ御組頭安房守殿ヘ罷越、九時頃帰宅之事

筑前守様御着之上、公辺へ
之御礼御使、昨十八日被仰付

人持組御奏者番
永原久兵衛

付札　御横目へ

△今般筑前守様御帰国ニ付、御着御当日一統布上下着用之事、七拾間御長屋御門外下馬下乗之義、平日ハ前々之通ニ候得共、御着御当日ハ松原屋敷石垣角ニテ下馬下乗之事

右之通夫々可被申談候事

閏四月

右御用番河内守殿被仰聞候旨等御横目廻状出

今月廿一日　左之通、於江戸被仰付候段申来

当御在府中御倹約方
御用主付相勤候様被
仰出候段、左京殿被仰渡

杉野善三郎
久能吉大夫
永原佐六郎

壬午　五月大

朔日　二日三日晴陰、四日雨、五日陰、六日雨、七日八日九日陰、十日雨、十一日十二日晴陰、十三日快天湿(カ)暑、十四日ヨリ廿日マテ雨天続、廿一日廿二日廿三日快天、廿四日ヨリ廿八日マテ雨天、廿九日晦日晴陰交

同日　月次出仕、四時頃御年寄衆等謁、其節左之通御用番村井又兵衛殿御演述、畢テ退出、

相公[1]様益御機嫌克、前月七日御着府、同十一日上使松平伊豆守[2]殿ヲ以、被為蒙上意、将又同十五日御参勤之御礼可被仰上旨、前日御老中方ヨリ御奉書致到来候得共、御風気且御持病之御疝積気ニ被為在候ニ付登城御断、御参勤ニ付テ之御献上物、御使者ヲ以被指上候処、御用番戸田采女正[3]殿御受取、御披露可被成旨被仰聞、西丸ヘモ御献上相済申候、且又奥村左京・前田織江献上物、同日両御丸ヘ持参、御納戸ヘ相納候旨、従左京等申来候、此段為承知申達候事

△筑前守[4]様明後六日津幡ヨリ御着之筈ニ候条、御着之御様子被承合、為御祝詞御用番宅ヘ可被罷出候、幼少・病気等之人々ハ以使者可被申越候、右之趣可被得其意候、以上

五月四日　村井又兵衛

津田権平殿　但同組中連名

五日　端午為御祝詞出仕、御年寄衆等謁、四時過相済

付記　御横目ヘ

△大手御石垣御普請就被仰付候、当月八日ヨリ尾坂御門往来指留候条、此段夫々可被申談候事

右御城代前田大炊殿被仰聞候旨等御横目廻状出、此次九月廿二日

六日　九時前、筑前守様益御機嫌克御着、永原久兵衛御目見等御例之通相済、八時前発足

附六月廿三日帰、且前記有之通、為恐悦又兵衛殿御宅ヘ参出之事

1前田治脩（十一代）
2松平信明（老中）
3戸田氏教（老中）
4前田斉広（十二代）

十　日　同役寄合初吉田八郎大夫宅ヘ出座、但例月ニ付来月ヨリ記略

十三日　左之通被仰付

割場奉行御大小将組
岸　忠兵衛

役儀御免除

十五日　月次出仕四時頃相済、其節左之通御用番又兵衛殿御演述

相公様御疝積等御快被成御座、去朔日御参府後初テ御登城被遊候処、就右御懇之被為蒙上意難有被思召候旨、拙者共迄被仰下候事

廿三日　左之通

定番御馬廻組
河嶋一平

自分指控

同
御番頭
不破七兵衛
伊藤権五郎

同断之処、不及其義旨
御用番又兵衛殿御指図有之

定番頭
江守平馬

同断之処、同様御指図有之

右一平今年四十九歳之処、五十歳ニ相成候ニ付養子願之書付、頭七兵衛方ヘ持参之処七兵衛不心付書付受取、相頭権五郎申談、平馬ヘ及示談之上、御用番又兵衛殿ヘ御達申候以後、心付候ニ付、右之通夫々指控相伺候処、一平義ハ其通ト御指図有之、平馬等前記之通、是又御指図有之

但一平生年今年五十歳故、不斗心得違仕、左之通ト云々

廿五日　於江戸、左之通被仰付

物頭並聞番　不破故平左衛門代

御大小将組聞番見習ヨリ　不破半蔵

癸未　六月

御用番　長　九郎左衛門殿
御城代　奥村河内守殿

朔　日ヨリ五日マテ快天、六日夜前ヨリ大雨昼ヨリ霽陰、七日ヨリ十日マテ快天、十一日微雨、十二日陰、十三日ヨリ十九日マテ晴陰交、廿日微雨、廿一日廿二日晴陰交、廿三日微雨、廿四日ヨリ廿八日マテ快天、廿九日雨天涼風吹、今月気候炎暑応時、下旬朝夕涼

同　日　月次出仕、四時過相済

四　日　左之通被仰付

御馬廻頭　多田逸角代　御小将頭ヨリ　水野次郎大夫

七　日　同断

御小将頭　水野次郎大夫代　御歩頭ヨリ　中川平膳

十一日　同断

御歩頭　中川平膳代　御用人兼帯只今迄之通　御先筒頭ヨリ　安達弥兵衛

△為之助[1]様去七日御死去之旨申来候、依之普請ハ昨日一日、諸殺生・鳴物ハ昨日ヨリ明十五日迄三日遠慮之筈ニ候条、被得其意組・支配之人々ヘ可被申渡候、且又組等之内才許有之面々ハ其支配ヘモ相違候様可被申聞候事

保科
5代 容頌―容詮―6代 容住―7代 容衆
顯(前田重教女) 松寿院
容序(為之助) 20才没

右之趣可被得其意候、以上

六月十四日　　長　九郎左衛門

右御組頭安房守殿ヨリ例之通御廻状文来

十五日　月次登城之処、昨日御廻文之趣ニ付伺御機嫌之段、列居以前御横目中演述、四時過御年寄衆等謁ニテ退出之事

覚

一、会所銀

一、産物銀

但、右二口利足銀迄上納、元銀惣テ御用捨之事

一、諸方御土蔵上納ヲ初、今年分上納御用捨之事

一、当三月上納相済候分ハ来年御用捨之事

以上

御家中之人々勝手困窮之躰、兼テ被聞召候、当時御借知御借米モ被仰付置候事故、被返下御救モ被仰付度候得共、御上ニモ御勝手御難渋之上、近年打続不時御物入モ多、御逼迫至極故、被仰付方無之候ニ付、乍御心外不被及御沙汰候、乍然今年ニ至別テ指支之躰ニ付、依之役出銀之外当年分上納之内、別紙書立之通、御用捨被成候、且又天明五年諸借銀等永年賦被仰渡候以後、諸借銀之分相対永年賦可申談候、尤無拠訳合有之、永年賦難申談分暨相応ニ返済モ可相成人々ハ品能可及示談候、然上ハ尚更取続方之義専要ニ相心得候様可申渡旨

被仰出候事
右之通、被得其意組・支配之人々へ可被申渡候、組等之内才許有之面々ハ其支配ヘモ相達候
様被申聞、尤同役中可有伝達候事
右之趣、可被得其意候、以上
六月十三日　　　　　　　　　　　　　　長　九郎左衛門

右安房守殿ヨリ翌十四日御副廻状ヲ以、今十五日到来候事

十六日　左之二通、**安房守**殿ヨリ以御廻文到来

定番頭へ
諸借銀相対永年賦之義、先達テ一統被仰渡候通ニ候、依之年賦之義示談相極次第銀高ニ応、
蔵縮急速、頭・支配人へ取立、町会所へ可差出候、是迄之蔵縮ハ夫々相返候様、町奉行へ申
渡候事
右之趣、被得其意組・支配之人々へ可被申渡候、組等之内才許有之面々ハ其支配ヘモ相達候
様可被申渡候事
右之通一統可被申談候事
庚申 六月
別紙之通、定番頭へ申渡候ニ付為御承知指進申候、御組ヘモ御触可被成候、尤頭分以上ハ蔵
縮町会所へ直ニ指出候筈ニ御座候、以上
六月十五日　　　　　　　　　　　　　　長　九郎左衛門

1 徳川吉宗

廿日

本多安房守様

今日於神護寺、有徳院[1]様五十回御忌御法事有之、御法事中普請・鳴物不及遠慮、御寺近之分自分ニ遠慮等之義、前月廿二日村井又兵衛殿御紙面写ヲ以、御横目廻状出、右之外前々神護寺・如来寺御法事触ト同断ニ付記略ス

△

稲ニ花付実入ニ相成候間、石川・河北両御郡、来月朔日ヨリ九月十五日迄御家中鷹野遠慮有之候様仕度旨、改作奉行御申聞候、夫々被仰渡候様仕度奉存候、以上

六月廿二日　小寺武兵衛

長　九郎左衛門様

別紙御算用場奉行紙面ニ付同月廿五日御用番九郎左衛門様御添書安房守殿御廻文、翌廿六日ニ御触出有之

甲申 七月大

御用番　前田大炊殿
御城代　御同人

朔日

雨、二日三日陰、四日雨天昼ヨリ晴、五日快天、六日雨、七日ヨリ十一日マテ快天、十二日卯刻大雨辰刻ヨリ霽晴、十三日十四日快天、十五日陰夕方雨一顆、十六日十七日十八日十九日廿日廿一日朝雨昼ヨリ霽晴、廿二日廿三日雨、廿四日快天、廿五日大雨雷、廿六日快天、廿七日雨、廿八日大雨雷、廿九日雨天、晦日快天風起、今月気候大抵応時

1斉広（十二代）

同　日　月次出仕四時過相済、且半納米価左之通
　　地米五十目　　羽咋米四十壱匁　　井波米三十七匁五分
　右余ハ准テ可知之
七　日　七夕為御祝詞出仕、四時過相済
△
筑前守[1]様御疱瘡不被為済候ニ付、御同所様御国ニ被為入候ハ節、御家中之面々家内疱瘡病人有之候ハ、三番湯掛り候迄金谷并二之御丸ヘ罷出候義遠慮可仕候、且又御番人等ハ御目通ヘ罷出候義、相控可申旨一統申渡置候通ニ候、併若火事之節ハ非常之義ニ付都テ御貪着無之候事
右之通、被得其意組・支配之人々ヘ可被申渡候、組等之内才許有之面々ハ其支配ヘモ相達候様被申聞、尤同役中可有伝達候事、右之趣可被得其意候、以上
　　七月九日　　　　　　　　　　　長　九郎左衛門
右安房守殿ヨリ例之通御廻状有之
十五日　例年之通、月次出仕無之
十七日　左之通被仰付
　　組外御番頭　　神尾織部代　　定番御馬廻御番頭ヨリ　丹羽六郎左衛門
　同断　　　　富田勝右衛門代　　大聖寺御横目ヨリ　高田昌大夫
廿一日　左之通被仰付

1先祖永井庄右衛門の室（松村）が京極家臣女であった縁により天和以来拝領したもの

定番御馬廻御番頭　**丹羽六郎左衛門**代

御馬廻組加州御郡奉行ヨリ　**栂　喜左衛門**

前洩

△御次銀、無利足・利足立共、当年当り上納御用捨、末々繰延取立之義等、今月四日触出有之

加入格段銀、年賦・諸方ヨリ預り銀年賦

△右今年分御用番ヘ相達取立不申、来酉之年ヨリ是迄之通取立候条、来年収納払切手指出次第、今年分一作蔵解可相渡候、且町会所調達銀ハ元利共取立候条、延引之人々ハ定之通引当米売払、遂指引候旨、今月十日町会所触有之

△今石動宿用銀并御領所、御所務銀返納方、今年分不取立来年ヨリ取立候段、町会所ヨリ今月廿五日触有之

今月十一日左之通跡目被仰付

二千石　内五十石松村[1]茶湯料　永井七郎右衛門名跡　**永井団右衛門**　里見孫大夫弟

七郎右衛門義せかれ願置候処病死ニ付一類依願被仰付

四百石　左門嫡子　**鷹栖伴吉**

二百石　平兵衛嫡子　**岩田助三**

百六十石　勘兵衛末期養子福嶋三郎兵衛弟　**鶴見鉄之助**

百石　吉兵衛養子　**中村権兵衛**

同　　　　　　　　　　　　　　　猪兵衛嫡子　渡辺友進

同十三日　縁組・養子等諸願被仰出、其内左之通

病身依願、役儀御免除　　物頭並江戸御広式御用　加藤用左衛門

同十九日　左之通被仰付

筑前守様御師範并学校御用被指除急度指控　　御儒者　石黒源五郎

同廿五日　於江戸、上使御使番大久保新八郎殿ヲ以御鷹之鶬[1]御例之通御拝領之段申来

乙酉　八月

御用番　本多安房守殿
御城代　奥村河内守殿

朔　日　快天、二日陰、三日暁ヨリ雨朝ヨリ霽、四日ヨリ九日マテ晴陰、十日ヨリ十四日マテ雨天、十五日十六日陰、十七日雨、十八日十九日陰、廿日廿一日雨、廿二日陰、廿三日雨、廿四日陰、廿五日雨、廿六日廿七日廿八日晴陰交、廿九日雨天昼ヨリ霽、気候秋冷催

同　日　月次出仕、四時相済

十五日　月次出仕、四時過相済

十六日　両度触安房守殿ヨリ到来、如前々記略

△飛驒守様御舎弟蔵人[2]殿、昨廿二日御死去之段申来候、依之普請ハ今日一日、諸殺生・鳴物等ハ明後廿五日迄三日遠慮之筈之旨、今月廿三日安房守殿ヨリ例之通御廻状有之

廿六日　左之通被仰付、但前記四月金沢之廿一日互見

1まなつる（真鶴）

2前田利純

伊藤津兵衛
年五十三
牛右衛門橋之高
四百石竪町

御尋之筋有之ニ付一類ヘ御預

右之通ニ候処、今年十一月廿八日、右津兵衛宅ヘ御用番前田大炊殿并本多安房守殿御越、御横目三宅平太左衛門・水原清左衛門相詰御尋之筋有之ニ付人持組菊池大学ヘ御預之段、大炊殿被仰渡、右ニ付津兵衛息二人・娘二人一類ヘ御預之段モ被仰渡、但養子ニ指遣当時御知行被下置候御馬廻組磯松森右衛門ハ指控被仰付

此次翌年五月廿八日互見

廿九日 来月四日於上口、礫被仰付者有之候ニ付、為検使可罷越見届候刻限之義ハ公事場奉行可承合旨、今日御用番安房守殿ヨリ自分・山路忠左衛門ヘ連名以御紙面、被仰渡

丙戌 **九月大**

御用番 奥村河内守殿
御城代 御同人

朔日 快天、二日三日四日五日六日雨天続、七日八日九日十日十一日十二日晴陰、十三日十四日雨、十五日十六日快天、十七日雨、十八日十九日快天、廿日廿一日廿二日雨天、廿三日廿四日廿五日廿六日快天、廿七日雨天冷気増、廿八日初雪、廿九日雨霰交風強冷気大ニ募、晦日快天

同日 月次出仕、四時頃相済

四日 前月廿九日記之通ニ付、昨三日公事場奉行御用番横山大膳方ヘ以紙面刻限承合、五時頃

公事場へ自分・山路罷越候処、暫有之、左之書付大膳御渡候ニ付受取、上口野町町端へ罷越
御刑法者召出、名前承之、追付磔申付見届、直ニ公事場へ出、左之書付大膳へ相達罷帰候事

覚

於上口磔
泉野希翁院門前茶屋喜兵衛方借家浪人
平崎久右衛門

右之通今日被仰付候条、各為検使罷越可被申付候、以上

寛政十二年九月四日
横山大膳印
原　九左衛門印
小幡式部印
就外御用不在合
前田内蔵太

津田権平殿
山路忠左衛門殿

覚

於上口磔
泉野希翁院門前茶屋喜兵衛方借家浪人
平崎久右衛門

右之通今日就被仰付候、私共罷越申付候、以上

寛政十二年九月四日
津田権平判
山路忠左衛門判

前田内蔵太殿

小幡式部殿
横山大膳殿
原　九左衛門殿

九日　重陽為御祝詞出仕、四時前相済、

右、久右衛門義五六ケ年以前迄今井甚兵衛方ニ召仕候処、今年三月五日夜甚兵衛宅ヘ忍入、土蔵ニ有之品々盗取、其上ニテ火ヲ附立退候罪ニテ右之通磔ニ被仰付、前記三月五日互見

△聖堂銀無利足之分并利足立之元銀、当年当り上納御用捨、末ヘ繰延取立、利足銀迄取立可申事、右御家中勝手難渋至極之義被聞召候ニ付右之通被仰出候条、此段借用之人々ヘ御申触可有之候、以上

申七月四日　不破五郎兵衛　玉川七兵衛
村　杢右衛門　在江戸 横山引馬
会所御奉行衆中　山崎小右衛門

右、会所奉行岡田又右衛門・佐藤八郎左衛門ヨリ廻状之事

改名　団右衛門事 永井織部

付札　御横目ヘ

△紺屋坂上腰懸脇御門、就被仰付候、当月廿三日ヨリ紺屋坂御門往来指留候条、此段夫々可被申談候事

九月十五日　附此次十一月四日互見

右御城代河内守殿被仰聞候旨等、御横目廻状出

十五日　月次出仕、四時過相済

廿二日　左之通被仰付

物頭並江戸御広式御用　御使番ヨリ　渡部七郎大夫

大聖寺御横目　御大小将ヨリ　真田佐次兵衛

加州御郡奉行　同断　杉山新平

小杉御郡奉行　御馬廻組ヨリ　脇田哲兀郎

江戸御広式御用人　二御丸御広式御用達ヨリ　石川太郎右衛門

同断　南御土蔵奉行ヨリ　平野是平

同断　江戸御広式番ヨリ　佃　源右衛門

割場附御横目　御馬廻ヨリ　寺西喜三郎

付札　庄田兵庫へ

△御家中進上出銀取立方之義ニ付、先達テ御馬廻頭ト懸合之趣有之旨ニテ、右頭ヨリ委曲紙面指出候ニ付詮議之上、寛文四年御定之通御蔵返米被下候、一両月之内上納之趣ニ被相心得候様申渡候処、左候テハ春秋並打出銀ハ前後仕義有之、取立方混雑仕候間、進上出銀春ハ二月限、秋ハ九月限、先下帳出銀所ヘ指出候様仕度候、右帳面ヲ以新入等しらへ合申度、

尤進上出銀ハ御蔵返米相渡候上、請帳相添指出候得ハ先達テ之下帳ト引合取立度段、取立方与力ヨリ紙面指出候旨ニテ、御手前紙面相添被出之候、右紙面之通、承届候条、被得其意御手前ヨリ夫々可被申談候事

申九月

右二月限・九月限ニ進上有之分ハ、尤不及下帳ニ旨等庄田兵庫紙面ニ今日安房守殿以御添紙面到来之事

△

尾坂御門往来、今月廿六日ヨリ不指支旨廿二日御横目廻状出、前記五月五日互見

御膳奉行ヨリ今月十六日、於江戸被仰付

御奥小将横目　栢植市進代　杉江弥太郎 改助四郎

丁亥 十月

御用番　村井又兵衛殿

御城代　前田大炊殿

朔日ヨリ六日迄晴陰、七日ヨリ十二日マテ雨、十三日雪少々積、十四日晴、十五日十六日雨、十七日十八日晴、十九日雨晴不定、廿日晴、廿一日ヨリ廿六日マテ雨或雪、廿七日晴陰、廿八日廿九日雨、今月気候応時

同日　月次出仕四時相済、且本納米価左之通、余ハ准テ可知之

地米六十五匁五分　羽咋米五十四匁　井波米四十九匁五分

四　日　持馬就御用、御馬奉行遂内見候筈ニ候条、今朝五時過御厩迄裸背ニテ可牽出旨、若年寄織田主税殿ヨリ昨夕御紙面ニ付、今朝右刻限、左之覚書使者ニ渡、馬ニ添指出候処、九時前牽帰候事

但、直籠ニ飼料入置、馬衣為着出候事

新川郡沼保村出生

三歳

尺三寸計

右、私所持鹿毛之馬、出生附等如此御座候、以上

十月四日　名

御馬奉行中様

右折懸包

十三日　長恵迪斎[1]老、気滞指重候ニ付、従筑前守様御使者御附御大小将御番頭辻平丞ヲ以御尋、かたこ一箱台居・串海鼠一籠拝領被仰付候、依之取持之義九郎左衛門殿ヨリ御頼申来ニ付罷越、作法都テ寛政九年十一月廿日本多悠々斎[2]老ヘ御使者被下候節之通ニ付略之、但此末同断

今年二月金沢之十九日互見

十四日　長恵迪斎老、末期之御礼被申上、御年寄衆等招請有之ニ付為取持罷越、右相済卒去之弘有之

1長連起

2本多政行

十五日　月次出仕之処、左之趣御横目演述、四時過御年寄衆等触ニテ伺御機嫌退出、且左之御触ハ夕方到来

△

其心得候事
長恵迪斎儀昨十四日夕卒去ニ付、町方鳴物等之義、昨日ヨリ三日遠慮候様申渡候間、可有

一、右卒去ニ付、今日出仕之面々登城之上、可相伺御機嫌候、幼少・病気等之人々ハ、今明日中御用番宅迄以使者可被申越候、且又出仕無之頭分之面々モ、為伺御機嫌今明日中御用番宅迄可被罷出候、病気等之面々ハ以使者可被申越候、右之趣可被得其意候、以上

十月十五日　　**村井又兵衛**

右**安房守**殿ヨリ如例御廻状到来

十七日　**長九郎左衛門**ヘ**恵迪斎**卒去ニ付、従**筑前守**様御使者御附御大小将御番頭**水越八郎左衛門**ヲ以、御残念ニ被思召候旨之御意有之候ニ付、為取持罷越

十九日　**長九郎左衛門**ヘ**恵迪斎**卒去ニ付、従**筑前守**様御香奠白銀三枚台居御馬廻頭**野村伊兵衛**御使ニ被下之、為取持罷越

廿一日　辰上刻**恵迪斎**老葬式ニ付取持依御頼、開禅寺ヘ玉泉寺辺也参詣

廿九日　**長九郎左衛門**ヘ朦中為御尋、従**筑前守**様御使者御使番**津田権五郎**被下、為取持罷越、

此次十一月四日互見

付札　定番頭ヘ

╱御家中之人々ヨリ知行所百姓ヘ、飯米之内相払候旨差紙面相渡、右差紙面ヲ以、米持運候

義モ有之躰ニ候、右様之義ハ不相成御定ニ候得ハ、一円有之間敷義ニ候得共、自然心得違之者モ有之哉ニ相聞ヘ候、以来ハ村役人印形之物幷十村指紙面持参之者之外ハ指留候筈ニ候条、御家中之人々、其旨相心得可申候、且又石川・河北両御郡百姓共、諸向ヨリ取受候屎物代米、近年御収納相済不申内相渡候振ニ相成、人々持運候得共皆済以前ニハ、右代米たり共相渡候義ハ不相成義ニ付、今般村々百姓共ヘ厳重申渡、皆済以前ニハ一円為相渡不申筈ニ候、仍テ受取方ヨリ及催促申分可有之哉ニ候間、御家中末々之者幷町家之者等、一統其段相心得候様可申渡候、近年新米縮方紛敷儀有之ニ付、御算用場奉行幷改作奉行ヨリ申聞候趣有之、右之通申渡候条被得其意、組・支配之人々ヘ可被申渡候、組等之内才許有之面々ハ其支配ヘモ相達候様可被申聞候事

右之趣一統可被申談候事

申十月

右安房守殿ヨリ御廻状出

戊子 十一月大

御用番 前田大炊殿
御城代 奥村河内守殿

朔日二日雨雪、三日雪二三寸積、四日五日雪、六日快天之処夕雪、七日八日快天、九日十日雨雪風、十一日ヨリ十七日マテ快天続、十八日雪晴不定、十九日快天、廿日昼ヨリ雪、廿一日廿二日雪尺余積、廿三日快天、廿四日ヨリ廿九日マテ雪或雨、今月 気候寒気温和成方也
辰ヨリ入寒

同　日　月次出仕、四時過相済

四　日　**長恵迪斎**病気之段、於江戸表就被聞召候以早飛脚被仰下、御表小将**駒井清六郎**ヲ以、生干小鯛一籠拝領被仰付、右相済同断之趣ヲ以、御大小将**岡田主馬**ヲ以、御夜着二・串海鼠一籠拝領被仰付、為取持罷越、附前記前月十三日等互見

付札　御横目へ

△紺屋坂上腰懸御門致出来候ニ付、当月十一日ヨリ紺屋坂御門往来不指支候事

一、石川御門外水御門就被仰付候、当月十一日ヨリ坂下御門往来指留候事、但蓮池上之御屋敷并堂形御馬場等へ罷出候人々ハ、右往来不指支候事

右之趣夫々可被申談候事

十一月三日　附前記九月九日互見、此次十二月十六日互見

右御城代被仰聞候旨等、御横目廻状出

△来年頭御礼銭今月廿七日可差出、知行高役附・歳附帳・勝手方人馬数帳、十二月廿日ヲ限り可差出旨等、今月十八日**安房守**殿御廻状出、前々御留守年同断ニ付略記ス

御自分様御知行所木越村当年作難ニ付、別紙之通引免申渡候、右為御承知如此御座候、以上

十一月十九日　林　弥四郎
小谷左平太

津田権平様

覚

一、定免六ツ五歩　　河北郡木越村

内弐ツ四歩　当一作御用捨免

残テ四ツ壱歩　御収納免

右之通ニ御座候、以上

寛政十二年十一月　　南森下村

金右衛門印

今月廿七日ヨリ忌御免被仰出　　長　九郎左衛門

今月十三日御大小将ニ被仰付候人々、左之通

五百石　　二十七歳　　不破東作　均（ヒトシ）

四百石　　二十九歳　　丹羽勇之助　種甫（タネヨシ）

三百石　　二十六歳　　服部琢左衛門政綱（マサツナ）

同月十一日二之御丸於御広式若子様[1]御出生、御母組外御馬役武村十左衛門（領三百石）娘ゆふ

此次翌月廿八日　文化元年正月廿一日

同二年五月廿一日　　互見

---

1 前田利命（治脩男）

己丑十二月小

御用番　長　九郎左衛門殿
御城代　前田　大炊殿

朔日快天、昼ヨリ雨、二日三日快天、四日ヨリ八日マテ雨雪、九日十日快天、十一日十二日十三日雨雪、十四日ヨリ十七日マテ快天、十八日雪、十九日廿日廿一日廿二日ヨリ廿九日マテ雪降積三尺余、今月気候寒中温柔余寒強烈

晴陰

同　日　月次出仕、四半時過相済、且左之通於筑前守様御前、被仰渡

御家老役
津田玄蕃

来春御出府御供被仰付

付札　定番頭へ

御家中之人々知行米之内、当町蔵宿共へ預米之分縮方申付、町会所裏印仕置候米高之外、壱弐石迄過米之分ハ本高へ引結預り状為調、蔵宿吟味人為致加印候処、近来猥ニ相成候様子ニ付、已後三石以上之過納米不承届、尤蔵宿吟味人共不為致加印候、且又近年為追入米相預候分、蔵宿一印之請取書蔵宿共ヨリ末々へ差出、蔵方算用しらへ紛敷、縮方相立兼候間、向後為追入米相預候ハ、蔵宿受取ハ右吟味人共加印之請取書取置可申候、勿論蔵宿共へモ其段申渡置候、右ニ致相違候ハ、已来蔵宿故障有之候共、於町会所不致貪着、給人中損分ニ相成候間、右之趣御家中之人々へ可申渡旨、町奉行申聞候条、被得其意組・支配之人々へ可被申渡候、組等之内才許有之候面々ハ其支配へモ相達候様可被申聞候事、右之趣一統可被申談候事

申十二月

右、今月五日安房守殿ヨリ御触出有之

十五日　月次出仕、四時相済

付札　御横目へ

△石川御門外水御門、致出来候ニ付当月廿三日ヨリ坂下御門往来不指支候事、右之趣夫々可被申談候事

十二月十六日

右、御城代大炊殿被仰聞候旨、御横目廻状出

△かけ之諸勝負ハ御制禁ニ候処、近年町在之者共右様之――かけ之諸勝負等之義ニ付、寛政元年以来別紙写之通、一統被仰渡置候通、猶更違失無之様急度可申渡旨被仰出候条――前記互見

十二月廿一日　長　九郎左衛門

右、翌廿二日安房守殿ヨリ御触有之

廿三日　右之通、於柳之御間、御年寄衆等御列座、御用番九郎左衛門殿被仰渡

無相違
四千五百石　庄兵衛養子
山崎伊織

庄兵衛義、久々病気ニ付、先達テ減知被仰付候処、其後モ遂出仕不申、重病ニ付遺書ハ相調

不申候得共、伊織儀兼テ末期養子奉願度所存之旨、一類共ヨリ願之趣被聞召届候、依之飛
驒守殿御家老同姓山崎権丞兄伊織養子被仰付

三百五十石　勝右衛門養子　富田彦右衛門
千七百石　内五百石与力　織部せかれ　神尾孫九郎
二百五十石　元右衛門せかれ　松原牛之助
四百石　覚左衛門嫡子　稲垣新叟
二千石　内二百石与力知　内匠養子　仙石采女
五百石ノ三ノ一　百六十石　郡左衛門せかれ　奥村栄之助
二百石　倶老右衛門二男　北川誠太郎
百五十石　新蔵せかれ　神子田牛之助
三百石　清蔵嫡子　田辺千之助
百五十石　久作末期養子　上坂平次兵衛四番目弟　朝倉佳助
同　久兵衛嫡子　和田左平
百四十石　平助嫡子　大野勝助

百石　清八郎せかれ
印牧直次郎

直次郎へ被下置候御切米・御扶持方ハ被指除之、組外へ被加之、書写御用只今迄之通
可相勤

百石　甚右衛門養子
加藤千之助

末期願之通、娘方孫森田金之助弟

百石　左平太養子
津田覚次郎

末期願之通、奥附御歩横目津田兵大夫次男

百石　治兵衛せかれ
毛利万三郎

八十石　半蔵せかれ
熊谷波江

百十石　九右衛門嫡子
浅野三郎左衛門

三郎左衛門へ被下置候御切米等ハ被指除之、組外へ被加之

百石　弥右衛門嫡子
和角兵助

三百石　立次郎養子
前田銀三郎

末期願之通、父方実おち飯尾半助次男

百石　恒之助家督相続
近藤　進

末期願之通、同姓本組与力近藤和兵衛嫡子

二百石　直記養子
大久保作次郎

1小笠原常方（寛4 19頁）
2前田斉敬（重教男）
3前田斉広（十二代）

百五十石
末期願之通、中村善左衛門弟
丈助養子
井上新平
七十石　組下被加之
栄沢嫡孫
山田粂之助
同
次左衛門養子
渡辺喜内
此並之新知ハ無故、遺知之御沙汰ハ無之候得共、次左衛門儀、於学校小笠原流礼法師範被仰付、其後小笠原平兵衛[1]殿ヘ弟子入被仰付候処、甚入情仕、且観樹院[2]様・筑前守[3]様軍学御稽古御用モ被仰付、彼是御用相勤候ニ付、格別之趣ヲ以如此被仰付、定番御徒ニ被仰付
亡父十兵衛ヘ最前被下置候御切米高之通
十兵衛せかれ
山本作助
四十俵
外ニ御増米七俵都合四十七俵
作助儀、漆細工幷蒔絵細工モ宜敷仕、両様共当時専御用相立候ニ付、格別之趣ヲ以如斯御増米被仰付、作助ヘ被下置候御扶持方ハ被指除之
百三十石
半蔵養子
三輪伝次郎
八十石
与右衛門せかれ
大菅喜大夫
喜平大夫ヘ被下置候御切米ハ被指除之
同日　於御席御用番被仰渡
五人扶持
玄碩次男
徳田友林
友林ヘ被下置候御宛行ハ被指除之、御鍼立ニ被仰付、町奉行支配ニ被仰付

廿四日　縁組・養子等諸願被仰出、其内左之通

定番御馬廻御番頭　村　八郎左衛門

病気依願、役儀免除

小松定番御馬廻御番頭　阿部主馬

同断

廿七日　左之通被仰付

小松定番御馬廻組御武具奉行ヨリ　田辺丈平

小松定番御馬廻御番頭　阿部主馬代

附丈平領知二百石　年七十四歳

廿八日　歳末為御祝詞、例月出仕之人々登城、御留守年例年之通五時ヨリ御帳ニ附控罷在候処、九時頃柳之御間列居申談有之候上、御年寄衆等御列座、左之通安房守殿御演述、諸大夫一件之義ニ付テハ都テ来正月御用番之安房守殿御懸り哉、畢テ左之通恐悦之覚書於横廊下披見、申談有之退出之事

但右御弘以前、歳末ニ付テ之御触有之、一先御引、重テ御列座有之御弘有之

去十五日御老中方依御奉書、翌十六日御登城可被遊候処、御疝積ニ付、御名代飛騨守様御登城被成候処、於御白書院御老中方御列座、御願之通御家来諸大夫被仰付旨、御用番戸田采女正[1]殿被仰述、誠以難有御仕合被思召候、依之長九郎左衛門義甲斐守ト御改被成候、此段何モヘ可申聞旨御意ニ候

諸大夫御願之通被仰出候、為御祝詞安房守宅ヘ今日可罷越候、幼少・病気等ニテ今日登城無之人々ハ向寄ヨリ伝達、為御祝詞安房宅ヘ以使者申越候様可被申談候事

1戸田氏教（老中）

1 前田利命（治脩男）

一、安房守外年寄中・御家老中へハ正月二日ヨリ十五日迄之内勝手次第可罷越事

△今般二之御丸御広式、若子様御誕生、御名裕次郎（トミ）[1]様ト被称、殿付ニ唱候様被仰出候事

十二月廿八日

右今日御用番長甲斐守殿ヨリ定番頭へ御渡、夫ヨリ夫々伝達之事

付札　御横目へ

△此間之雪ニテ往来之人々指支申躰ニ候間、屋敷廻り雪早速除之、致道広、往来支不申様可被相心得候、且又来年頭之義ハ二月へ懸ケ相勤可然事

右之趣被得其意組・支配之人々へ申渡候様、夫々可被申談候事

申十二月

右之趣御横目廻状、廿九日出候事

耳目甄録　拾九

寛政八年―寛政一二年　内容一覧

本巻での藩主家系譜

治脩（はるなが）（藩主・一一代、加賀守・宰相）

亀万千（かめまち）（世嗣、筑前守斉広（なりなが）・前藩主重教次男）

凡例：★は権平（正隣）自身がかかわるもの

○のついた月は閏月

寛政八年（一七九六）

治脩（五二歳）在国、4月18日参府
亀万千（一七歳）在国、11月10日出府、12月4日又左衛門利厚に改名
★権平【政隣】（四一歳）在国

1・1　今月の天気
　　　年頭規式例年通り
1・2　★兼役盗賊改方役所の勤務配置等書上
1・4　★盗賊改方役所の全員招き宴
1・6　★本役御先筒組小頭等招き宴
1・7　★人日登城、例年通り15日・2月朔日登城はなし
　　　治脩、広岡筋放鷹
1・12　治脩、宝円寺等参詣
1・15　月次出仕なし
1・17　治脩、御宮参詣
　　　転役二件（生駒・田辺）
1・18　転役（久能）
　　　当春参勤御供（七名、交名あり）
1・21　転役（北村）
1・22　当春江戸出仕二件（木梨・小原）
1・24　転役（永原）
1・27　不受不施派等制禁の幕府触廻状
　　　御大小将拝命七名（交名あり）
　　　火の元用心触れ
1・29　★せがれ辰之助の学校出席願い出す
　　　転役（井上）
2・1　今月の天気
　　　遠所在住等年頭御礼例年の通り
2・3　当春参勤、来月15日と仰出
2・4　治脩、広岡筋放鷹、以下13日まで数度放鷹
2・8　★月次講釈聴聞
2・11　転役（青木）
　　　治脩、大樋口放鷹
2・12　治脩、宝円寺参詣
2・13　転役五件（交名あり）、うち三件拝領物あり
　　　役儀返上願うも遺留、保養仰渡る（坂野）
　　　坂野代で当参勤御供（恒川）
2・15　★月次登城、役儀の御礼等あり
　　　治脩、宮腰口放鷹、以下23日までの放鷹記録
　　　家中一統へ春・秋出銀の日限触れ
　　　遠所御用の面々の一季居奉公人の居成り触れ
2・23　★月次経書講釈聴聞

2・24　京都紫野芳春院18日焼失、微妙院様造営につき今回も此方で再建とか
2・26　江戸広式御用（土肥）、帰国のうえ指控
右は高野山融通金の虚言をひろめたかどと云々
2・28　隠居・家督（本多安房守父子）
右につき、序列、役向等発表
2・29　本多安房守組につき、★通達人家来の印鑑提出等
18日、召出（中野）
21日、転役二件（田尻・堀）
★兼役盗賊改方手先足軽から山陰・越前筋での詐欺情報あり、御用番より触れ出す
3・1　今月の天気
★月次登城、一統御目見
治脩、（本多父子）の家督相続等の御礼受ける
また、召出人等の御礼受ける
3・2　隠居・家督（河村父子）
3・3　転役（佐藤）
★上巳登城
治脩、宝円寺参詣
3・6　亀万千、御角入等祝あり
3・7　転役（宮井）
3・8　★月次講釈聴講
3・9　転役（青地）
治脩、亀万千同道粟ヶ崎・宮腰行歩
御発駕前日の14日御機嫌伺登城の触れ
しかるに発駕延期につき15日例月出仕となる
3・12　御寺御参詣なし
3・15　★月次出仕、年寄衆謁にて退出
3・16　転役（矢部）
組方役人より春出銀方の指示あり
転役二件（深尾・寺田）
3・18　転役（岡田）
3・19　転役（槻尾）
3・21　転役二件（富永・木梨）
指控免許（神谷）
急度指控免許（儒者：新井）、但し制限あり
同（儒者：大嶋）、但し儒者指除、書写役を命
3・23　飛騨守登城、よって月次経書講釈中止
転役（広瀬）、13日江戸到着
3・24　治脩、発駕4月6日と仰出
末期養子願い心得の廻状あり
3・26　治脩、大豆田筋放鷹

扶持加増二件（武村・片山）
転役（田辺）

3・28　治脩、亀万千同道宮腰へ遠乗り

3・29　定番御馬廻御番頭（遠藤）娘行方不明一件
金沢町内でいたずら種々

4・1　今月の天気
★兼役方急御用で、月次登城途中で退出
長谷観音祭礼能

4・2　同右、且★御用足軽召連れ同所巡回
治脩、役儀の御礼受ける
公方様三男、尾張家へ養子につき御祝儀使者（堀）へ命

4・3　治脩、宝円寺等参詣
一〇カ年皆勤の人々へ御意あり

4・4　明後日発駕につき、人持・頭分御機嫌伺登城

4・5　治脩、野田泰雲院廟等参詣

4・6　治脩発駕、今夜今石動泊、予定どおり18日江戸着
今暁、大聖寺大火、百二〇軒余焼失

4・8　★月次経書講釈聴講、御用あり途中退出

4・15　★月次出仕、年寄衆謁
寺中祭礼能、新舞台での初開催

4・23　★月次経書講釈聴聞
名替（和田）
近頃の能囃子流行について
末期養子願いで、父方おじの解釈等について

5・1　今月の天気
★月次出仕

5・5　★端午出仕

5・8　★月次経書講釈聴講

5・15　★月次出仕、治脩無事参着等の報告あり

5・19　閉門等有無の書出し命あるも該当無し

5・23　★月次経書講釈聴講

5・28　★役料知仮所付を算用場より受領すべく通知あり
観樹院一周忌法事当日、拝礼勝手次第等触れ
妾腹に出生の子の養母に亡妻を仕立てることについて触れ

6・1　今月の天気
★月次出仕
転役（熊谷）

6・8 ★月次経書講釈聴講
犀川・浅野川へ塵芥等投棄禁止触れ
右川々での殺生人取締の触れ
観樹院一周忌法事の細目触れ
6・15 ★月次出仕
6・22 転役（横地）
当分加人御免（古屋）
6・23 ★月次経書講釈聴講
6・29 於天徳院、観樹院一周忌法事執行
芸州・肥後等洪水被害甚大と江戸より通知
8日、於江戸、病死（堀）
14日、病死（斎藤）
13日、仙台領へ唐船漂着
7・1 今月の天気
★月次出仕
転役（奥村）
半納米価
稲実入り時期につき鷹野遠慮触れ
7・7 ★七夕祝儀出仕
喧嘩追懸者役交代（矢部→印牧）
7・8 ★月次経書講釈聴講
7・11 跡目一七件（交名あり）
7・13 縁組・養子等諸願仰出
病気につき役儀免除（千秋）
恩赦あり
7・21 逼塞（高田）、遠慮（阿部）、両人処分の経緯書あり
7・23 ★月次経書講釈聴講
7・28 病死（山崎）
3日於江戸、転役四件（交名あり）
江戸で百一〇歳老婆とその子夫婦褒美一件
前月13日奥州十三湊へ漂着の唐船一件
8・1 今月の天気
★月次出仕
転役二件（水原・由比）
8・8 ★月次経書講釈聴講
8・15 ★月次出仕
喧嘩追懸者役交代（河内山→久能）
8・23 ★月次経書講釈聴講
8・25 跡目（山崎）

8・28 身延山祖師日蓮像、寺町立像寺で開陳、参詣人多数
馬廻（山田）療養で他出願い一件
9・1 今月の天気
★月次出仕
9・7 転役三件（篠嶋・原田・坂野）
9・8 御用につき★月次経書講釈聴講欠席
9・9 ★重陽出仕
小石川御前卒去、諸遠慮等触れ、遺体は讃岐高松へ移る
9・10 右により御用番宅へ★御機嫌伺
9・14 転役（吉田）
9・15 月次出仕
9・22 亀万千養子の御礼使（青木）に内命も、亀万千自身出府で取消し
9・23 ★月次経書講釈聴講
9・28 遠慮（村上）
逼塞（陪臣：松永）、主人（寺西）申渡す
21日於江戸、転役（不破）
9・29 右、村上・松永喧嘩一件書上

10・1 今月の天気
★月次出仕
10・5 亀万千出府御供（青木・井上）は、行列省略につき15日御先発足のこと
10・8 御用につき★月次経書講釈聴講欠席
10・10 亀万千御用（前田・成瀬）
10・11 転役（竹村）
10・15 ★月次出仕
10・22 順正院の毎月忌日に諸殺生指控の触れ
10・23 ★月次経書講釈聴講
10・26 亀万千発駕、御供等書上
10・28 転役二件（永原・織田）
出府のため今日発足（成瀬）
11月10日、出府発足（前田）
29日の村上・松永喧嘩一件追記
11・1 今月の天気
★月次出仕
11・8 ★御用につき月次経書講釈聴講欠席
11・9 追分から板橋の道中途次、人馬不都合あれば書出

すべし

11・15　★月次出仕

11・16　転役四件（交名あり）
来年頭献上物等について触れ

★政隣献上物差出しのひながた書上

11・23　★御用多につき月次経書講釈聴講欠席
亀万千、松平の称号拝受により唱え方等触れ
新居宅を、今後北之御居宅と唱すべし

11・28　人持・頭分以上登城、亀万千の治脩へ養子の披露
琉球人、今月25日江戸着等書上

12・1　今月の天気
★月次出仕
江戸月次出仕中止、若君様の諱家慶に
翌二日、祝詞のため惣登城のこと

12・7　人持・頭分登城、亀万千養子について、公方様方
よりの拝領物等披露
拝領物詳細書上

12・8　★御用多につき月次経書講釈聴講欠席

12・11　人持・頭分登城、亀万千と尾張様養女との縁組を
披露

これにより13日中、年寄中等宅へ祝詞参出の触れ
今月3日於江戸、転役（水越）

12・15　月次出仕、御用番より亀万千改名、次のとおり披
露
3日勝丸―同日犬千代―翌朝又左衛門、実名利厚
実名の字に重なる家臣の改名等を触れ

12・16　跡目二一件（交名あり）

12・18　縁組・養子等諸願い仰出

12・22　又左衛門疱瘡未済につき登城制限触れ

12・23　★御用多につき月次経書講釈聴講欠席

12・26　勝手難渋につき省略方延長の触れ

12・28　賭けの諸勝負厳禁の触れ

12・29　★登城、去15日両殿様登城及び又左衛門公方様へ御
目見の披露あり
これにより、正月朔日年寄中等宅へ祝詞参出の触
れ

12・30　又左衛門生母、貞琳院殿と称すべし
26日於江戸、転役（堀）

寛政九年（一七九七）

治脩（五三歳）在府、4月15日帰国
又左衛門（一八歳）在府、2月9日正四位下少将、筑前守斉広に
★権平【政隣】（四二歳）在国、5月24日盗賊改方御免

1・1　今月の天気
1・4　★登城、年寄衆謁、江戸・金沢とも一昨年と同事
1・7　備姫卒去の報により、諸遠慮等触れ
　　★役所は4日5日急用のみ取捌き、6日より建てる
　　7日、★本役方組小頭等招く
1・8　人日祝詞のため登城
1・13　備姫忌で4日から延期の御射初め等規式あり
1・15　例年通り月次経書講釈中止
1・21　人持組松平与力（尾崎）、妻と相対死により大小将横目検使
1・23　月次出仕、家臣年頭献上への治脩の謝意の廻状あり
　　医師（須貝）家来久七へ年金二両下賜の条々書上
　　★御用多につき月次経書講釈聴講欠席
1・30　今後、金谷御殿と唱えること
　　14日於江戸、転役（不破）
2・1　今月の天気
　　★月次出仕
2・7　御着城後の御礼使（富田）
2・13　（松平左京大夫）卒去につき諸遠慮等触れ
2・15　★月次出仕
　　8日病死（御使番：児嶋）
2・19　城中で次の披露あり
　　又左衛門、9日正四位下少将被任、筑前守斉広と称す
　　そのため、一統年寄中宅へ祝詞に参出の触れ
2・20　右により、家中で同字の者は改名すべし
2・24　順正院の忌日変更等の触れ
2・25　橋爪門修復につき通行変更の触れ
2・28　転役二件（安達・横地）
　　役儀免除（加須屋）
　　斉広月次登城、下城後前髪取り、齢一八歳、実年齢一六歳
　　一季居奉公人の居成り召抱えの公事場触れ等

於江戸、筑前守元服につき京都への口宣の御使（野村）、御用後直ちに金沢へ
於江戸、日光代拝御使（高田）

3・1 今月の天気
★月次出仕
3・3 上巳祝詞出仕
今月21日、治脩江戸発駕御迎えの士追々発足
筑前守任官につき、諸士献上について詳細触れ
諸士年頭祝儀への治脩の謝意到来、披露のため組頭宅へ参出の命
3・10 前項により★玄蕃助宅へ参出、御書拝戴
3・11 江戸御供人等への餞別等禁止を再度触れ
3・15 ★月次出仕
3・18 来月朔日2日の長谷観音祭礼出座（御先手：国沢・杉野）
同15日寺中祭礼同断（御先手：河内山・安達）
但し河内山忌中になり、（印牧）に交代
名替（辻・丹羽）
3・19 斉広筑前守任官の★御祝儀提出（様式書出し）
今月病死三件（樫田・久田・不破）

来月寺中祭礼能番組、詰人書上
城内忘れ物取扱の厳正化について御城代言及

4・1 今月の天気
月次出仕
転役（竹田）
転役（小杉）、但し病気につき3日申渡し
長谷観音祭礼能（2日まで）
4・2 ★右祭礼能につき、足軽等連れ巡回
4・8 ★月次経書講釈聴講
4・11 転役三件（高畠・不破・前田）
4・12 病死（神尾）
前月21日、治脩御暇許可及び上様拝謁等の通知廻状（4・14）
明日治脩着城時、御機嫌伺の段取り触れ（4・14）
15日の例月出仕中止の通知（4・14）
4・15 夕、治脩帰城、江戸への御礼使者（富田）発出、使者への拝領物三年以前のとおりに復す
寺中祭礼能
4・16 ★昨日廻文により登城、御帳に付き退出
治脩、宝円寺・天徳院参詣

4・18　転役（堀部）
4・22　★月次講釈聴講
4・26　転役（中村）
5・1　今月の天気
★月次出仕、一統御目見御意あり
治脩、粟崎へ放鷹
5・5　★端午祝詞登城
5・6　大小将拝任七件（交名あり）
算用者一〇人召抱え
斉広と同じ実名・名乗り字の者の名替えを触れ
5・8　★月次講釈聴聞
筑前守の初御目見・元服・受官への家臣からの祝儀等廻状あり
5・15　★月次出仕、一統御目見
日勤等免除（本多安房守）、悠々斉と改名
5・18　転役（矢部）
5・23　★月次講釈聴講
閉門等の者書出し指示あり、★支配に該当無し
5・24　転役（佐藤）
盗賊改方御免（★政隣）
当分盗賊改方（佐藤）
5・25　大坂からの儒生（渓）の講釈聴聞につき廻状あり
跡目及び残知三〇件（交名あり）
佳節朔望の河北御門勤番（★津田・今村・河内山）
武学校への陪臣の稽古出席を許可
27の講日、陪臣・町在の者の出席を許可
5・28　★前記（渓）の講釈聴講
観樹院様三回忌法事、来月28・29日執行と廻状あり
6・1　今月の天気
月次登城、★政隣等河北御門詰める、一統御目見中★残り番
治脩、跡目の御礼等受ける
6・6　御城方・公儀御用（奥村河内守）
6・8　★月次講釈聴講
6・12　犀川・浅野川へ塵芥等投棄禁止廻状
6・14　治脩、学校鎮守堂参詣、両学校へも入る
6・15　登城、朔日のとおり、★列居・御目見、以後交代で残り番
6・17　転役（永原）
6・18　大小将指除・急度指控（宮崎）

6・23　急度指控（菅野）、両家縁組に不都合あるにより
6・29　★月次講釈聴聞
昨今、天徳院で観樹院様三回忌法事執行
武学校での稽古の心得方廻状
7・1　今月の天気
★月次出仕
転役七件（交名あり）
減知知行高、元に復帰（前田）、理由書あり
転役二件（篠原・志村）
加増（多田）
引足（儒者：伊藤）
組外へ召出（定番御歩小頭：浅野）
役儀免除（高田）
江戸への御礼使（千田）
転役（岩田）
小頭・新知（渡辺）
半納米価
7・2　★月次講釈聴聞
転役四件（交名あり）
7・3　国への暇（家老役：津田）
7・6　転役（和田）
7・7　祝詞登城、★残り番
7・8　★月次講釈聴聞
稲実入り時期につき、石川・河北両郡鷹野遠慮触
れ
7・9　暑御尋奉書到来、返礼使（今井）12日発出
7・13　転役二件（富永・横浜）
7・19　江戸詰順番（御先手：矢部・国沢）
加増（前田）但し、今月11日
7・23　★月次講釈聴聞、孟子全終了
⑦・1　今月の天気
★月次出仕
転役（野村）
⑦・2　★学校出座、論語聴聞
⑦・4　喧嘩追懸者役交代（久能→永原）、★政隣（是迄
どおり）
⑦・8　★月次講釈聴聞、今日より中庸
⑦・9　江戸への使者（矢部）
右留守中、大御門方御用（国沢）
★斉広任官御祝儀等への御礼書頂戴の通知あり
⑦・11　★玄蕃助宅で右御書拝戴
⑦・15　★月次出仕、一統御目見

隠居及び家督相続三件（本多・青山・篠原各父子）
転役二件（前田・佐藤）
⑦・17　転役二件（寺西・前田）
⑦・21　★初めて組足軽鉄砲打ち見分、各々へ小遣い遣わす
⑦・23　★月次講釈聴聞
転役（林）
8・1　19日於江戸、斉広御鷹の鶴拝領
6月13日、近習勤仕御免（山崎）、剣術指南専ら励むべし
15日、右（山崎）へ拝領金等あり
今月の天気
月次出仕、一統御目見
転役（本多）
8・2　★学校出座・聴聞
8・8　★月次経書講釈あり
能美郡内漁師漁場での家中の漁禁止の触れ
8・15　月次出仕、一統御目見
転役（中）
8・21　転役二件（中川・丹羽）
★火事の際、在江戸（矢部）代として、金谷御門への出役を拝命
右の定書書上
8・27　転役二件（馬場・近藤）
病死（篠原）
転役二件（永原〈半〉・永原〈治〉）
9・1　今月の天気
★月次出仕、一統御目見
転役二件（関沢・大脇）但し大脇は病気につき不出
9・2　★学校出座、講師（中西）は（前田）家来家老
9・8　★月次経書講釈気滞につき断書出す
9・9　★重陽登城のところ、気滞につき断書出す
9・15　★気滞につき登城せず
9・17　転役（大脇）
9・18　治脩、能美郡へ放鷹及び巡見、21日還城
9・23　★風邪治らず、経書講釈聴聞断る
9・28　時鐘の打ち間違いにより、担当足軽等仮処分あり
10・1　今月の天気
月次出仕、一統御目見
転役二件（横山・織田）

10・2　★学校出座・聴聞
　明3日、学校において各士の乗馬御覧と仰出
10・3　★持ち馬書出し提出
　乗馬御覧の予定も雨天につき延期
10・6　28日の時鐘打ち間違いの足軽等に正式処分出る
10・8　★月次講釈聴聞
10・15　月次出仕、一統御目見
　治脩、召出与力等の御礼受ける
　病死の城代方与力（吉田）の跡も召出
10・23　★月次講釈聴聞
10・27　難渋諸士の上納銀等猶予の触れ
　跡目等三三件（交名あり）
　（津田）養子願い一件
10・28　病気等により役儀免除四件（交名あり）
　今月1日本納米米価書上
　当領の廻船乗組み水主漂流一件
　藩士、眼病治療のため信州行一件
11・1　今月の天気
　月次出仕、一統御目見、跡目等御礼は来月に延期
11・2　★学校出座・聴聞
11・8　★月次経書講釈聴聞
11・15　★月次出仕
　転役等四件（交名あり）
11・20　本多家へ藩侯上使見舞いあり、依頼により★取持ち勤める
11・22　本多家へ近習をもって見舞い品あり
11・23　月次経書講釈
　本多悠々斎末期の御礼、御用番（奥村）招請、作法書上
　右、病死の弘めあり、実際は20日朝死去
11・24　右御悔み使者（不破）勤める
　右につき、町方鳴物等三日遠慮触れ
　右につき、御機嫌伺登城等触れ
11・25　右につき★登城
11・27　右につき、上使（佐藤）をもって香典下さる
11・29　今朝、大乗寺で（本多悠々斎）葬式、★勤務につき不出
　転役（宮崎）
　今冬寒冷強し
　江戸で快天続き、度々地震、火災頻繁、22日に大火あり、死者三千ばかり
11・30　大聖寺侯より本多家へ御悔使者

12・1　今月の天気
月次出仕、一統御目見、役儀の御礼あり
来春参勤御供（横山）
転役（寺内）

12・2　★学校出座・聴聞

12・7　来年頭仮奏者番（多賀・前田・竹田）
本多家へ忌中御尋あり

12・8　月次講釈
転役（栂）
来年頭規式は寛政4年に復す旨仰出
小松城番等例年2月年頭御礼、高徳院様二百回忌のため正月25日に
歳末祝詞出仕は28日と触れ
家中従者の神護寺門内での縮方を達す

12・9　本多悠々斎へ、筑前守より病気御尋奉書等到来

12・11　閉門等の有無書出し、例年どおり達あり
御鷹場への入り込み縮方の触れ

12・15　月次出仕、一統御目見
来2月高徳院二百回忌施行奉行★政隣等三人に

12・16　来年頭御礼目録についての六ヶ條廻文あり
斉広より本多玄蕃助へ香典下さる

12・17　家中一統難渋につき、増借知一作返還及び貸銀の触れ
博奕の禁令出る

12・18　本多玄蕃助叙爵の御礼使、（富永）へ命
月次講釈、★施行御用により欠席

12・23　22日、斉広より玄蕃助へ朦中見舞いあり
家中一統へ、借銀返済方法及び新貸付金額の触れ
高徳院二百回忌法事の触れ

12・25　本多玄蕃助叙爵、安房守と改名
一季居奉公人欠落時の届け出等の厳正化触れ

12・27　定番頭（不破）自分指控の件

12・28　本多玄蕃助叙爵・改名を城中にて披露
（大音）幼嫡子、父遺知相続
九三歳（堀）へ綿子等下賜

12・29　転役等二件（跡地・津田）

12・30　転役二件（瀬川・木村）

寛政一〇年（一七九八）

治脩（五四歳）在国、4月22日参府、4月28日婚姻

斉広（一九歳）在府、6月1日帰国

★権平【政隣】（四三歳）在国、9月24日出府

1・1　今月の天気

例年どおり年頭礼

諸大夫の御礼使（富永）江戸へ発足

1・7　御祝詞出仕

1・8　例年どおり月次経書講釈休講

1・15　年頭御礼人ありにつき月次出仕取止め

1・18　当春参勤御供（中川・菊池・他御近習の人々等）

病死（青山）

1・23　★施行奉行御用につき月次講釈欠席

高徳院二百回忌御法事奉行、病気により交代（奥村→村井）

1・24　宿次奉書により余寒御尋及び御鷹の鶴拝領、御礼使（宮井）

転役二件（高田・山岸）

高徳院法事終了後に、御用番宅へ祝詞参出すべし

1・29　★施行方物見分のため玉泉寺へ16日より玉泉寺に役所建てる

河北御門の鎖破損につき、修復方取扱一件

2・1　今月の天気

今日より御法事につき月次出仕取止め

2・3　御法事無事終了

2・4　★御法事終了につき、御用番宅へ参出

2・5　転役（岸）

2・6　転役八件（交名あり）

2・8　月次講釈

2・10　御咎宥免一四件（交名あり）

今回も宥免なき五人名書上

2・11　転役三件（古屋・上月・窪田）

2・13　於宝円寺、花心院百回忌御茶湯執行

右につき鳴物等遠慮触れあり

例年どおり各種触れあり

2・15　月次出仕、一統御目見

安房守叙爵の御礼、料理下さる

当参勤、来月13日と命

13日、役儀御免除（白江）

2・17　転役・転組（神保）
2・23　月次講釈
転役（立川）
役儀御免除二件（堀・杉江）
（本多）出府のため、★政隣等組士へ留守時の申送り
2・27　明日（本多）叙爵御礼発出につき、藩侯より下賜品
右使者へ料理出し、★政隣相伴
2・29　転役（津田）
宝暦9年火災以来★家作完了し、大工等を饗応
3・1　今月の天気
月次出仕、一統御目見
転役（三浦）
3・2　★学校出座
3・3　★上巳祝詞登城
治脩、宝円寺・野田惣御廟参詣
3・4　転役（今村）
跡目・残知等二六件（交名あり）
3・6　縁組・養子等仰出
病気により役儀免除二件（坂野・国沢）
3・8　跡目（渡辺）
治脩、疝癪により発駕延期、11日の御機嫌伺登城中止
3・11　両本願寺使者登城、用向き詳細書上
3・15　★月次出仕
3・16　役儀指除・指控（前田）
3・22　転役二件（安宅・武）
3・23　大聖寺侯登城、正姫に対面、治脩病につき対顔なし
当参勤、来月4日と仰出
3・28　加増・新知等二八件（交名あり）
3・29　2日発駕御機嫌伺登城すべしの廻状あり
改名（津田）
聖堂銀返上方の触れ
重要な仰出され事項の伝達方変更の触れ
去冬の天候異変ゆえか浜等へ死魚等多し
江戸聖堂建て直しにつき、幕府より当藩に聖堂火消の依頼あり
4・1　今月の天気
★月次出仕

4・2　★前記29日の触れにより登城
4・4　治脩発駕、御供人・途中川留等書上、22日着府
4・8　★政隣等へ15日の佐那武明神祭礼の警固の命あり
4・10　安房守から★政隣等組中へ、江戸からの帰着案内あり
　於江戸、新知（服部）
　金等拝領（二口）
4・11　於江戸、加増（不破）
　新知（岡田）
　転役（大村）
　他に、大工等永年勤続者に加増等あり
4・15　★寺中祭礼に詰める、能番組書上
4・20　閉門者等書上げ指示あり
4・23　人高改触れ、★対象者無しと返書
　廓諦院法事について触れ
　長谷観音祭礼能番組書上
5・1　今月の天気
　★月次出仕
5・5　★端午祝詞登城
　斉広、6月朔日帰国予定、帰着後の御礼使(前田)
5・15　月次出仕、御用番より治脩着府後の様子披露
　転役（小川）
5・22　泰雲院一三回忌法事触れ
　斉広帰国当日の要領
5・25　★登城、御用番より斉広暇の拝領物頂戴等の披露
　斉広到着時の祝詞廻勤の触れ
　鯨漁及び鯨諸事
　金沢町中で他領侍行方不明一件
6・1　今月の天気
　★月次出仕
　斉広帰着
6・3　祐仙院卒去の報来る、各種遠慮触れ
6・6　祐仙院卒去につき、斉広へ御尋奉書あり、御礼使(九里)
6・11　★宝円寺拝参
6・12　昨・今日宝円寺で泰雲院一三回忌法会
6・15　★月次出仕
6・20　毎月25日、祐仙院忌日、及び当日諸殺生指控の触れ
6・22　転役（津田）

6・25　稲実入り時期につき鷹野遠慮触れ
6・28　転役（戸田）
　5月末の他領侍行方不明一件その後
7・1　今月の天気
　★月次出仕
　江戸詰（佐藤）
　半納米価書上
7・4　転役四件（交名あり）
7・6　召出（前田〈土佐守嫡子〉）
　転役（不破）
7・7　★七夕祝詞登城
7・12　祐仙院祥月命日変更の触れ
7・17　幕府より古銀の引替促進を令、及び引替割合等書上
　（村井）出府の命を申来る
7・25　町方殺人事件一件
　江戸上屋敷御貸小屋へ落雷
7・28　江戸御厩での仲間同士の傷害事件一件
　10月朔日金沢等半納米価書上

8・1　今月の天気
　月次出仕、御用番、治脩参府後の様子演述
　来春正姫出府御供五件（交名あり）
8・15　★月次出仕
　1日於江戸、転役（国府）
　浚明院一三回忌法事執行触れ廻状あり
8・23　（★政隣・河内山）江戸詰交代、来月20日まで出府すべし
　右、受取金高等書上
8・25　転役（上月）
　正姫の唱え方変更〈タダ〉から〈マサ〉へ
　石川・河北両郡で釣りの時、作物踏み荒し等禁止触れ
　21日於江戸、治脩、尾張家へ招かれる
9・1　★江戸発足までの天気
9・5　★月次出仕
　御用番より25・26日までに江戸参着するよう★政隣に指示あり
9・9　★重陽祝詞登城

9・11　転役二件（加藤・富永）
役儀御免除（吉田）、他に祐仙院付用人いずれも役儀御免除
25日のマサ姫唱え変更により、★政隣（マサチカ）から（ノリナカ）に変更
9・12　★江戸発出前、御用番等から伝言を受ける
9・13　★出府途につく、高岡泊、途中鴨多し
9・14　★魚津泊、今日鰤豊漁とのこと、宿はよろしからず
9・15　★青海泊、夜雨天になり松明で歩行
9・16　★名立泊、雨天、人足・駅馬つかえで隙取る
9・17　雨天、★関山泊
9・18　雨天、★善光寺泊
9・19　快天、★上田泊、近山雪で寒冷
9・20　★軽井沢泊
9・21　★倉賀野泊、途中人馬つかえ、高崎火事後で隙取る
9・22　予定の熊谷は大名泊により、★鴻巣泊、江戸へ明後日着の飛脚出す
9・23　★蕨泊、途中人馬つかえで隙取る、宿・人足は劣悪
9・24　夜に大雷・強地震・大雨、★上屋敷参着、伝言言上等
旅中の概要書上
火事手合の分担等相談、★政隣は稲妻手合
9・25　今回の旅用金を書上
★政隣、公事場吟味人を拝命
治脩、来年帰国前に正姫との婚儀すませたいとの意向
幕府から、諸大名・寄合衆等へ風俗心得方触れ
9・27　明日の尾張様招請時の作法心得等
9・28　尾張様招請次第書上
同夜、尾張様から使者あり
9・29　★尾張家へ御使、御来駕への御挨拶述べる
詰御年寄より、治脩の謝辞披露
国へ御暇（矢部・永原）
8月21日の治脩尾張家へ招請時の御飾・料理等書上
金沢犀川川漁について家中一統へ触れ
10・1　日蝕、★夕番
治脩登城、帰殿後★政隣・河内山御目見、遠路大儀と御意
転役（安田）
正姫、来4月出府と仰出
10・2　★朝番、河内山夕番、矢部・永原発帰につき今日か

ら朝夕詰番順繰り
於金沢、御内御用により（玉川）出府被命
10・3 矢部等帰国につき火事行列帳を朔日改める
10・4 ★今日公事場方御用
10・5 今月の天気
10・6 治脩、水戸邸訪問
10・7 知恩院住職就任吹聴来邸への御礼使、★政隣勤める
★政隣持ち馬での乗馬を治脩御覧
10・13 治脩、尾張様戸山邸訪問、御供へも料理等出る、邸内模様書上
10・14 治脩、増上寺参詣、のち芝広式へ入る、夜、強地震
10・15 治脩、下城後、馬場で飛騨守等の乗馬御覧
★淑姫様の来年入輿の御願使、及び寿光院の御祝使勤める
10・16 治脩、寿光院・松寿院招請、御殿詰の士も御囃子等見物
10・23 ★尾張家聖聡院の副御殿移転の御祝使勤める
10・24 於金沢、正姫来年出府道中奉行（水野）
10・26 夜、赤坂辺火事につき、★手合召連れ紀州邸へ出動
10・28 9・25以降の金沢での転役等飛脚便あり（交名あり）
家中へ出雲大社勧化金納入触れ
京都芳春院造営済みにつき、懸かりの役人へ拝領銀等あり
11日、転役二件（竹内・黒川）
13日、正姫出府御供（神田）
19日、大小将拝命八件（交名あり）
同日、転役三件（山村・池田・加藤）
11・1 今月の天気
治脩、病につき月次登城御断り
11・3 紀州様御鷹拝領につき★御祝使者勤仕
11・4 上使をもって御拳の鴨拝領、治脩直ちに老中等へ廻勤
11・6 愷千代様一橋から御戻り御祝の使者として、★尾張様へ勤仕
11・15 治脩登城
★紀州様見舞使者の返礼使者勤仕
11・20 ★尾張様・知恩院へ、斉広返礼使者勤仕
11・21 水戸様より箱入り蜜蜂拝受、露地奉行飼い方指南

を受ける
先日も水戸様よりアッフル拝受、栽培法等書上
大目付より、各街道の人馬賃当分値上げの通知あり

12・1 今月の天気
治脩、月次登城

12・4 ★榊原式部大輔寒気見舞御出への挨拶
★斉広より尾張様への御祝使者勤仕
江戸詰藩士の家来若党盗難事件一件

12・12 ★尾張様より寒気御見舞使者あり、返礼使者勤仕

12・15 治脩登城

12・17 ★松平造酒正寒気見舞の答礼使者勤仕

12・21 御台様より歳暮使者あり、御礼は名代前田飛騨守
16日、飛騨守、四品に叙せらる

12・22 寿光院へ公方様・御台様より歳暮使者あり、御礼は名代信濃守

12・27 江戸詰人へ貸渡金の触れ
来年頭仮奏者拝命（中川・河内山・★津田）

12・28 治脩登城
★尾張家・紀州家への歳暮使者勤仕
江戸での妻・娘敵討ち一件

12・29 金沢での歳末祝詞出仕日の件
18日、転役二件（岡嶋・藤田）
21日、転役二件（山路・橋爪）
同日、賭けの諸勝負禁止触れ
22日、跡目二〇件（交名あり）
同月、縁組・養子等仰出
同月、老衰により役儀免除願いも慰留（不破）
嵯峨法輪寺勧化金割賦払の触れ
藩への上納銀について金沢より★政隣へ連絡あり
金沢での奇異一件

寛政一一年（一七九九）

治脩（五五歳）在府、5月18日帰国
4月28日大聖寺侯女正と婚姻
斉広（二〇歳）在国、3月26日参府
★権平【政隣】（四四歳）在府

1・1 今月の天気
治脩、年頭登城
3日迄及び7日の年賀御客衆へ料理出す
1・4 ★紀州家へ年賀答礼使者勤仕
1・6 ★斉広から大膳大夫へ婚約御祝の使者勤仕
1・13 ★紀州左近将監・藤堂和泉守年始御出の答礼使者勤仕
1・15 治脩登城
御客衆へ料理出す
1・17 公儀より蝦夷地取締に幕臣を任命
蝦夷地御用の趣意書上
1・19 具足鏡餅開き
1・20 ★松平豊後守へ年賀答礼使者勤仕
1・25 ★日光門跡へ還御御祝使者勤仕
1・27 木挽町より出火、★手合引連れ芝広式へ、火元遠所につき帰館
1・28 三河町より出火、★出動準備も鎮火
1・29 築地より出火につき、★手合芝広式に詰める
15日於金沢、当江戸留守詰二件（神田・庄田）
21日同、当春筑前守参府御供七件（交名あり）
2月21日、同右追加六件（交名あり）
25日同、正姫出府道中役付一〇件（交名あり）
2・1 今月の天気
日光宮登城につき月次登城中止
2・2 ★尾州愷千代様へ一橋大納言官位の御祝使者勤仕
2・4 愷千代様大奥での対顔の様子聞きのため、★御付使者勤仕
治脩、御鷹の鶴拝領
2・11 正姫4月22日着府予定、18日（28日の間違いか）婚礼と仰出
2・19 ★紀州家等へ斉広の御使い勤仕
於金沢、斉広出府道中騎馬御供二件（庄田・恒川）
13日於金沢、転役（杉山）、正姫御供（土肥）
2・28 ★榊原家へ年賀答礼使者勤仕

15日於金沢、転役四件（交名あり）
24日、孝恭院二一回忌法事、上野で執行、金沢神護寺でもあり
出雲守及び飛騨守の御供人数書上
与力村上妻自害仕損じ一件

3・1 今月の天気
当帰国御供人等（交名あり）

3・3 ★紀州様着府につき御付使者で参上、上巳祝詞使者も勤仕
当帰国御供人（交名あり）

3・6 御客衆招請し、去冬拝領の御拳の鴨披く、当家頭分等も頂戴

3・7 ★紀州様へ上意拝受の御祝使者勤仕
治脩婚礼当日の家臣着服等触れ

3・12 ★尾張様へ忌法要の御見舞使者勤仕
★七ツ時、火事の報で尾張邸へ出張るも、火事場内藤新宿につき中止

3・13 中邸詰藩士家来出奔・立ち帰りにつき、★吟味のうえ上申
於金沢、転役（神田）

3・17 聞番（長瀬）帰国につき拝領物あり
参勤御供又は帰国の際の餞別等無用等の廻状あり
朔日、於金沢、転役二件（横山・小原）

3・20 ★当御留守中大御門支配を拝命

3・21 ★一条様使者旅宿へ使者勤める
当帰国発駕日、5月7日と命

3・22 斉広参府途上の様子、早飛脚により通知あり

3・26 斉広着府、老中方へ廻勤、待受け客へ料理出す

3・29 治脩へ国元への暇、恒例の拝領物あり
斉広の参府に対しても上意あり
御礼廻勤は名代として飛騨守へ御頼み
★日光門跡・御三家へ御知らせの御使い
於金沢、転役四件（高畠・高田・三宅・杉浦）

4・1 今月の天気
両殿様登城、暇の御礼等
拝領の馬・鷹到来

4・8 於広徳寺、祐仙院一周忌法事執行

4・11 ★斉広から日光門跡への参府の進物使者勤仕

4・15 暇の御礼済により治脩の月次登城なし
朔日・7日於金沢、転役各一件（中村・三浦）

4・22 正姫金沢から本日着、本宅広式へ入る

4・24 治脩・正姫婚礼の順の通知、及び御前様と唱え替

えの触れ

4・27　11日・15日於金沢、転役二件（林・土師）、名替（林）

婚礼終了後、御歩並以上、頭等小屋へ恐悦挨拶に出るべし

4・28　★治脩・正姫御婚礼祝儀として飛騨守・桐陽院へ御使い

今日の婚礼御客衆は出雲守等縁者一五人

御殿詰合の家来一統、足軽・小者までそれぞれ御酒等頂戴

4・29　昨日婚礼につき、来月朔日まで平詰

上様等より上使をもって御祝儀拝領

25日於金沢、転役（坂井）

木下淡路守、今月参勤途上の乱行一件

5・1　今月の天気

名代出雲守、婚礼御礼登城及び老中方廻勤

頭分以上、一昨日拝領の御酒等頂戴

5・2　飛騨守帰国のため発駕

留守詰めの家老（前田）、昨日参着

5・4　婚礼後初めて寿光院等招請、料理等饗応・能（番組あり）

前月の金沢寺中・長谷観音祭礼能番組書上

5・5　★御三家へ端午祝詞使者勤仕

7日発駕につき、明日昼より火事行列建てず

5・6　前記のとおり、★大御門支配交代引受け

5・7　治脩発駕

発駕見送りの出雲守等客衆へ料理出す

将軍家二男（敦之助）逝去、今日より三日鳴物等遠慮触れ

5・9　敦之助葬儀につき、朝より火消間廻り

5・15　★尾張・水戸両家へ御使い

5・16　御前様・寿光院同道、浅草筋行歩

5・28　治脩18日着城等知らせの飛脚あり

11日於金沢、治脩婚礼無事挙行の弘めあり

喧嘩追懸者役交代（田辺↓永原）

同、7月17日より（安達↓広瀬）

上旬、長崎へ来た清人の狂歌等

6・1　今月の天気

金沢からの使者（深美）、登城の上御目見、拝領物あり

6・4 前月26日金沢強地震の報あり

6・7 江戸で治脩無事を周知、一昨日、斉広から治脩へ御機嫌伺使者

その他よりの使者無用の伝言あり

6・8 役儀交代で着府の（戸田）、ついでに寿光院等へ地震報告

6・21 金沢よりの町飛脚で地震詳細の報

25日於金沢、転役二件（伊藤・岩田）

6・28 暑御尋宿次奉書、今夜渡す

14日於金沢、転役三件（大嶋・湯原・玉井）

24日同、加増（有田）

於金沢、地震後につき、なおさら火の元の用心触れ

語意等について「或書」からの書写

5月26日金沢地震について詳細書上

7・1 今月の天気概況

転役（野村）

領内半納米価書上

7・2 金沢強地震二度、翌3日も一度

7・4 跡目三一件（交名あり）

残知八件（交名あり）

縁組・養子等仰出

7・6 病気により役儀免除（津田）

7・7 転役（岡田）

家中難渋により、上納銀用捨の触れ

7・10 転役二件（小原・安達）

7・11 転役二件（矢部・千田）

病死（多田）、但し病中見舞品下賜あり

7・13 転役（武藤）

7・17 転役（篠原）

7・18 暑御尋宿次奉書の御礼使者（関屋）帰着

転役（庄田）

7・28 御召米取扱の不都合により、算用場奉行三人のうち（小寺）指控、（永原・笠間）へは咎めなし

21日、転役（青地）

同、老年により月番免除（長）

25日、転役（団）

稲に花付時期につき石川・河北での鷹野禁止触れ

陪臣（池田）に薬種業営業を許可さる

8・1　今月の天気
邸内は例年どおり平詰
8・3　転役（今村）
8・4　病気により依願免（古屋）
斉広、御鷹の鶴拝領
8・6　転役（土方）
藩士宅へ侵入の賊、当主に刺殺さる
8・7　転役六件（交名あり）
8・11　転役（中村）
8・15　加増二件（上坂・松平）
転役（白江）
8・25　転役（庄田）
8・28　転役（阿部）
暮頃、金沢地震
諸上納銀、本納時の10月まで猶予の触れ
金沢銀座等の封付銀、軽目計量一件につき触れ
（江守）家来五人出奔一件
★江戸在住医師（大高）秘蔵品を一覧
立春大吉、邪鬼の呪いの意
9・1　今月の天気
9・4　加増（青山）、婚姻等彼是骨折りにつき
9・5　転役（飯尾）
大小将拝命八件（交名あり）
9・9　重陽につき平詰
9・10　寿光院・御前様同道、氷川祭礼山引き見物等
9・26　寿光院・御前様同道、青山仙寿院参詣、★御供
6日、転役（寺西）
10日、転役（木村）
13日、転役（有賀）
28日、武学校へ懈怠なく出席者の大小将等二三人に褒美あり
同日、同趣で与力・御歩等一〇二人にも同断、★せがれも同断、御礼紙面差出す
★組頭安房守へ安否御尋紙面出す
狩猟御免場でも、規定を逸脱した狩猟の禁止を触れ
鳥構えのため山木を損ずるべからずの触れ
10・1　今月の天気
金沢本納米価書上
10・4　家中難渋につき、増借知一作、代銀にて返す旨一

統へ通知

本納時まで猶予の諸士上納銀はさらに猶予

但し、役出銀は従来どおり上納のこと

10・5　転役（永原）

足軽以下への貸付銀高通知

10・9　転役（由比）

10・27　寿光院、紀州様へ年賀の道筋の注意書

2日、金沢下口で女二人磔

22日、転役（村）

25日、転役二件（山口・村）

27日、転役（前田）

今回返還の借知米の換算金額書上

11・1　今月の天気

11・5　斉広、御鷹の雁拝領

11・6　聖堂普請完了につき、御用番老中より聖堂防火役の内意あり

11・15　将軍女淑姫、尾張家入輿につき当邸門留の触れ

11・20　幕府書院番襲撃一件

11・21　湯島の儒者宅押込み一件、他にも度々ある由

1日、転役（高畠）

4日、江戸表御使（吉田）12月11日江戸着、御使勤仕後当分詰め

10日於金沢、御判御印物頂戴、★役料知御印物名代たて受取る

13日、寒気御伺使者（大河原）、12月7日金沢発、

19日江戸着

21日、転役（堀部）

25日、転役（堀）

29日、御歩頭（奥村）病につき明日帰国、後任（井上）

養子の儀につき心得書出る

転役（津田）

江戸、例年より穏和

半知及び三分一知の人々も貸渡銀の触れ

聖堂銀の元銀返上は繰延べ、但し利足は上納のこと

前月返上のはずの御次銀は繰延べのこと

12・1　今月の天気

12・2　殿中での淑姫入輿祝儀能見物で斉広登城、能番組・料理等書上

12・3　昨日の御礼のため斉広登城
12・10　公儀から神田筋町中へ、聖堂火消加賀藩へ交代の通知
12・11　夜、湯島三丁目由良家出火、此方火消で消し止め
公儀小人目付より聖堂火消要領を書面で問合せ、返答の覚書提出
聖堂火消要領触れ
12・13　御用番老中より、近辺出火の際、聖堂に人数詰め指示あり
12・14　目付より聖堂火消時の指示あり
12・16　右、御用番・目付衆の書面両通について周知あり
12・17　明日聖堂見分の申渡あり
聖堂火消要領書上
12・18　同役（河内山）等、聖堂見分一件
12・19　聖堂火消新規雇用の鳶一五人は、当分町宿に置き後日邸内へ
以下、翌年に至るまでの聖堂火消に関し詳細書上
28日於金沢、白銀等拝領（鷹栖）、極老まで精勤により
12・22　公辺より例年どおり歳暮祝詞・拝領物あり
財政不如意ながらも、江戸表切りで貸渡銀の触れ
12・23　尾張大納言重篤につき、★自分斉広使者勤仕、翌朝逝去
12・24　根津より出火、火元板倉家、此方火消で消し止
尾張大納言逝去につき、尾張中将等へ御悔使者出す
12・25　尾張大納言逝去につき惣登城、斉広も登城
尾張大納言逝去につき、普請等遠慮触れ
斉広、来年頭御目見等段取り周知あり
12・30　富山藩邸馬飼料所より出火、此方火消で消し止
7日、転役三件（佐藤・中村・杉本）
町・在の戸籍の厳正について、公事場奉行より触れ
11日、転役（津田）
14日、跡目等一八件（交名あり）、新知（園部）
15日、来春参勤御供（奥村）、来秋迄詰延（前田）
16日、養子・縁組等諸願仰出
17日、跡目（馬場）
24日、賭けの諸勝負禁令
28日、元大組頭（堀遊間・九五歳）へ詠歌・道服下賜等
御先手組足軽の補充を御聞届け
23日、来春参勤御供四件（交名あり）

寛政一二年（一八〇〇）

治脩（五六歳）在国、閏4月7日参府
12月裕次郎誕生
斉広（二一歳）在府、5月6日帰国
★権平【政隣】（四五歳）在府、閏4月19日帰国

1・1 今月の天気
昼後、斉広へ年頭御礼
富山侯御出、御対顔・盃事、他御客衆へも料理出す
跡目（青山）
転役二件（二口・服部）

1・2 斉広、年頭御礼のため登城
昨日より7日まで表向は平詰、今日・明日・7日御客衆へ料理

1・10 上様上野御成り

1・11 金沢より尾張大納言への御見舞使者（窪田）参着、道中の次第

1・12 追儺規式、年男（会所奉行：半田）
御歩頭（今村）詰交代で明日参着予定（吉田）発帰

1・15 表向平詰、御客衆へ料理出す
寒気御尋宿次奉書答礼使者（前田）参着、28日登城

1・19 具足鏡餅開き、御殿当番の者へ雑煮等頂戴

1・22 柳原出火、一番火消押出、★人数引連れ聖堂へ

1・23 治脩・斉広より尾張家各様へ御見舞品、★使者
国元より尾張様へ、今朝御悔使者（前田）

1・27 谷中より出火一件

1・29 尾張中将様へ斉広より相続祝儀使者派遣
御前様よりも尾張・紀州・水戸家へ使者
3日、転役（永原）
15日、当春出府二件（杉野・久能）
16日、老年につき役儀免除・拝領物あり（内田）
18日、転役（永原）
19日、当参勤御供・江戸詰一件（交名あり）
八〇歳年寄女中へ、御前様・寿光院より寿の詠歌各一首
江戸で死刑者の母の詠歌により死刑一等御免一件
25日、尾州への代行使者（野村）金沢発足

2・1 今月の天気

4月13日よりの日光山法事中の各種規制等触れ
2・19 斉広へ淑姫様より婚姻の御祝返しの品到来
2・23 夜、新吉原全焼
江戸での着衣等、なおさら万端省略の触れ
2・28 松寿院、広式へ年賀に御出、馳走あり

1日、転役二件（横山・前田）
6日、家督・隠居二件（不破・印牧）、各父に隠居料
7日、転役四件（交名あり）
10日、新知（神田）
11日、転役（山崎）
同日、知行召放・一門預け（前田兵庫）
13日、兵庫跡相続（前田橘三〈権佐弟〉）
15日、日光山代拝御使（今枝）、その後出府、（前田）と交代詰
同日、帝に若君誕生につき御使（吉田）
治脩、3月15日発駕予定も、病気により3月7日に延期を命
19日、家督・隠居（長父子）、父に隠居料
26日、召出、当参勤御供（町外科：長谷川）
28日、御判御印物頂戴
21日病死（津田）、19日病死（印牧）
2日公事場触れ、10日出銀触れ、13日年中両度触れ
忘草の書き文字各種書上
六代論書上

3・1 今月の天気
於江戸、日光山代拝副使（菊池）、その後金沢へ直帰のこと
3・3 上巳につき表向一統平詰
3・5 馬廻頭（今井）宅出火
3・7 転役（萩原）
3・8 転役（伊勢）
3・24 ★政隣代人（久能）出府後も、治脩着府まで詰延べを仰渡さる
3・27 飛脚により、治脩発駕延期、代人（久能等）今日発足と通知
18日、諸頭と御用番の対談あり、趣意不明
3・28 転役五件（交名あり）
来月朔日は日蝕により、出仕時刻変更の触れ

和邦朱引法の二首

4・1　今月の天気
4・8　九分の日蝕あり
4・13　代人（杉野・久能）参着、同役（河内山）翌発帰
4・18　日光山代拝副使（菊池）の道中次第
4・20　江戸で出火の際、火事場役人以外の白塗笠着用禁止触れ
4・21　大猷院百五十回忌につき上野御成り、斉広風邪により予参御断り
（今枝・菊池）日光代拝の次第詳細書上
金沢神護寺でも右法事あり
4・27　右法事済につき斉広登城、予参欠席により22日上野参詣
4・29　斉広帰国願いのところ、来月21日発駕と触れ
（今枝）日光御用済み、江戸参着・交代
1日、転役三件（伊藤・井上・村田）
同夜、（今枝）陪臣の朋輩殺害一件
2日、転役（馬場）
6日、転役三件（加藤・宮井・江守）
11日、治脩疝癪快方につき、25日発駕、来7日着府と命
17日、転役三件（吉田〈八〉・吉田〈又〉・沢田）
18日、治脩、役儀の御礼受ける
21日、転役二件（奥村・馬淵）、加増三件（交名あり）
同日、跡目等二〇件（交名あり）
22日、治脩、跡目の御礼受ける
同日、参勤御供（永原）
同日、縁組・養子等諸願仰出
23日、転役（高山）、指控免許三件（交名あり）
24日、転役二件（河内山・小原）
25日、治脩発駕
漢文録書上

④・1　今月の天気
④・3　当在府詰人（高畠）着府
④・6　★政隣等帰国の諸頭へ御前様から帯地拝領
④・7　治脩着府、老中方廻勤等前例どおり
★明後日発帰の旨、御用番へ報告
④・8　★各様へ帰国の挨拶
④・9　★江戸発、人足遅参につき出発遅れる、鴻巣泊
以後、越後路人馬つかえで一日遅着
④・19　★昼前着城、御用番へ伝言等の後帰宅

斉広帰国後の公辺への御礼使者（永原）
斉広帰国時の心得触れ
21日於江戸、転役三件（杉野・久能・永原）

5・1 今月の天気
月次出仕、御用番から治脩参府次第の披露
明後日、斉広着城の上は、御用番宅へ祝詞参上の触れ

5・5 ★端午につき出仕
石垣修理につき、尾坂門通行差止触れ

5・6 斉広着城、★恐悦のため御用番宅へ参出

5・10 同役寄合で、★（吉田）宅へ出座

5・13 役儀免除（岸）

5・15 月次出仕、治脩病気快で、朔日初登城の披露

5・23 自分指控（河嶋）
同断も其義に及ばず（不破・伊藤・江守）
右は五〇歳前に養子願提出の錯誤により

5・25 於江戸、転役（不破）

6・1 今月の天気
月次出仕

6・4 転役（水野）

6・7 転役（中川）

6・11 転役（安達）
為之助様死去の報、普請等遠慮触れ

6・15 月次出仕
諸士借銀返上猶予等の触れ

6・16 借銀年賦相応の蔵縮証文、頭等取りまとめ町会所へ提出の触れ

6・20 於神護寺、有徳院五〇回忌法事
稲実入り時期につき、石川・河北での鷹野禁止触れ

7・1 今月の天気
★月次出仕
半納米価書上

7・7 ★七夕出仕
斉広未疱瘡につき、御目見制限の触れ

7・15 例年どおり月次出仕なし

7・17 転役二件（丹羽・高田）

7・21 転役（栂）
御次銀の返済について4日に触れ

加入格段銀の返済等について10日町会所触れ
今石動宿用銀等返済方について25日町会所触れ
11日、跡目六件（交名あり）
13日、縁組等諸願い仰出
同日、依願役儀免除（加藤）
19日、指控（儒者　石黒）
25日於江戸、御鷹の鶴拝領

8・1　今月の天気
★月次出仕
8・15　★月次出仕
8・16　飛騨守舎弟死去の報、普請等遠慮触れ
8・26　一類預け(伊藤)、子女も預け、養子に出た(磯松)は指控
8・29　御用番より（★政隣・山路）に、来月4日磔刑の検使時刻を公事場奉行に問合せを指示
9・1　今月の天気
月次出仕
9・4　（★政隣・山路）野町町端での磔見届け、公事場奉行の指示書、検使報告書書上
右、受刑の理由書上

9・9　★重陽出仕
聖堂銀の当年返済用捨の触れ
改名（永井）
紺屋坂腰懸門作事のため同坂往来禁止触れ
9・15　★月次出仕
9・22　転役八件（交名あり）
家中進上出銀等の取扱について触れ
26日より尾坂門通行禁止解除
16日於江戸、転役（杉江）
10・1　今月の天気
★月次出仕
本納米価書上
10・4　馬奉行内見のため、★持馬に紙面添付で差出す
10・13　長家へ斉広から見舞使者につき、★政隣に取持ち
依頼で訪邸
10・14　(長恵迪斎) 老、末期の御礼・卒去、★取持ち
10・15　月次出仕、(長恵迪斎) 老卒去の弘め等
10・17　長家へ斉広弔問使者につき、★取持として訪邸
10・19　長家へ斉広香典使者につき、★取持として訪邸
10・21　右葬式取持のため、★開禅寺参詣

10・29 長家へ斉広朦中御尋使者につき、★取持として訪邸
家中諸士より知行所百姓から直接米受取は従来通り禁止、及び百姓皆済前の米払出禁止の徹底を触れ

11・1 今月の天気
★月次出仕

11・4 在江戸の治脩から(長恵迪斎)へ病気見舞の使者あり、★取持ち
紺屋坂腰懸門完成につき、紺屋坂門通行解除
石川門外水門作事のため、坂下門通行禁止等
来年頭御礼銭今月27日差出すべし
知行高・勝手方人馬帳等、12月20日まで差出すべし
★政隣知行地木越村不作につき引免の旨、改作奉行より通知
27日より忌御免(長)
13日、大小将拝命三件(不破・丹羽・服部)
11日、二之丸広式で若子出生、母は組外(武村)娘(ふゆ)

12・1 今月の天気
★月次出仕
斉広来春出府御供(津田)
家中蔵宿預け米の適正扱いを触れ

12・15 ★月次出仕
石川門外水門完成につき、23日より坂下門通行解除
賭けの諸勝負禁止触れ

12・23 跡目等二九件(交名あり)
新扶持(鍼医:徳田)
縁組養子等諸願仰出

12・24 依願役儀免除二件(村・阿部)
転役(田辺)

12・27 歳末祝詞として例月出仕の面々登城

12・28 長九郎左衛門、諸大夫任官、甲斐守と改称披露あり
今般二御丸広式で誕生の若子、裕次郎殿と称すべく仰出
此の節の積雪で往来支障なきよう除雪の触れ

耳目甄録　拾九

寛政八年—寛政十二年　氏名索引

姓読み方一覧

読みは諸士系譜による

あ	新	あたらし
	在山	ありやま
い	一色	いっしき
	生田	
	生山	
	磯松	
	出野	いでの
う	上木	
	上村	
	上坂	こうさか
	瓜生	うりゅう
	牛園	
	氏家	附．団
え	榎並	
お	大槻	附．園田
	小幡	
	小瀬	
	小原	
	小篠	
	小竹	
	小倉	
	小野木	
	小谷	
か	帰山	かえりやま
	改田	
	角針	
	河野	かわの
	河地	かわち
	河内山	こうちやま
	上月	こうづき
	印牧	かねまき
	菅野	（すがの）
	神戸	かんべ
	樫田	かしだ

き	久徳	きゅうとく
く	陸田	くがた
	九里	くのり
	熊谷	
こ	郡	こおり
	小川	
	小塚	
	小寺	
	小沢	
	小谷	
	小畠	
さ	篠井	しのい
	篠島	
	山東	さんとう
し	篠原	ささはら
	篠田	
す	菅	
	寸崎	
せ	千福	
	千田	
	千羽	
	千秋	せんしゅう
そ	副田	そえだ
	曽田	そだ
	尊田	たかた
た	鷹栖	たかのす
	武	たけ
	団	だん
ち	長	
つ	槻尾	附．寺島
	柘櫃	つげ
	角尾	つのお
て	豊島	てしま

と	栂	とが
	鴇田	ときた
	東郷	附．中村
	土肥	附．武藤
な	長田	
	半井	なからい
	中居	なかぎり
に	仁岸	
ぬ	布目	
ね	根来	
は	端	
	伴	附．佐垣
ひ	土方	ひじかた
	比良	
	一木	ひとつぎ
ふ	二木	ふたき
	古市	附．赤井
へ	別所	
ほ	堀部	
	細井	
ま	増木	
	曲直瀬	まなせ
み	三階	みかい
	神子田	みこだ
	満田	みつだ
	三吉	
む	武藤	附．土肥
や	安武	やすたけ
	安見	やすみ
	保田	やすだ
ゆ	由比	ゆひ
	行山	ゆきやま
よ	葭田	よしだ
わ	和角	わずみ
	分部	わけべ
	脇葉	

○は閏月

姓・通称	諱		扶持	年月日	没年月日	享年
あ						
青木左仲	定邦		250	寛10・2・10	天保11・2・3	71
青木次(治)兵衛	久昌		230	寛10・3・4	寛政9・10	
〃 弥次右衛門			250	寛10・3・4		
青木善大夫	致広		50	寛11・7・4	寛政10・3	
〃 助左衛門			50	寛11・7・4	享和3	
青木多門	直信		900	寛8・2・13 寛9・11・15 寛10・7・4 7・6	文化7・8・27	
青木友右衛門				寛10・2・10		
青木隼之助			350	寛10・3・4	文化4	
青木与右衛門	貞幹		500	寛8・2・11 2・13 9・22 10・5 10・26 11・16 寛9・5・24 寛11・1・末(1・21)		
青地七左衛門	愛敬		800	寛8・3・9 3・21 寛9・11・晦 寛10・1・18 寛11・7・末(7・21)(7・25)	文化3・9	
青山数馬・半蔵			150	寛10・9・27 寛11・9・4 寛12・1・1		
青山五左衛門	芳儀		20口	寛10・9・27 寛12・1・1		
〃 主鈴	芳容		200	寛12・1・1		
青山将監・滄渕	知次		7650	寛9・⑦・15 11・15 寛10・1・18 12・29	寛政10・1・18	75
〃 与三	将監		7650	寛9・⑦・15 ⑦・17 寛10・12・末		
浅井勇次郎・藤左衛門	成徳		650	寛8・1・27 寛10・9・27		

姓・通称	諱		扶持	年月日	没年月日	享年
浅加吉郎左衛門	近郷		250	寛10・3・28	宝暦8	71
〃 五兵衛	武郷		250	寛10・3・28		
浅加作左衛門	中郷		1000	寛10・10・28	文政2	
浅加左平太			600	寛11・7・4		
〃 貞二郎	友郷		600	寛11・7・4	天保10・9	55
朝倉久作	景礼		150	寛9・10・28 寛12・12・23	寛政12・6・12	
〃 佳助			150	寛12・12・23	文政2	
浅野九右衛門			110	寛9・7・1 寛12・12・23		
〃 三郎左衛門			110	寛12・12・23	文政12	
浅野屋吉兵衛		町人		寛9・9・27		
安達弥兵衛	正純			寛8・9・9 寛9・2・28 3・18 3・末(3・15) 寛11・5・末 7・10 7・11 寛12・6・11	文化7・9・18	58
安宅三郎左衛門	規景		200	寛10・2・10 3・22 寛12・2・末(2・7)	文化2	
跡地義平			80	寛9・12・29	寛政12・9・24	
姉崎太郎左衛門	増布		300	寛9・10・27	寛政9・5	
〃 源三郎・勘兵衛	好生		300	寛9・10・27 寛10・10・28 寛11・1・末(1・25)	文化8	
阿部昌左衛門・主馬	忠怒		1500	寛8・6・8 寛11・8・28 寛12・12・24 12・27		
阿部波江	泰忠		500	寛8・7・21 寛10・3・11		
新 清大夫				寛9・10・27		
〃 政之助			100	寛9・10・27		
新井清大夫			100	寛11・7・4		

名前	諱	身分	石高	年月日	没年	
〃 勘三郎			100	寛11・7・4		
新井白蛾	君美		300	寛11・6・末		
〃 升平	篤光		200	寛8・3・21 寛9・⑦・2 8・8 11・23 12・7 寛10・2・8 寛11・6・末	文化6	
荒木五左兵衛	直哉		800	寛10・10・28		
荒木屋八左衛門		町人		寛11・6・末		
有賀清右衛門	直一		1600	寛11・9・末(9・13) 10・9	文化9・1・23	
有沢采女右衛門・惣蔵	有貞		200	寛9・7・1 11・20 寛11・6・末(5・26)	享和2・7・2	
有沢才右衛門	貞幹		450	寛8・5・28	寛政2・5・26	
〃 数馬	貞庸		550	寛8・5・28 寛10・2・10	天保8・7・8	
有田俏右衛門	福正		200	寛11・6・28	文化1	

い

名前	諱	身分	石高	年月日	没年	
飯尾半助	満道		200	寛11・9・5 寛12・12・23	文化7・4・3	60
飯田半六郎	長儀		270	寛10・9・27	文化10	
飯沼新平			150	寛11・12・末(12・14)	寛政11・7・8	
〃 助左衛門			150	寛11・12・末(12・14)	文政6	
池田雅次郎				寛10・12・4		
池田権大夫		長屋臣		寛11・7・末		
池田左膳			120	寛8・7・11	寛政7・12・21	
〃 安太郎	致恭		120	寛8・7・11		
池田禄平	貴政		320	寛12・2・末(2・7)		
〃 武二郎	政恒		320	寛10・10・28		
池田善兵衛	昌成		200	寛10・10・28		

姓・通称	諱		扶持	年月日	没年月日	享年
生駒伝七郎	貞行		500	寛8・1・17　1・18　7・末(7・3)	文化3・11・27	
				寛10・4・4　寛11・8・7		
				寛12・4・末(4・24)		
生駒右近・右近			3000	寛8・7・11		
〃　専太郎	義知		3000	寛8・7・11		
石川太郎左衛門	孟雅		150	寛12・9・22	享和1	
石黒織人			130	寛9・10・27　寛11・7・4	寛政9・⑦・25	
〃　鋏之助	直信		130	寛9・10・27　寛11・7・4	天保1・7・8	52
石黒嘉左衛門	道尚		50	寛12・4・末(4・21)	文化4・9・18	70
石黒嘉弥之助	祇知		500	寛8・1・27　寛11・1・末(1・25)	天保9・12	61
石黒源次郎		儒者	15口	寛8・2・23　4・23　5・23　7・8		
				8・23　9・23　寛9・4・8　5・23		
				寛12・7・末(7・19)		
石黒堅三郎	喜房		100	寛10・9・27		
石黒小右衛門	従之		200	寛8・1・18　寛9・7・1　⑦・末(6・13)	寛政3・8・16	50
				8・27　寛10・3・4		
〃　甫太郎	従容		200	寛10・3・4	天保13	61
石野主殿助	寛氏		1550	寛8・1・18　4・3　10・28　寛9・12・28	文化5・7	
				寛10・1・18　4・4　9・25　9・27		
				寛11・3・6　3・17　寛12・1・末(1・19)		
				4・13		
磯松紀太郎			300	寛12・4・末(4・21)		
磯松森右衛門	正居		300	寛12・8・26		
板倉長三郎				寛10・10・28　寛11・12・19		

氏名	諱	備考	禄高	記事	後	番号
市川丈助		飛騨守臣		寛11・4・28		
一色宇左衛門	昌富		1200	寛8・7・11		
〃昌助			1400	寛8・7・11	文化3・11・6	35
伊勢与九郎	貞一		1000口	寛12・3・8	文政8	
伊藤権五郎	勝揁		1000口	寛8・4・15 寛9・3・末(3・15)	文化8・2	
伊藤淳八郎	将曹	儒者	100	寛9・7・1 寛10・4・15 寛11・6・21	寛政1	
				寛12・5・23		
〃雅楽助			100	寛9・7・1	天保4	
伊藤忠左衛門	昭明		200	寛8・3・末(3・21) 寛10・9・27	寛政11・7・21	
				寛11・1・29 12・末(12・14)		
〃弥門			200	寛11・12・末(12・14)	文政	
伊藤津兵衛	祐直		400	寛8・8・21 寛12・1・末(1・19)	享和2・5	
				4・末(4・21)(4・22) 8・26		
伊藤平大夫・甚左衛門	勝文		850	寛8・4・1 寛9・1・21 4・1	文化5	
				寛10・4・23 寛11・12・末(12・7)		
				寛12・4・末(4・1)		
伊藤弥次兵衛				寛11・12・末(12・7)		
稲垣覚左衛門	敬隆		400	寛12・12・23		
〃新叟			400	寛12・12・23		
稲垣勘大夫			50俵	寛10・3・28		
稲垣久五郎			1000	寛8・12・16	文政7・5	
〃織人・三左衛門			1000	寛8・12・16 寛11・8・7	文政11	
井上井之助	直政		700	寛9・3・3 寛12・4・末(4・1)(4・23)		
井上勘右衛門	喜親		600	寛8・2・13 10・5 11・16		
				寛11・1・末(1・21) 6・7 11・29		

姓・通称	諱		扶持	年月日	没年月日	享年
井上勘七			150	寛10・3・4		
〃 丈助			150	寛10・3・4　寛11・8・7　寛12・12・23		
〃 新平			150	寛12・12・23		
井上源兵衛			180	寛10・3・28　寛12・4・末(4・21)	文化9・2・11	
井上七郎	将信			寛10・9・27		
井上太郎兵衛	盛陳		300	寛8・1・29　6・1　寛10・8・1		
				寛12・④・6		
井上靭負	政親		250	寛9・5・6　寛10・9・27	天保11	
今井又忠儀	雅章		300	寛8・12・16		
〃 左太郎			300	寛8・12・16	文化5	
今井甚兵衛	矩明		500	寛9・7・9　⑦・末(6・3)　寛12・3・5	享和1・10	
				9・4		
今枝内記	易直		1400	寛11・6・末　寛12・2・末(2・15)　3・1	文化12・7・16	57
				4・20　4・29　4・末(4・1)		
今村伊右衛門				寛10・3・4		
〃 与右衛門			80	寛10・3・4		
今村源蔵				寛11・8・7	文化12	
今村三郎大夫	量景		300	寛8・1・22　寛9・5・25　6・1　6・15	文化1・6・11	
				7・1　7・7　9・9		
				寛10・2・13　3・4　寛11・8・1		
				10・末(10・22)　寛12・1・12　1・29		
今村三左衛門				寛10・2・10		
岩田内蔵助	盛昭		1000	寛11・6・21		
岩田源左衛門・是五郎			500	寛9・7・1　寛11・3・6	文化1	

岩田平兵衛			200	寛12・7・末（7・11）		
〃 助三			200	寛12・7・末（7・11）	享和3	
岩田平八	秀門		500	寛10・3・4		
〃 孫兵衛	秀屯		500	寛10・3・4 10・28	文化4・5	
岩田八十次郎			120	寛9・5・25		
う						
上坂喜左衛門	元和		100	寛10・3・4	享和1・4・19	
〃 七太郎				寛10・3・4		
上坂粂之助	景従		200	寛10・9・27 寛11・8・15	天保13・1	
上坂平次兵衛	景員		3000	寛12・12・23	文化10	
上村大次郎				寛9・10・27		
氏家九左衛門	孝敬		200	寛10・2・6	文化12・3・29	
牛円新左衛門			90	寛10・3・28	文化10	
内田伊助	興倫		150	寛12・1・末（1・16）		
宇野七郎				寛11・7・4		
〃 源大夫		鷹匠	130	寛11・7・4		
梅村諌左衛門				寛8・2・29		
瓜生治兵衛			90	寛10・12・29		
〃 善兵衛	武		90	寛10・12・29	文化6	
え						
榎並吉郎兵衛				寛8・3・16		
江守平馬	値房		1300	寛8・8・28 寛9・11・20 寛11・6・末（5・26） 8・末（8・21）	享和2・1・19	66

姓・通称	諱		扶持	年月日	没年月日	享年
				寛12・2・末(2・7) 3・28 4・末(4・6) 5・23		
遠藤次左衛門	直清		200	寛8・3・29 寛9・8・21	文化4	
遠藤楢次郎	高璟		700	寛9・5・25		
お						
大石儀右衛門			300	寛10・2・10 3・4	寛政9・8・2	
〃 源次郎	秀基		300	寛10・3・4	文化10・6・16	
大石半次郎				寛10・2・10		
大音帯刀	厚続		4300	寛8・5・15 寛9・3・3 4・12 5・8 7・3 12・28	寛政9・9・7	42
〃 梅之助	好直		4300	寛9・12・28	文化3・8・29	19
大河原五大夫・伝八	忠詮		350	寛8・12・16 寛9・5・6	寛政8・5・10	67
〃 伝(弥)太郎	忠純		350	寛8・12・16 寛9・5・6 寛10・9・27	天保6・2	57
大河原助丞			500	寛11・11・13	文化14	
大久保直記			200	寛12・12・23	寛政7・9・28	
〃 作次郎			200	寛12・12・23	文化3・5・7	
大嶋三郎左衛門	安頼		450	寛10・3・4	寛政9・10・28	55
〃 祐次郎	弘興		450	寛10・3・4 12・29	寛政10・4・22	
〃 新左衛門	弘道		450	寛10・12・29 寛11・9・5		
大嶋忠左衛門	義居		150	寛11・6・28	文化1・6・20	51
大嶋忠蔵	維直			寛8・3・21		
大菅与右衛門				寛12・12・23		
〃 喜大夫			80	寛12・12・23		

太田数馬	盛一		300	寛10・10・28		
太田清蔵		細工者	10俵	寛10・3・28		
太田清兵衛				寛9・10・27		
太田兵之助	定吉		500	寛11・9・5	文化1・9・7	
大高東栄				寛11・8・末(8・21)		
大塚次郎大夫	兼愛		200	寛10・3・28 寛11・12・末(12・14)	寛政11	
〃 左右助	包信	右筆	300	寛10・3・28 寛11・12・末(12・14)	文政9	
大野五左兵衛				寛9・9・28 10・6		
大野瀬兵衛	定樹		660	寛8・7・1 12・16 寛11・7・4	寛政8・5・8	43
〃 八九郎	定邦		660	寛8・12・16 寛11・7・4	文化4・11・25	23
大野平助	定暁		140	寛12・12・23	寛政12・6・3	53
〃 勝助	富久		140	寛12・12・23		
大野木鉄十郎			450	寛9・10・末	文政10	
大橋作左衛門	則成		800	寛10・9・27	文政2・1・27	
大原次郎左衛門			300	寛12・4・末(4・21)	寛政5・11	21
〃 弥三			300	寛12・4・末(4・21)	文政7	
大平直左衛門		町同心	100	寛10・7・25		
大村五兵衛	正丈		100	寛10・4・11	寛政12・10・1	61
大藪勘大夫	清房		700	寛11・10・末(10・25) 12・末(12・14)	寛政11・9・20	55
〃 庄次郎			700	寛11・12・末(12・14)	文政7	
大脇靱負・六郎左兵衛	直賢		300	寛9・9・1 9・17 寛10・4・4	文政13	
岡嶋市郎兵衛	一寧		2500	寛10・12・29	文化8・10・26	64
岡嶋久五郎	美佳		100	寛8・7・11	寛政7・11・17	50
〃 重左衛門	吉政		100	寛8・7・11	文化6・7・晦	42
〃 直次郎・十大夫	美調		130		天保5	

姓・通称	諱		扶持	年月日	没年月日	享年
岡嶋鉄三郎			300	寛10・3・4	文政2	
岡嶋直次郎				寛10・9・27		
岡嶋弥市郎			1500	寛11・7・4	寛政10・12	
〃常五郎			1500	寛11・7・4	文化2・10・9	
岡田一郎右衛門	元如		800	寛12・4・末(4・21)	寛政12・2	67
〃三六			800	寛12・4・末(4・21)		
岡田元右衛門	貞明			寛11・7・4	寛政11	57
〃求馬・長太郎	貞久		650	寛11・7・4　9・5　寛12・11・4	天保3	
岡田五左兵衛			130	寛10・4・11		
〃多蔵		弟	100	寛10・4・11		
岡田助右衛門	之式		350	寛8・3・7　3・18　3・19　寛10・4・4		
				寛11・7・7　7・11		
岡田又右衛門	宣好		350	寛12・9・9		
岡田茂右衛門	備正		200	寛8・3・末(3・21)		
岡屋茂兵衛		町人		寛11・6・末		
岡本長大夫	勝政		150	寛8・12・16	寛政8	
〃久人			150	寛8・12・16	文化7・5・25	
岡山森江	正隆		130	寛10・3・4	文政7・11	
小笠原平兵衛				寛12・12・23		
小幡勘大夫	信守		500	寛8・7・11	寛政7・11・26	71
〃右膳	信之		500	寛8・7・11	文化1・4・27	56
小幡式部	通直		3000	寛8・2・15　寛12・9・4	寛政13・1・20	43
小幡余所之助	景尚		400	寛10・9・27	文政6	

小原惣左衛門	惟彰		350	寛8・1・22 寛11・3・17 7・10 / 9・末(9・28) 12・末(12・28) / 寛12・4・末(4・24)	天保8・7	84
小野木鉄十郎				寛9・10・末		
興津文蔵			5人	寛10・3・28		
奥田金大夫				寛9・7・2		
奥田五兵衛	景富		200	寛10・12・29	天明5・1・18	78
〃 重助			200	寛10・12・29		
奥村河内守	尚寛		17000	寛8・2・28 寛9・3・頭 3・18 6・6 / 7・頭 8・頭 8・21 / 8・末 8・28 10・6 12・15 / 12・23 寛10・1・23 1・末(1・16) / 7・17 寛11・6・末(5・26) / 9・末(9・28) 寛12・3・28 ④・19 / 6・頭 8・頭 9・頭 9・9 / 11・頭	享和3・2・24	48
奥村吉左衛門				寛11・2・末(1・8)		
奥村郡左衛門	安通		500	寛8・7・1 寛12・12・23	寛政12・8・7	34
〃 栄之助	安久		500	寛12・12・23		
奥村左京	質直		10000	寛8・5・頭 5・15 5・19 5・28 / 6・8 11・頭 11・9 11・23 / 11・28 寛9・6・頭 6・12 11・頭 / 11・1 11・23 11・24 寛10・4・頭 / 4・8 4・20 4・23 8・15 9・頭 / 9・5 9・12 9・29 寛11・6・28	文化14・6・10	51

姓・通称	諱		扶持	年月日	没年月日	享年
				11・10 12・19 12・末(12・15)		
				寛12・4・末(4・21) ④・7 ④・8		
				5・1		
奥村十郎左衛門	直方		200	寛10・3・29 4・23 8・23	天明12・1・13	
				寛11・2・末(2・15) 4・15 11・29		
				寛12・1・12 3・28 4・末(4・21)		
〃 八百之助			350	寛12・4・末(4・21)	享和3・9・7	21
奥村鉄七郎			600	寛8・1・27 寛10・9・27	文化6・2・15	30
奥村半左衛門		与力		寛10・10・28		
尾崎升右衛門		与力		寛9・1・13		
織田主税	益方		2500	寛8・2・26 10・28 寛9・6・29 7・1	享和2・10・11	58
				10・1 寛12・10・4		
小竹直右衛門				寛11・6・末(5・26)		
小竹政助			110	寛8・5・28 寛10・3・28		
小竹又助				寛8・5・28		
か						
改田直丞	勝安		250	寛10・2・6		
賀古右平太	惟清		200	寛9・10・28 寛10・2・23 寛11・7・4	寛政10	
〃 橘江	清方		200	寛11・7・4	文政9	
笠間九兵衛	定愨		260	寛10・6・25 12・29 寛11・7・28	文政9・12・4	
笠松栄蔵				寛12・4・末(4・21)		
樫田折之助	秀資		400	寛9・3・19 7・1 10・27	寛政9・3	

氏名	諱		石高	日付	生年
〃 八三郎・八十助	芎剛		400	寛9・10・27 寛10・10・28	天保
				寛11・1・末(1・25)	
春日斧人	政		250	寛10・12・4	文化2
片岡喜三郎			230	寛10・3・4	
片山甚左衛門			15口	寛8・3・26	
〃 久右衛門			15口	寛8・3・26	
加須屋団右衛門	孝周		150	寛9・2・28	享和2・10・16
加藤宇兵衛				寛8・7・11	
〃 新兵衛	正信		170	寛8・7・11	文化7・1・10
加藤康之助				寛8・2・28	
加藤左次馬	惟明		100	寛10・10・28	文化5・4・18
加藤次郎左衛門	武里		250	寛12・1・末(1・19)	文化4・11・1
加藤甚右衛門	廉信		100	寛12・12・23	
〃 千之助	豊元		100	寛12・12・23	文政11・6・15
加藤直次郎				寛11・12・10 12・18	
加藤用左衛門	景倫		200	寛10・9・11 寛11・9・末(9・28)	
				寛12・4・末(4・6) 7・末(7・13)	
金井権之助				寛11・12・19	
金岩与左衛門				寛10・2・10	
金森猪之助	成童		1700	寛11・6・21 7・4	寛政11・5・2
〃 量之助	知直		1700	寛11・7・4	文化4・6・27
金子新兵衛			350	寛12・4・末(4・21)	天明2・6・9
〃 吉郎左衛門	定能		350	寛12・4・末(4・21)	
印牧清八郎	就道		100	寛12・12・23	寛政12
〃 直次郎			100	寛12・12・23	

姓・通称	諱		扶持	年月日	没年月日	享年
印牧弥門	永終		350	寛8・4・1 7・7 8・15 寛9・3・18	寛政12・2・19	
				3・末(3・15) 寛12・2・末		
				(2・6)(2・28) 3・28		
〃 多門	延清		350	寛12・2・末(2・6)	文政10	
川崎平五郎			10俵	寛10・3・28		
河嶋一平	守之		120	寛12・5・23		
河地才記	秀幹		450	寛8・9・28 10・末(9・29) 寛10・2・27	寛政11	
				寛11・7・4 7・末(7・21)		
〃 松之助	秀実		450	寛11・7・4 9・5	天保5・11・4	
河村儀右衛門	之則	蹇叟	400	寛8・3・2		
〃 弥右衛門	率履		400	寛8・3・2 寛10・9・27	天保6・1・6	
河原籐左衛門				寛11・12・19		
神尾伊兵衛	忠礼		500	寛9・4・12 10・27	寛政9・4・11	70
〃 昌左衛門	直興		500	寛9・10・27 寛10・10・28	天保2・8・16	
				寛11・1・末(1・25) 9・26		
神尾織部	直正		1700	寛10・7・4 寛12・7・17 12・23	寛政12・12・5	
〃 源九郎	一直		1700	寛12・12・23	文政5・8	
勝尾助丞				寛9・10・27		
〃 富助			100	寛9・10・27		
勝尾半左衛門	信処		1100	寛8・10・26 寛10・3・29 4・4 9・27	天保3・10・17	70
				寛12・1・末 1・19 3・28		
〃 吉左衛門・半左衛門				寛8・1・18 7・末(7・3) 寛9・7・1	文政1・9・22	
上月数馬	以陣		300	寛10・2・11 8・25 寛11・12・末(12・14)	寛政11・7・26	
〃 与左衛門			300	寛11・12・末(12・14)	文化7・4	

神谷治部	守忠		1500	寛8・3・21	文政7・10	
河内山久大夫	乙昌		450	寛8・4・1 7・7 8・15 寛9・3・18		
				5・25 6・1 6・15 7・1 9・9		
				11・20 11・22 寛10・4・8 4・15		
				7・末（7・10） 8・23 9・13 9・22		
				9・25 9・27 10・1 10・2		
				10・3 11・4 12・27 寛11・1・28		
				3・13 1・28 12・11 12・17 12・18		
				12・23 寛12・1・末（1・15） 2・末（2・7）		
				4・8 4・末（4・24）		
神田吉左衛門	直方		400	寛11・1・末（1・15） 2・末（2・15）		
				寛12・2・末（2・10）		
〃 忠太郎	保益		400	寛12・2・末（2・10）	天保10	62
神田才次郎	言睦		250	寛8・1・27	天保13・11	69
神田十郎左衛門	政清		350	寛8・3・29 寛10・10・28 寛11・3・13	天保	
				4・29		
神田平蔵				寛9・4・2		
神戸銀三郎			150	寛9・10・27	寛政9	
〃 友三郎	帰盛		150	寛9・10・27	天保6・9・4	
神戸左源太				寛10・12・29		
〃 作次郎			80	寛10・12・29		
神戸庄兵衛	盛象		150	寛9・10・27	寛政9・9・7	65
〃 加平	盛矩		120	寛9・10・27		
菅野兵左衛門	義矩		150	寛8・7・11	文化3・11・24	38
〃 主税			150	寛9・5・25		

姓・通称	諱		扶持	年月日	没年月日	享年
〃 弥四郎			150	寛8・7・11 寛9・4・26 5・25		
菅野嘉右衛門	脾翁			寛9・6・18 寛10・2・10		
〃 劉平	徳布		200	寛9・6・18		
き						
菊池九右衛門	作則		800	寛10・1・18 4・4 寛11・12・14 12・19	文政9	
				寛12・3・1 4・13 4・20		
菊池大学	武昭		3200	寛12・8・26	文政7・7	
岸 忠兵衛	庸道		400	寛10・2・5 寛12・5・13		
岸本太兵衛				寛8・7・21		
木倉屋長右衛門		町人		寛11・6・末		
北川倶老右衛門			200	寛8・7・11 寛12・12・23		
〃 誠太郎			200	寛12・12・23		
北川権九郎			1200	寛8・7・11	寛政	
〃 栄太郎・久兵衛	輝胤		400	寛8・7・11 寛9・5・25	天保3	
北川丈右衛門	直治		100	寛12・4・末(4・21)		
〃 庸之助			100	寛12・4・末(4・21)		
北嶋牛之助			35俵	寛10・3・28		
北村三郎左衛門	景種		320	寛8・1・17 1・21 1・24	享和2	
北村弥右衛門				寛9・9・28 10・6		
木嶋牛之助			35俵	寛10・3・28		
木梨助三郎	政仲		350	寛8・1・22 3・23 3・26 寛9・2・28		
木下槌五郎	槌	儒者	60俵	寛8・6・8 6・22 寛9・4・22 6・8 6・23 7・2 ⑦・8 10・8		

名前	諱	備考	石高	日付	没年	年齢
				11・2 12・8 寛10・2・23		
木村嘉大		今枝医師		寛12・4・20		
木村喜佐衛門	高輝		400	寛11・12・末(12・14)		
〃藤兵衛			400	寛11・12・末(12・14)		
木村五兵衛				寛10・4・11		
木村惣大夫				寛9・6・14		
木村三蔵	信直		300	寛11・7・4	寛政10	
〃兵群	信尹		200	寛11・7・4 9・末(9・10)	文政4	
〃新平	景従		100	寛11・7・4		
木村惣兵衛				寛9・10・27		
〃亥子三郎			50俵	寛9・10・27		
木村兵大夫			130	寛9・5・25		
〃本助	秋保		150	寛9・5・25		
木村茂兵衛	定好		200	寛9・12・晦 寛10・2・6	文化11・12・12	
久徳猪兵衛	尚寧		200	寛10・2・6	文政13・7・26	64

く

名前	諱	備考	石高	日付	没年	年齢
久世幸助				寛10・12・29		
〃左平太			100	寛10・12・29		
久能吉大夫	政平		250	寛8・1・18 4・15 8・15 寛9・⑦・4		
				寛10・4・末(4・1) 寛11・8・7 12・19		
				寛12・1・末(1・15) 3・24 3・27		
				4・8 ④・末(4・21)		
九里覚右衛門	令正		1200	寛9・7・2 寛10・9・27 寛11・9・末		
九里幸左衛門	政始		650	寛10・6・6 寛11・9・末(9・28)		

姓・通称	諱		扶持	年月日	没年月日	享年
久保江庵	三柳		150	寛8・10・26 寛10・3・28		
久七		玄徹家来		寛9・1・21		
陸田清左衛門			100	寛10・3・4		
〃 増五郎・甚左衛門	明定		100	寛10・3・4		
国沢主馬	政一		500	寛9・3・18 4・1 7・19 ⑦・9		
				寛10・3・6 7・4		
窪田左平	秀政		300	寛9・6・29 12・23 寛10・2・11 7・4	文化1	
				寛11・6・末 寛12・1・11		
熊谷儀右衛門			150	寛8・6・1		
熊谷半蔵	貞寛		80	寛12・12・23		
〃 波江			80	寛12・12・23	天保2	
黒川元良		御外科	20人	寛10・3・28 寛11・7・4		
〃 元恒			15人	寛11・7・4		
黒川平左衛門			40俵	寛10・3・28		
黒川平次右衛門				寛10・3・28 10・28 寛12・4・末(4・23)	文化11・2・20	
桑嶋作左衛門				寛10・12・29		
〃 文五郎			150	寛10・12・29		
こ						
小川善得	政守	医師	150	寛9・10・27	寛政4・9・4	69
〃 玄益	政直		120	寛9・10・27		
小川直助				寛10・12・4		

小川八郎右衛門	安村		200	寛8・6・8 11・23 寛9・2・25 2・28		
				3・3 寛10・5・15 10・28 12・29		
小川隼太	氏保		350	寛11・7・4	寛政11・3・4	58
〃 早之助	氏峯		350	寛11・7・4		
小川和平次				寛9・⑦・21		
児玉左一兵衛			100	寛8・12・16		
〃 八郎			50俵	寛8・12・16		
国府佐兵衛	乗勝		250	寛10・8・15 9・27 寛11・3・3	文政6	
児玉求馬			500	寛10・9・27		
児嶋伊三郎	景順		300	寛9・2・15 5・25	寛政9・2・8	40
〃 忠次郎	景福		100	寛9・5・25		
小泉弥守			100	寛11・7・4		
〃 守之助	親尊		150	寛11・7・4	天保9・④	62
小嶋甚大夫				寛9・⑦・21		
小杉喜左衛門	愼簡		170	寛9・4・1 寛10・9・12	文化2・5	63
				寛11・1・末(1・21)		
小谷左平太				寛12・11・末(11・4)	文化3	
小寺武兵衛	惟孝		600	寛9・10・28 寛10・1・末(1・16) 10・28	文化1	
				寛11・7・28 7・末(7・25) 11・29		
				寛12・6・20		
小西吉左衛門	明照		210	寛8・7・11	寛政8・3・12	
〃 喜兵衛			200	寛8・7・11	文化11・7	
小林仙蔵				寛10・7・28		
小払屋小右衛門		町人		寛11・6・末		
駒井宇右衛門	守業		500	寛9・5・25	寛政	

姓・通称	諱		扶持	年月日	没年月日	享年
〃 清六郎	守直		500	寛9・5・25 寛10・9・27 寛12・11・4		
駒井五左衛門	守慶		100	寛10・12・29		
〃 武助	守吉		100	寛10・12・29	文政13	
近藤小守				寛9・8・27		
近藤駿太郎	光保			寛9・10・27		
近藤次郎助	経貞		30俵	寛11・8・15		
近藤直人		町同心	100	寛8・10・11 12・16		
〃 恒之助			100	寛8・12・16 寛12・4・末（4・21） 12・23		
〃 進	忠順		100	寛12・12・23		
近藤和兵衛				寛12・12・23		
さ						
才所又七郎	英政		150	寛10・9・27	天保5	65
斉藤近江		神主		寛11・6・末		
斉藤忠大夫				寛8・7・11		
〃 金十郎	詢司		400	寛8・7・11 寛11・9・5	文政6	
斉藤長八郎				寛11・3・6		
斉藤弥助			50俵	寛10・3・28		
斉藤与兵衛	補好		450	寛8・6・29 9・7 12・16	寛政8・6・14	57
〃 甚十郎	好恭		450	寛8・12・16 寛9・5・6	天保4・4・29	
坂井小平	成圓		200	寛8・11・16 寛11・1・末（1・21） 8・6	享和3・12・12	
坂井甚右衛門・権九郎	直正		450	寛8・7・11 寛11・4・29 6・末（5・26）	文化2	
〃 平馬			600	寛8・7・11	寛政5	
〃 甚太郎・与右衛門	直清		600	寛8・7・11		

坂井兵右衛門			600	寛8・7・11		
坂倉猪之助			150	寛10・3・4		
〃 政之助			150	寛10・3・4		
坂倉長三郎・伝右衛門	敦朝		300	寛10・10・28 寛11・12・19		
坂野猪兵衛	孟和		120	寛10・12・29	寛政10・4	
〃 義左衛門			120	寛10・12・29	文政5	
坂野忠兵衛	矩美		500	寛8・2・13 9・7 9・末(9・21)	文政12	
				寛10・3・6 寛11・8・25		
桜井弘次郎				寛8・12・16		
〃 大吉			10人扶	寛8・12・16		
桜井平十郎	正篤		250	寛11・12・末(12・14)		
〃 新八郎	正信		250	寛11・12・末(12・14)	文政1	
篠嶋頼太郎	清郷		500	寛10・10・28 寛11・12・19 12・23	寛政3・①・1	
篠嶋平左衛門	清全		600	寛8・9・7 寛9・8・21	文化7・5・6	
				寛11・2・末(12・15)		
篠嶋頼太郎				寛10・10・28		
佐賀八郎兵衛				寛11・12・末(12・14)		
〃 関助			100	寛11・12・末(12・14)		
佐久間五郎八		町同心	100	寛9・10・27	文政	
佐久間大作・武大夫	盛昭		400	寛11・12・末(12・28)	天保2・10・20	
佐藤勘兵衛	直寛		1200	寛8・1・29 寛9・5・25 10・28 11・27		
				寛10・1・18 1・末(1・16) 7・1		
				9・27 12・27 寛11・3・7 3・17		
				9・末(9・28)		
佐藤治兵衛	延政		700	寛9・5・24	文政2	

姓・通称	諱		扶持	年月日	没年月日	享年
佐藤八郎左衛門	直尚		500	寛8・3・2 寛12・9・9	文化6・5・22	
佐藤弥次兵衛				寛9・⑦・15 寛10・7・4		
				寛11・12・末(12・7)(12・11)		
里見勝三郎	元資		1200	寛9・5・25	天保1・4	
里見孫大夫	元成		300	寛12・7・末(7・11)	享和2・6・28	
真田佐次兵衛	信定		600	寛12・9・22	天保14	83
沢井冰蔵				寛8・2・29		
沢田伊佐右衛門	正詔		1000	寛12・4・末(4・17)(4・21)	文化4	
沢村権之丞	武継		200	寛10・9・27	文政2	
山東久之助			200	寛10・9・27	享和3・7・3	
し						
塩川義左衛門			100	寛12・4・末(4・21)		
〃 権佐	信政		100	寛12・4・末(4・21)		
塩屋三右衛門				寛11・6・末		
志田三郎左衛門		内記家臣		寛12・4・末(4・1)		
品川主殿	景武			寛8・7・11 寛10・3・11	文政7	
篠崎玄順				寛11・5・7		
篠田安左衛門			70	寛12・4・末(4・21)		
〃 安太郎			80	寛12・4・末(4・21)		
篠原織部	保之		4000	寛9・5・25	寛政9・3・8	65
〃 弥助	得寿		4000	寛9・5・25 7・1		
篠原監物	一清	散木	2500	寛9・⑦・15 8・27	寛政9・8・20	
〃 頼母	一進		3000	寛9・⑦・15	文化12・1・26	

篠原権五郎	尚堅		1000	寛11・7・17	享和2・8・7	
篠原与四郎	篤行		1000	寛10・4・4	文政3	
芝山直左衛門	興之		90	寛10・3・28		
清水郷右衛門		町同心	150	寛10・4・15	文化11	
清水多四郎				寛9・5・25		
〃又十郎		御大工	50俵	寛9・5・25		
志村五郎左衛門	言明		1050	寛9・7・1 寛11・1・末(1・21)	文化2・7・6	58
下村金左衛門			120	寛10・3・28 寛12・11・4		
下村周次郎			100	寛10・3・4		
〃佐兵衛			100	寛10・3・4		
庄田兵庫	察孝		350	寛8・2・15 寛9・2・28	享和3・12・12	70
				寛12・2・末(2・2) 9・22		
庄田要人	敬明		300	寛11・1・末(1・15) 2・19 7・18	文化8・2・22	
				8・25 11・21		
				寛12・1・11		
白江金十郎	成続		260	寛10・2・15 寛11・8・15		
進士権兵衛	直在		620	寛11・7・4	寛政10	
〃求馬	直内		620	寛11・7・4	天保4	
進藤甚右衛門			300	寛9・5・25		
〃万四郎	一喜		300	寛9・5・25	天保9	75
神保勘助	信之		150	寛10・2・17	文政4	
神保吉之助	昭徹		250	寛9・5・25		
神保金十郎			250	寛10・2・10		
神保三八			130	寛10・10・28	文化4・2・10	48

姓・通称	諱		扶持	年月日	没年月日	享年
す						
須貝玄徴		町医		寛9・1・21		
杉浦逸角	守政		800	寛11・3・末	文化14・1・22	59
杉江兵助・左門	政恒		600	寛10・2・23　寛11・7・4	寛政11	
〃　長八郎	邦政		600	寛11・6・末　7・4		
杉江弥太郎・助四郎	綏定		200	寛12・9・22	文化6・9・6	
杉野吉太郎				寛9・6・29		
杉野善三郎	盟		300	寛9・3・18　4・1　寛11・9・末(9・28)　12・19　寛12・1・末(1・15)　3・27　4・8　④・末(4・21)	天保	90
杉本孫六			180	寛11・12・末(12・10)	文化13	
杉山新平	延世		600	寛11・2・19　12・10　12・19　12・晦　寛12・1・22　9・22	文化3	
鈴木左門				寛11・12・22		
せ						
瀬川又九郎			150	寛9・12・晦		
関沢安左衛門	尚房		250	寛9・9・1　10・27　11・22　寛10・8・1　寛12・1・末(1・19)　④・8	文化8・②・16	
関沢伝次郎				寛9・10・27		
関屋中務	政良		1050	寛8・10・26　10・末(9・29)　寛11・1・末(1・21)　2・末(1・18)　7・18　7・末		

仙石内匠	元政		2000	寛12・12・23		
〃　采女			2000	寛12・12・23		
仙石兵馬	久持		300	寛10・4・4　10・3　寛11・3・3	文政7・8	
千秋喜蔵			500	寛11・12・末（12・14）		
〃　次郎吉			500	寛11・12・末（12・14）		
千秋丈助	範昌		200	寛8・7・13　寛9・⑦・15	享和2・4・16	
千田治右衛門	直正		250	寛9・7・1　寛11・7・11　7・17		
千羽津大夫	政徳		130	寛9・5・25	寛政8	
〃　庄左衛門	政居		350	寛9・5・25	天保3・1・4	
そ						
園部宗助			100	寛11・12・末（12・14）		
た						
多賀左近	直清		5000	寛9・12・7	文政4	
鷹栖左門	明包		400	寛11・6・末　12・19　寛12・7・末（7・11）	寛政12	
〃　伴吉			400	寛11・6・末　寛12・7・末（7・11）	文化15	
高木円七	貞福		40俵	寛10・9・28	文化10・11・13	
高桑宇兵衛				寛9・9・28　10・6		
高沢猪之吉				寛10・9・27		
高沢勘解由			450	寛10・9・27　寛12・4・末（4・21）		
〃　牛太郎			450	寛12・4・末（4・21）	文化1・3・24	19
高田牛之助	種美		450	寛8・7・21　寛10・2・10	天保6・12・2	
高田翰司郎			35俵	寛10・9・28		
高田昌大夫	主膳		400	寛12・7・17		

姓・通称	諱		扶持	年月日	没年月日	享年
高田新左衛門	羌種		250	寛8・10・26 寛9・2・28 7・1	享和2	
				寛10・3・11 寛11・3・末 6・末(5・26)		
高田新兵衛				寛11・12・末(12・28)		
高田弥左衛門	種尹		550	寛10・1・24 寛12・4・末(4・21)	天保5・6・9	68
高田　弥				寛12・4・末(4・21)		
高畠安右衛門	政久		200	寛9・4・11	文化9・10・14	
高畠五郎兵衛	厚定		700	寛9・10・27 寛10・3・11 寛11・3・末	文化7・9・25	
				寛12・1・末(1・19) ④・3		
高畠采男	定来		1200	寛11・11・1 11・末(11・1)	文政5・1	
高柳善八郎				寛11・12・末(12・14)		
〃　助三郎・久平		孫	150	寛11・12・末(12・14)	文化11	
高山伊左衛門	定功		320	寛10・10・28	文政10	
高山表五郎	武申		500	寛12・4・末(4・23)		
竹内新八		眼科		寛9・10・末		
竹内善八	規		150	寛10・2・6		
竹内直作			100	寛10・10・28	文政10	
竹田掃部	忠周		3500	寛9・12・7	文政8・10	
竹田源右衛門	忠貞		300	寛9・4・1 4・11	享和3・8・6	
竹中伊兵衛			200	寛8・4・23 寛10・3・28	文政8・10	
竹村三郎兵衛			150	寛8・10・11 寛9・1・21	文政7	
武　市郎左衛門	信豫		150	寛9・10・27 寛10・3・22	文政9・6・18	70
〃　貞右衛門	信好		200	寛9・10・27		
武田喜左衛門	信古		400	寛8・3・24 4・23 寛10・2・15	文政8	89
武田弥右衛門	信之		150	寛9・5・25		

〃 弥助		150	寛9・5・25	文化11
武部十左衛門			寛12・11・末	
武村三郎大夫		200	寛8・3・26	
〃 侃九郎		120	寛8・3・26	
武村鉄三郎		300	寛9・10・27	文政2・5・9
多胡久五郎	師久	300	寛10・3・4	寛政9・10・5
〃 剛二郎・嘉籐次		300	寛10・3・4 10・28 寛11・1・末(1・25)	文化5
多田逸角	敬信	550	寛8・4・23 寛9・3・末(3・15) 7・1	寛政11・7・13
			10・末 寛10・3・11 寛11・7・11	
			12・末(12・14) 寛12・6・4	
〃 勝江		550	寛11・12・末(12・14)	
辰巳勘七郎	安之	330	寛8・1・27	享和
立川金之丞	佐賢	150	寛10・2・23	
田尻和一郎	武安	400	寛8・2・末(2・21)	文化14
田辺伊左衛門	至敵	170	寛9・10・27	
〃 勇作・覚左衛門		170	寛9・10・27	
田辺宇兵衛・判五兵衛	直廉	300	寛9・7・1 寛10・9・24	文政2・6・28
			寛12・1・末(1・19) ④・8	
田辺左兵衛		120	寛11・7・4	寛政2・1
〃 仙次郎	尚徳	120	寛11・7・4	
田辺丈平	正尚	200	寛12・12・27	文化13
田辺清蔵		300	寛12・12・23	寛政12
〃 千之助	昌之	300	寛12・12・23	
田辺善大夫	直養	330	寛9・3・3 ⑦・1 10・27	寛政9・7・12
〃 永三郎	永保	330	寛9・10・27	

姓・通称	諱		扶持	年月日	没年月日	享年
田辺忠作			110	寛9・10・27	文化3	
〃 与九郎			110	寛9・10・27		
田辺長左衛門	仲正		300	寛8・1・17 3・26 寛9・12・15 寛10・4・末(4・1) 寛11・5・末 8・7 寛12・3・28 4・末(4・17)	享和1・10・13	61
谷 斧右衛門			350	寛10・3・4	寛政9・5	
〃 平蔵			280	寛10・3・4	文政5	
玉井主馬			1000	寛11・6・28		
玉川七兵衛	成方		400	寛10・3・29 8・1 10・2 寛11・3・3 寛12・3・28 9・9		
田丸儀右衛門				寛9・⑦・21		
団 多大夫	清信		450	寛8・7・末(7・3) 9・7 寛11・7・末(7・25) 8・1	文政	
ち						
長 大隅守・九郎左衛門	連起	恵迪斉	33000	寛8・1・24 2・頭(2・11) 2・13 2・26 2・28 6・頭 6・8 8・頭 8・28 9・28 9・29 12・頭 12・1 12・7 12・11 12・15 12・22 12・26 12・28 12・29 12・晦 寛9・2・頭 2・13 2・19 2・24 2・28 7・頭 7・1 7・19 9・頭 10・末 12・28 寛10・1・頭 1・24 2・頭 2・13 3・頭 3・8 5・末(5・11) 6・頭	寛政12・10・14	69

氏名	諱		石高	年月日	没年	
長 九郎左衛門	連愛			6・1 6・3 6・20 7・17 7・末（7・21） 8・頭 8・6 8・23 8・25 11・21 11・29 12・19 寛11・2・末（1・8） 3・17 寛12・2・末（1・19）（2・19） 3・27 6・頭 6・11 6・15 6・16 6・20 7・7 10・13 10・15 10・14 10・29 10・29 10・17 10・19 10・21 11・4 11・末 12・頭 12・15 12・28 12・末（12・28）		
長 作兵衛	連充		800	寛9・10・27	寛政9・5・10	64
〃 右近	連久		800	寛9・10・27	天保5・7	64

つ

氏名	諱		石高	年月日	没年	
槻尾甚助	直道		300	寛8・3・19 3・21 寛12・3・28	寛政11・7	
佃 源右衛門			150	寛12・9・22		
柘植市進				寛12・9・22		
柘植儀大夫	因信		200	寛9・5・25 7・1	寛政8・12	
〃 三左衛門			350	寛9・5・25		
辻 織人			100	寛10・12・29		
〃 勇五郎			100	寛10・12・29		
辻 晋次郎	武美		700	寛10・9・27	文政	
辻 平之丞・八郎左衛門	彰信		600	寛8・11・16 寛9・3・18	文政7・⑧・7	
				寛11・1・末（1・21） 寛12・10・13		
津田五百記			1000	寛9・5・25		
〃 虎之助・外記	康善		1000	寛9・5・25		

姓・通称	諱		扶持	年月日	没年月日	享年
津田九左衛門	直旨		300	寛9・10・28 寛11・12・末(12・14)		
〃 織江	直温		300	寛11・12・末(12・14)	天保14・9	
津田善助			650	寛10・10・28 寛10・2・29 寛11・11・末		
津田玄蕃・修理	政本		1000	寛9・7・3 12・9 12・29 寛10・3・29 5・15 寛12・12・1	文政12・7・27	
津田権五郎	居方		500	寛9・7・1 寛11・6・末 11・10 寛12・10・29		
津田権平			700	寛8・1・2 1・24 1・29 2・15 2・28 2・29 3・9 5・19 5・28 6・8 8・15 9・8 9・9 11・9 11・16 11・23 11・28 12・1 12・11 12・29 寛9・1・15 3・3 3・19 4・12 5・6 5・8 5・24 5・25 6・1 6・15 7・1 ⑦・4 ⑦・9 8・21 9・8 9・15 9・23 10・6 11・20 11・24 12・15 12・16 12・17 12・23 寛10・1・24 2・23 2・27 3・11 4・8 4・10 4・15 5・25 6・3 8・23 8・25 7・末(7・10) 9・11 9・24 9・25 9・末(9・上旬) 9・27 10・1 10・2 10・3 10・7 11・15 11・21 12・27 12・28 寛11・1・28 3・20 4・28 6・28 6・末 9・26 9・末(9・28) 10・27	文化11・8・29	59

				11・10　12・1　12・19　12・23　12・25		
				寛12・1・22　1・末（1・15）　3・24		
				3・27　④・6　5・1　8・29　9・4		
				11・末（11・4）		
〃　辰之助				寛8・1・29　寛11・9・末（9・28）		
津田左平太			100	寛12・12・23		
〃　覚次郎	興孝		100	寛12・12・23		
津田治兵衛・孫兵衛	直道		300	寛10・6・22　寛11・7・6　8・28	享和3・12・22	
				12・末（12・11）		
津田清大夫			150	寛10・3・4		
〃　兵三郎	義方		150	寛10・3・4		
津田大次郎			400	寛10・3・4	天保2	
〃　平三郎	有庸		400	寛11・12・19		
津田主税			400	寛9・5・25		
〃　源三郎	信勝		400	寛9・5・25	天保13	
津田道簡・平兵衛	良康		350	寛12・2・末（2・28）		
津田平吉郎	信真		150	寛8・7・11		
〃　宇兵衛	信邦		150	寛8・7・11	文政9・4・26	66
津田兵大夫				寛12・12・23		
津田和三郎			500	寛10・9・27		
津田勇三郎				寛10・9・27		
土田栄之助			150	寛9・10・27		
〃　養五郎	常寛		150	寛9・10・27		
恒川七兵衛	寿年		500	寛8・2・13　寛10・3・末　寛11・2・19	文化5・6・1	
				11・6　12・13　12・19		

姓・通称	諱		扶持	年月日	没年月日	享年
鶴見勘兵衛			160	寛12・7・末(7・11)		
〃 鉄之助			160	寛12・7・末(7・11)		
鶴見平八			140	寛8・3・8 7・23 9・8 寛9・5・8 ⑦・23 11・8	文政13	
て						
寺内吉大夫			500	寛9・12・1	文化4	
寺田久左衛門				寛8・3・16		
寺田九之丞			15人	寛10・3・28 寛9・8・2		
寺西勘左衛門			150	寛11・7・4		
〃 勘六郎	有之		150	寛11・7・4	天保13	
寺西喜三郎			200	寛12・9・22	文化10・6・18	
寺西九左衛門	秀一		7000	寛8・9・28 9・29 10・末(9・29) 寛9・⑦・17	文化9・12	
寺西九大夫	武勲		170	寛11・12・末(12・14)	天明7・1・15	
〃 安五郎			170	寛11・12・末(12・14)		
寺西庄大夫	武成		300	寛10・3・4		
〃 庄兵衛	武養		300	寛10・3・4 10・28	天保10・6	63
寺西新平	直雄		300	寛8・12・16	寛8	
〃 新作			300	寛8・12・16 寛10・9・27	享和2	
寺西専助			200	寛10・3・4		
〃 虎四郎			200	寛10・3・4		
寺西弥八郎			180	寛11・9・末(9・6)	文政2	

と

堂後屋三郎右衛門		町人		寛11・6・末		
栂　喜左衛門	美恭		500	寛11・6・末　9・末　寛9・12・8	寛政13・1・6	42
				寛12・7・21		
				寛12・12・23		
徳田玄碵				寛12・12・23		
〃　友林			5人	寛12・12・23		
戸田五左衛門			150	寛11・6・8	天保8	29
戸田斉宮	方重		700	寛11・9・末（9・28）	享和3・8・6	29
戸田伝太郎	勝具		600	寛10・6・28　寛11・1・末（1・21）　12・25	文政2	
				寛12④8		
土肥庄兵衛	知平		540	寛8・2・26　寛10・9・27　寛11・2・19	享和2・6・14	70
				9・26		
冨田源右衛門			150	寛12・4・末（4・21）	寛政11・12	50
〃　一角	孝正		150	寛12・4・末（4・21）	天保9	
冨田勝右衛門	一好		350	寛12・7・17　12・23	天明12・6・4	70
〃　彦右衛門			350	寛12・12・23	文化2・1・8	
冨田小与之助			1400	寛9・5・25		
冨田権佐	景周		2500	寛9・2・7　4・15	文政11	
冨田矢治兵衛			600	寛10・12・29	寛政10・2・23	46
〃　鉄次郎	孝至		600	寛10・12・29　寛11・9・5		
富永右近右衛門	助有		700	寛8・1・17　3・21　4・1　4・2	文化13	
				9・7　寛9・1・21　4・1		
				寛10・4・末（4・1）　寛11・6・末（5・26）		
富永侑大夫	和平		150	寛10・9・11	文政	

姓・通称	諱		扶持	年月日	没年月日	享年
富永靭負	心昌		1050	寛9・7・13　12・18　寛10・1・1　寛11・9・末（9・28）	天明2・3・25	49
鳥屋吉右衛門				寛11・6・末（5・26）		
な						
内藤秀多郎	賢周		150	寛9・5・25		
内藤宗安			300	寛8・10・26	文化5	
直井丈太郎				寛11・12・19		
永井儀右衛門			70	寛10・2・10	文化3	
永井七郎右衛門	正慶		2000	寛12・7・末（7・11）		
〃　団右衛門・織部			2000	寛12・7・末（7・11）　9・9	文政	
永井弥太郎			600俵	寛10・3・28		
中泉七大夫	既清		200	寛8・7・11	文化12	
中川四郎左衛門	基裡		400	寛8・3・7　寛10・3・4		
〃　助三郎			400	寛10・3・4		
中川平膳	忠好		1000	寛9・8・21　寛10・1・18　4・4　5・15　9・27　12・27　寛11・3・1　寛12・6・7　6・11		
中川又三郎	美播		350	寛9・5・25　寛10・10・28　寛11・1・末（1・25）	天保8・5・16	55
長瀬五郎右衛門	有穀		1000	寛8・2・13　寛10・12・4　寛11・3・17　寛12・1・末（1・19）	文化11・7・12	
長瀬善次郎	忠良		800	寛10・3・11		
中西小左衛門			200	寛8・7・11		

氏名	諱	役職	禄高	記事年月日	没年	享年
〃 直太朗			200	寛8・7・11 寛9・5・25		
中西巴門	愼			寛9・9・2	天保8	80
中野随安		御医師	130	寛8・2・末(2・18)		
〃 又玄			180	寛8・2・末(2・18)		
永原久兵衛				寛9・6・17 寛10・3・11 寛12・④・19		
				5・6		
永原五左衛門				寛9・4・1		
永原佐六郎	孝等		300	寛8・1・24 4・15 寛9・⑦・4	文化13・5・23	59
				寛11・10・末(10・2) 12・19		
				寛12・1・末(1・3) 4・末(4・22) ④・7		
				④・末(4・21)		
永原治九郎	孝建		500	寛9・8・末(8・28)		
永原七郎右衛門	孝弟		500	寛11・10・5	文政4・4・7	68
永原将監・大学	孝房		2500	寛8・10・28 寛9・7・8 寛11・7・28	享和1・3・26	59
				8・末(8・28)		
永原半左衛門	孝尚		450	寛8・10・26 寛9・1・13 3・3	文政2	
				寛10・7・末(⑦・10) 8・23 9・24		
				9・末(9・上旬) 9・27 9・29 10・2		
				10・3 寛11・5・末 10・末(10・2)		
				寛12・12・末(1・18)		
永原靫負			500	寛8・7・11	寛政8	
〃 善次郎			500	寛8・7・11	文化2	
中 孫十郎	辰長		2300	寛9・8・15 8・27 寛10・9・27	明和9・9・21	58
中 又七郎				寛10・9・27		
中村右源太	正礼		300	寛10・6・22 12・29	寛政14	

姓・通称	諱		扶持	年月日	没年月日	享年
〃 鉄四郎	義宗		300	寛10・12・29 寛11・9・5		
中村織人・宗左兵衛	誠之		300	寛11・8・11	天保3	
中村覚之丞				寛9・10・27		
中村勝助				寛11・7・4		
〃 猪助			100	寛11・7・4		
中村吉兵衛				寛12・7・末(7・11)		
〃 権兵衛			100	寛12・7・末(7・11)		
中村喜平太				寛10・2・6		
中村求之助				寛9・10・28		
中村幸助		与力		寛9・10・27		
中村才兵衛	直一		350	寛12・2・末(2・7)	文化13	
中村左平太				寛11・3・13		
中村丈助			15俵	寛10・3・28		
中村助大夫	子諒		650	寛11・12・末(12・7)		
中村善左衛門	忠良		800	寛12・12・23		
中村八郎兵衛				寛8・2・13 寛9・11・15 寛11・4・15		
				4・24		
中村武兵衛				寛9・4・26		
中村文安		御医師	10人扶	寛10・3・28		
中村弥左衛門	守富		150	寛10・2・6	文政6・9・8	
長屋左近	安敦			寛11・7・末		
波吉三蔵				寛10・7・25		
成瀬監物・左近	正喬		2000	寛8・10・10 10・28 寛11・1・末(1・21)	文化1・1・16	44
				寛12・1・29		

名前	諱	役	石高	記録	没年月日	享年
〔南保玄伯			150	寛9・10・27		
〃 玄仲			150	寛9・10・27		
に						
西川是助		与力		寛10・12・末		
西村左盛	矩保		180	寛10・9・27		
〔西村物集女	周善		400	寛8・12・16	寛政8・4・11	66
〃 右仲			400	寛8・12・16		
〔丹羽伊右衛門	種房		400	寛11・12・末(12・14)	寛政11・6・25	65
〃 富之助	種甫		400	寛11・12・末(12・14) 寛12・11・末(11・13)	天保5・6	63
丹羽六郎左兵衛	応好		500	寛9・1・13 3・18 8・21 9・17	享和3・4・17	52
				寛12・7・17 7・21		
ね						
根来三九郎	忠盈		200	寛10・2・10	文化13	
根来伝之助	忠礼		150	寛10・9・27	文化14・12・6	50
の						
野口左平次	貞親		150	寛8・7・21	文政3	
野坂平作	察安		200	寛10・9・27		
野田太郎左衛門			150	寛11・9・5		
野村伊兵衛	礼喬		850	寛8・9・9 寛9・2・28 3・3	享和1	
				寛10・4・4 9・27 12・27		
				寛11・3・1 3・17 7・1 7・7		
				寛12・1・末(1・19) 10・19		

姓・通称	諱		扶持	年月日	没年月日	享年
野村順九郎・源兵衛	信精		850	寛9・⑦・1		
野村与三兵衛	誠教		1700	寛9・4・1	文化3	
は						
萩原又六	季昌		150	寛12・3・7	文政8・1・23	
橋爪判兵衛				寛12・4・末（4・21）		
〃 万作			60	寛12・4・末（4・21）		
橋爪又之丞	武矩		230	寛10・12・29 寛11・7・4	寛政11・1・24	43
〃 左門	弘矩		230	寛11・7・4	文化1	
土師清吉	正收		500	寛11・4・24 6・21	享和1・8・6	
長谷川学方		町医師	15口	寛12・2・末（2・26）	文化4・6	
長谷川三右兵衛	貴一		800	寛8・12・16	寛政8・8・21	62
〃 三九郎	一久		800	寛8・12・16	天保3・2	
長谷川準左衛門	尚		100	寛8・2・8 4・8 5・8 8・8 10・23 寛9・10・2 10・23		
長谷川貞助				寛10・12・4		
羽田長太郎	兼知		500	寛9・5・25	寛政3・4・22	30
羽歩屋伊右衛門		町人		寛11・6・末		
端 貞元	正	御医師	300	寛11・7・4	寛政11・1	32
〃 一庵	匹		20人	寛11・7・4	文化6・7・1	34
服部清左衛門			300	寛10・3・4	寛政9・12・3	
〃 鍋四郎・琢左衛門	政綱		300	寛10・3・4 寛12・11・末	文化4	33
服部直助			80	寛10・4・10 寛12・1・1		
服部彦兵衛				寛9・10・27		

〃 又三郎			120	寛9・10・27		
馬場孫右衛門			100	寛11・12・末(12・17)	寛政11	
〃 躬太郎			100	寛11・12・末(12・17)		
馬場孫三	信営		400	寛9・8・27 寛11・9・末	享和3・9・7	68
				寛12・4・末(4・2)(4・23)		
林 慶助	瑜	儒者	20口	寛9・10・27	寛政9・5・26	54
〃 周輔			100	寛9・10・27	天保7・8	56
林 源進				寛9・10・27		
〃 安次郎			70	寛9・10・27		
林 十左衛門	保之		300	寛8・1・18 寛9・7・1 7・2	文政11	
				寛10・10・7 寛12・1・末(1・19)		
林 清左衛門・源太左衛門	定将		700	寛11・4・24	文化6・11・12	53
林 弥四郎	克綏		350	寛9・5・25 ⑦・23 8・27 寛11・11・末	文化11	
				寛12・11・末(11・4)		
原 永次郎			200	寛9・5・25	文政5	
原 九左衛門	元勲		1280	寛8・2・15 寛12・9・4	文化4・12・6	38
原 平左衛門				寛10・12・29		
〃 十左衛門			100	寛10・12・29		
原 宗右衛門			400	寛8・12・16 寛11・7・4	宝暦10・3・2	41
〃 織之助	直政		100	寛8・12・16	文化7・10・20	
〃 亥之助			200	寛11・7・4	天明6・5・21	35
原篠喜兵衛			250	寛12・4・末(4・21)		
原田半兵衛				寛10・12・21 寛11・4・29		
原田久左衛門				寛10・2・11		
原田又右衛門	成種		500	寛8・9・7 9・14 寛11・12・19	文政10	

姓・通称	諱		扶持	年月日	没年月日	享年
伴 源太兵衛	方延		500	寛11・2・末(2・15)	享和2・8・2	59
伴 七兵衛	資愛		450	寛10・2・10	天保9	70
伴 八矢	方平		5000	寛9・10・28		
半田惣左衛門	景福		600	寛12・1・12	文化8・8・29	
ひ						
久田忠大夫	善昭		150	寛10・3・4	寛政9・10・1	
〃 平三	方福		150	寛10・3・4	天保7	67
久田平右衛門	脩周		250	寛9・3・19 10・27 寛10・2・11	寛政9・3	
〃 権作			250	寛9・10・27		
土方勘右衛門	栄氏		500	寛11・8・6	文化11・6	
一木鉄之助	移忠		500	寛11・1・末(1・25) 12・18 寛12・1・27	文政7・5・11	
人見吉左衛門	忠貞		800	寛9・11・15 11・29 12・16	文政5・7・14	
				寛11・1・末(1・21)		
平崎久右衛門		浪人		寛12・9・4		
平田三郎右衛門	盛以		350	寛11・12・23	文化13・12・24	55
平野是平			170	寛12・9・22	享和1・4	
広瀬七郎大夫				寛9・12・7		
広瀬順助			130	寛8・12・16		
〃 藤兵衛			130	寛8・12・16	天保2	
広瀬武大夫	胤忠		450	寛8・3・23 寛10・3・4 7・4 8・15	文化11	
				寛11・5・末		
〃 鉄四郎				寛10・3・4		

ふ

福井土佐		町人		寛11・6・末		
深尾七之助	竹翁		140	寛8・3・16　8・1		
深美主計助	秀曜		4500	寛11・6・1	文化6・2・晦	33
福田彦右衛門	道経		400	寛9・5・25		
〃　四郎	永貞		400	寛9・5・25		
福島三郎兵衛			400	寛12・7・末(7・11)		
福島八十左衛門			400	寛12・4・末(4・21)		
〃　七之助			400	寛12・4・末(4・21)	享和3・7・2	27
藤井宇右衛門			50	寛10・3・28		
藤井平左衛門	昌言		130	寛11・7・4		
〃　弁太郎・左次馬			130	寛11・7・4		
藤沢助三		内記家臣		寛12・4・20		
藤田大学				寛10・3・11		
藤田忠蔵			100	寛11・7・4		
〃　吉三郎	有端		100	寛11・7・4		
藤田求馬	安貞		2000	寛8・2・15　寛10・12・29	文政1	
				寛11・1・末(1・21)		
不嶋与左衛門				寛10・2・10		
藤村八大夫		今枝家臣		寛12・4・末(4・1)		
二口五郎兵衛			90	寛10・4・10　寛12・1・1	文政3	
古沢忠左衛門				寛10・9・27		
古屋孫市	包教		500	寛8・6・22　寛10・2・11　寛11・8・7	享和1	
古屋也一	和昔		400	寛11・8・3　8・11	文政4	

姓・通称	諱		扶持	年月日	没年月日	享年
古屋弥四郎	永綏		300	寛9・5・6　寛10・9・27		
不破駒之助	半蔵		1000	寛9・1・末(1・14)	享和3・6	31
不破五郎兵衛	光保		330	寛10・3・29　8・25　10・7　寛11・3・3　5・6　6・末　11・末　寛12・9・9	文化11・2・26	73
不破佐多右衛門		与力		寛9・4・11		
不破七兵衛	良実		200	寛10・7・6　寛12・5・23	享和3・2	
不破瑞元		医師	150口	寛10・4・11　12・29		
〃　良策			5口	寛10・12・29		
不破半蔵	与潔		600	寛11・12・19　寛12・5・25	享和3・6	31
不破平左衛門	方淑		500	寛8・9・末(9・21)　寛9・3・19　10・27　寛12・5・25	寛政9・3・28	
〃　栄五郎	方叙		500	寛9・10・27	天保8・7・20	55
不破和平・介翁	俊明		500	寛8・3・29　寛9・11・24　12・23　12・27　寛10・3・29　12・29　寛12・2・末(2・6)		
〃　東作・勘大夫	均		500	寛12・2・末(2・6)　11・末(11・13)	天保6・11	62
へ						
別所老次郎			400	寛11・7・4	寛政10・10・8	
〃　五百次郎			400	寛11・7・4	文化5・1・9	21
別所宗右衛門	成章		150	寛9・10・27	文化9・8・9	

ほ

細井弥一郎	政賢		400	寛9・5・25	寛政8・12・12	47
〃 弁次郎	正富		400	寛9・5・25		
堀 猪之助			150	寛10・12・29	寛政12	42
〃 綾彦・伊平太			150	寛10・12・29	文化7・4・10	40
堀 勘兵衛				寛11・10・5 12・末(12・14)		
〃 平馬	政和		500	寛11・12・末(12・14)		
〃 孝次郎	政之		300	寛11・12・末(12・14)	天保13	62
堀 九郎兵衛				寛11・2・末(1・8)		
堀 三郎兵衛	庸富		500	寛8・1・18 6・29 7・末(7・3) 12・16	寛政8・6・8	46
〃 次郎八	庸忠		500	寛8・12・16 寛9・5・6	文政10・2	
堀 左兵衛	秀親		450	寛8・12・末(12・26) 寛10・4・末(4・1) 寛11・6・末(5・26) 寛12・2・末(2・11)		
堀 助右衛門・万兵衛	貫保		200	寛8・4・2 寛11・11・25 12・末(12・7) (12・14)	文化13	
堀 定之助				寛10・9・27		
堀 遊閑・孫左衛門	勝周		200	寛9・12・28 寛11・12・末(12・28)	寛政12・1・19	96
堀 兵馬	善勝		200	寛9・7・1 寛11・6・末(5・26) 12・末(12・28)	天保10・2・28	69
堀 与一右衛門	成章		300	寛8・2・末(2・21) 寛10・2・23		
堀部五左衛門	弘通		170	寛8・2・13 寛9・4・18 寛11・11・21 11・25	享和4・2・1	58

姓・通称	諱		扶持	年月日	没年月日	享年
本多安房守・悠々斎	政行		50000	寛8・1・頭 1・24 1・27 2・15 2・28 2・29 3・1 3・9 寛9・5・15 12・9 寛10・2・15 5・15 寛11・4・20 4・23 5・頭 11・20 11・22 11・23 11・24 11・27 11・29 12・9 寛12・10・13	寛政9・11・23	70
本多玄蕃助・安房守	政成		50000	寛8・2・28 2・29 2・末(2・21) 3・頭 3・1 3・2 3・16 3・24 3・末(3・21) 4・23 5・19 5・28 6・8 7・1 8・15 9・頭 9・9 10・22 10・末(9・29) 11・9 11・16 12・22 12・26 12・28 寛9・1・4 1・15 2・13 2・20 2・24 2・28 3・3 3・10 3・11 3・19 4・頭 4・12 5・6 5・8 5・23 5・24 5・25 5・28 6・12 7・8 ⑦・4 ⑦・9 ⑦・11 8・8 9・9 10・頭 10・27 11・20 11・23 11・24 11・27 11・晦 12・7 12・9 12・11 12・16 12・18 12・23 12・17 12・28 寛10・2・15 2・23 2・27 4・10 4・15 4・20 4・23 5・頭 5・15 5・22 5・25 6・3 6・20 7・12 7・17 8・15 8・23 8・25	享和3・4・28	49

				9・11 9・12 9・29 10・28 12・29 寛11・6・28 7・28 7・末(7・25) 9・末(9・28) 10・4 12・19 12・末(12・10)(12・24) 寛12・2・末(2・11)(2・28) 4・末(4・1) ④・19 6・11 6・15 6・16 6・20 7・7 8・頭 8・16 8・26 8・29 9・22 10・29 11・4 12・1 12・15 12・28		
本多頼母・閑随	政康		10300	寛9・⑦・15	寛政12・9・26	69
〃 勘解由	政養		10300	寛9・⑦・15 8・1 11・20 11・23	天保9・4	74
本多内記	政恒		3000	寛9・11・20 寛12・2・末(2・11)	文化7・8・8	48
本保六郎左衛門	平通		150	寛12・3・28 4・末(4・1)	文化6・12・15	67

ま

前田逸角	孝張		1000	寛9・10・27	寛政9・⑦	
〃 求馬	孝政		1000	寛9・10・27	天保10	61
前田大炊	孝友		1850	寛8・2・頭 2・28 3・頭 3・29 4・頭 4・4 5・頭 6・頭 7・頭 8・頭 9・頭 10・頭 10・5 10・22 11・頭 12・頭 寛9・1・頭 2・頭 2・28 3・頭 4・頭 5・頭 5・23 5・24 5・25 5・28 6・頭 10・6 12・頭 12・8 12・11 12・17 12・23 12・28 寛10・1・末(1・16) 2・23	天保	

姓・通称	諱		扶持	年月日	没年月日	享年
				3・23　7・頭　7・12　7・17　12・29		
				寛11・6・末(5・26)　9・末(9・28)		
				寛12・1・末(1・15)　4・末(4・21)　5・5		
				7・頭　8・26　10・頭　11・頭　12・頭		
				12・15		
前田左膳	道柯		700	寛9・7・1		
〃織江	道済		700	寛8・10・10　10・28　寛9・7・1　⑦・15	天保1・10・13	
				寛10・3・11　寛11・5・2　6・7　7・18		
				9・5　9・26　10・27　12・11　12・16		
				12・17　12・19　12・25　12・末(12・15)		
				寛12・1・1　1・23　2・1　2・23		
				2・末(2・15)　3・1　3・24　4・13		
				4・18　4・29　④・7　5・1		
前田掃部	孝亮		300	寛9・12・7		
前田義四郎			300	寛10・9・27	文政3	
前田喜八郎				寛12・1・15		
前田内蔵太	孝敬		300	寛8・2・15　寛12・2・末(2・11)　9・4	享和2	
前田権佐	正泰		300	寛9・⑦・17　寛10・12・29　2・末(2・13)	天保10・8・9	
〃立次郎			300	寛10・2・29　寛12・12・23		
〃銀三郎	正通		300	寛12・12・23		
前田作次郎・清八	直福		600	寛10・9・27　寛11・10・末(10・27)		
前田修理	知周		6000	寛9・10・27　寛10・3・28　5・5		
前田甚作		与力		寛9・4・11		
前田甚四郎				寛9・3・3		

前田甚八郎	直房		1020	寛11・2・末(2・15) 12・19 寛12(1・15)	文政7	
前田図書	貞一		7000	寛8・5・15 12・15 寛9・1・15 4・12	文政	
前田大学	直英		1500	寛9・7・19	文化7	
前田内匠助	直養		2500	寛12・2・末(2・1) 寛10・7・6	文化2	
前田土佐守	直方		1100	寛10・7・6 7・17 寛12・2・末(12・11)		
前田主殿助				寛9・10・27 寛10・3・16		
				寛12・4・末(4・23)		
前田兵庫	道暢		3000	寛10・2・10 寛12・2・末(2・11)(2・13)		
〃 橘三	孝弟		2500	寛9・9・2 寛12・2・末(2・13)		
前田兵部	純孝		3500	寛8・1・1 1・24 2・15 2・29	天保7・3	
				3・9 3・16 5・15 6・8 8・15		
				11・23 12・1 12・15 12・晦		
				寛9・1・15 2・25 3・3 3・10		
				5・25 ⑦・4 12・17 12・23		
				寛10・3・11 5・22		
前田美作	孝敬		1850	寛12・2・末(2・13)	享保6・9・14	59
前田 杢				寛9・10・27		
前波長三郎	忠言		300	寛12・4・末(4・21)		
松平康十郎			200	寛10・9・27 寛11・8・15		
松平才記	康保		250	寛9・12・15	享和2・4	
松平大膳	康保		4000	寛9・1・13		
松田五郎兵衛	知郷		350	寛8・1・27 寛11・1・末(1・25)	文政5・9・22	
松田四郎左衛門	邦道		400	寛8・12・16		
〃 音次郎・左次馬			400	寛8・12・16		
松永源五郎				寛8・9・28 9・29 10・末(9・29)		

姓・通称	諱		扶持	年月日	没年月日	享年
松原安左衛門	一得		500	寛11・1・末（1・25）		
松原元右衛門	貴忠		250	寛12・12・23		
〃　牛之助	有之		350	寛12・12・23	天保1・8・26	
馬淵順左衛門				寛12・4・末（4・21）		
み						
三浦重右衛門			1100	寛10・3・1　寛11・11・末（11・1）	寛政11・11・9	
				寛12・4・末（4・21）		
〃　勇次郎・要人			1100	寛12・4・末（4・21）		
〃　重蔵	賢善		1300	寛11・4・15　12・末（12・28）	文政7	
三階七郎大夫				寛9・10・27		
〃　助九郎			450	寛9・10・27		
三田八郎左衛門	整			寛10・11・21		
神子田新蔵	勝成		150	寛12・12・23		
〃　牛之助			150	寛12・12・23		
水越宗左衛門			100	寛9・5・25		
〃　軍平	政一		150	寛9・5・25		
水越八郎左衛門	政紹		350	寛8・12・11　12・末（12・26）		
				寛11・1・末（1・21）　寛12・10・17		
水越平之允	道賢		200	寛11・7・4	寛政10	
〃　覚左衛門			200	寛11・7・4		
水越杢兵衛			300	寛10・1・末（1・16）　寛11・12・末（12・14）	寛政11	
〃　縫殿太郎			500	寛11・12・末（12・14）		
水野金大夫				寛8・12・16		

〃 大橋			120	寛8・12・16		
水野庄五郎			670	寛10・10・28 寛11・9・26	文化14	38
水野次郎大夫	武矩		300	寛10・10・24 寛11・12・22 寛12・2・23	文化7・12・15	58
				6・4 6・7		
水野宅次郎			130	寛8・7・11		
〃 和七郎			130	寛8・7・11 寛12・4・末(4・21)		
〃 半佑			100	寛9・10・27 寛10・3・4		
				寛12・4・末(4・21)		
水野戸左衛門				寛9・10・27 寛10・3・4		
水野半大夫	武雅		180	寛9・10・27	文政11	
〃 貞次郎			180	寛9・10・27		
水原五左衛門			950	寛8・8・1 寛10・4・4 7・末(7・10)		
				寛11・3・13 寛12・2・末(2・11) 8・26		
〃 清左衛門				寛12・7・末(7・10)		
溝江勘左衛門			150	寛11・6・8	享和2	
溝口九郎兵衛	勝重		1000	寛11・7・4	寛政10・12・15	
〃 乙哲	勝吉		1000	寛11・7・4		
南 南左衛門				寛11・7・4		
〃 源左衛門			150	寛11・7・4		
嶺 四郎左衛門			250	寛12・4・末(4・21)		
〃 斧助・孫左衛門			250	寛12・4・末(4・21)		
箕輪宗左衛門	喜作		70	寛11・7・4		
〃 平作			70	寛11・7・4		
三宅嘉蔵				寛9・⑦・21		
三宅平太左衛門	政路		450	寛8・4・1 寛10・4・末(4・1)	文政3	

姓・通称	諱		扶持	年月日	没年月日	享年
				寛11・2・末(1・8) 3・末 9・26		
				10・27 寛12・2・1 4・18 8・26		
三田村内匠	定保		400	寛11・6・末	文政8	
三輪仙大夫	寛明		1130	寛10・2・6	文政11	
三輪半蔵				寛12・12・23		
〃 伝次郎			130	寛12・12・23		
宮井典膳	直経		600	寛8・3・7 3・9 5・28 寛10・1・24	文化3・8・24	
				寛11・6・末(5・26)		
				寛12・4・末(4・6)		
宮崎磯太郎			400	寛9・6・18 寛10・2・10		
宮崎蔵人	直政		800	寛9・11・29	文化4・7・11	
宮竹屋伊右衛門		町人		寛11・6・末		
む						
武藤伊織			200	寛11・7・13 寛12・2・末(2・7)		
武藤杢左衛門			150	寛8・12・16		
〃 市郎兵衛			150	寛8・12・16 寛10・3・4	寛政10	
〃 金二郎	昌興		150	寛10・3・4		
村井才兵衛				寛11・12・末(12・14)		
〃 佐仲			150	寛11・12・末(12・14)		
村井又兵衛	長世		16569	寛8・1・頭 1・17 1・22 1・27	文政10・10・28	
				7・頭 寛9・1・頭 5・25 7・23		
				⑦・頭 ⑦・9 10・末 寛10・1・23		
				2・頭 7・17 7・末(7・10)		

				9・12　9・24　9・27　9・29		
				10・1　12・27　寛11・1・1　3・1		
				3・13　3・17　3・20　4・1　4・27		
				8・3　8・末　9・末(9・28)		
				寛12・5・1　5・6　5・15　5・23		
				6・20　10・頭　10・15		
村上均之助				寛11・2・末(1・8)		
村上仁太郎			100	寛10・3・4		
村上定之助			350	寛8・9・28　9・29　10・末(9・29)		
				寛10・2・10		
村上伝右衛門			500	寛8・9・29		
〃　九左衛門			500	寛8・9・29	文政9	
村田久左衛門	景良		700	寛12・4・末(4・1)	文化4	
村田左源太			300	寛12・4・末(4・21)		
〃　貞三郎・定之助	直温		300	寛12・4・末(4・21)		
村田甚右衛門	直正		300	寛8・7・11	寛政8	
〃　政之助	直之		300	寛8・3・末(3・21)　7・11	天保7・2	63
村　八郎左衛門			500	寛11・10・末(10・25)　寛12・12・24	文化10	
村　杢右衛門	陣救		650	寛8・1・18　寛10・3・29	天保3	
				寛11・10・末(10・22)(10・25)　寛12・9・9		
も						
毛利治兵衛	乗雅		100	寛12・12・23		
〃　万三郎	乙乗		100	寛12・12・23	文政8・1・26	
毛利震太郎			400	寛9・5・25		

姓・通称	諱		扶持	年月日	没年月日	享年
持田源右衛門			50俵	寛10・3・28		
森　栄左衛門			300	寛10・2・10		
森　鳥左衛門			1200	寛11・12・末(12・14)		
〃　小十郎	三雄		1200	寛11・12・末(12・14)	文化7・4・22	
森口直平・新左衛門			100	寛9・5・25		
森田直右衛門			450	寛11・7・4		
〃　馬之助			450	寛11・7・4	享和2	
森田金之助				寛12・12・23		
や						
安田八郎右衛門			70	寛10・12・29		
〃　源左衛門	淑従		70	寛10・12・29		
安田六平・弥四郎				寛10・9・27　10・1		
柳瀬弥左衛門				寛9・⑦・21		
矢野判六・所左衛門	書資		350	寛8・1・27　寛10・9・27		
矢部覚左衛門				寛8・3・16　寛9・5・25	寛政8	
〃　鉄作	篤定		150	寛9・5・25	天保13・11・2	56
矢部七左衛門	成尺		450	寛8・7・7　寛9・5・18　7・19　⑦・9	天保3	
				8・21　寛10・7・末(7・10)　8・23		
				9・末(9・上旬)　9・27　9・29　10・2		
				10・3　寛11・7・11		
山内九郎兵衛	以実		280	寛9・5・6	天保6・11	65
山岸十左衛門			80	寛10・1・24		

山口左次馬	一寧		400	寛11・1・末(1・25) 12・18 12・23	天保12	
				12・晦 寛12・1・27		
山口清大夫・新蔵	信逸		650	寛10・3・29 9・24	天保10	
				寛11・10・末(10・25) 12・19		
				寛12・1・末(1・19)		
山崎権丞		大聖寺		寛11・6・末 寛12・12・23		
山崎庄兵衛	文資		4500	寛12・12・23		
〃 伊織	長恒		4500	寛12・12・23	文化3・10・3	37
山崎次郎兵衛	盛明		550	寛8・8・25	寛政8・5	
〃 郁視	喜知		550	寛8・8・25 寛9・⑦・末(6・13)(6・15)		
山崎彦右衛門	喜隆		1000	寛8・7・28 12・16 寛9・4・1	寛政8・7・27	50
〃 鉦助	有隆		1000	寛8・12・16 寛9・5・6		
				寛11・9・末(9・28)		
山崎茂兵衛・久兵衛			300	寛8・1・21 7・11		
〃 茂左衛門			300	寛8・7・11		
山崎弥次郎・頼母	籍侃		850	寛9・7・2 寛10・9・27 寛11・3・3		
				3・22 寛12・2・末(2・11)		
				寛12・9・9		
山路忠左衛門	昌澄		400	寛10・12・29 寛11・6・28 11・10	文政1・2	
				寛12・8・29 9・4		
山田栄沢		坊主頭	70	寛12・12・23	寛政12	
〃 粂之助・良助	信満		120	寛12・12・23		
山田半内・三次郎			350	寛8・8・28	享和2	
山谷鉦助馬				寛11・9・末		
山中安之進				寛11・12・18 寛12・1・22		

姓・通称	諱		扶持	年月日	没年月日	享年
山村喜兵衛	昌豊		500	寛9・10・27	寛政9・4	
〃 次郎左衛門			500	寛9・10・27	文政7	
山村善左衛門	愼之		350	寛10・10・28	天保10・10	90
山本十兵衛				寛12・12・23		
〃 作助			40俵	寛12・12・23		
山本大助	庸延		250	寛11・12・末(12・14)		
〃 源助			250	寛11・12・末(12・14)		
山本武兵衛				寛12・4・末(4・23)		
山森外記			1500	寛8・12・16		
〃 九三郎・藤右衛門			1500	寛8・12・16		
山森沢右衛門	道能		500	寛9・5・25 寛10・2・11	寛政9・1	
〃 権八郎	弘		500	寛9・5・25	文化9	
山森又八郎・八左衛門			250	寛9・10・27	寛政9・7・11	52
〃 小源太			150	寛9・10・27	文政9	
〃 増三郎			100	寛9・10・27		
ゆ						
由比久左衛門			200	寛8・8・1		
由比太郎左衛門			450	寛10・3・4		
〃 彦大夫・勘兵衛	清毘		450	寛10・3・4 寛11・10・9	文化3・11・26	
行山次郎大夫			150	寛10・2・10		
行山丹助			150	寛11・7・4		
〃 八郎左衛門	孝永		150	寛11・7・4		

湯原長大夫			600	寛11・6・28		
よ						
横地伊左衛門・茂太郎	雅聡		300	寛8・4・2 6・22 8・1 寛9・2・28 寛10・8・1 寛11・7・4		
〃虎十郎	惟直		300	寛11・7・4 9・5		
横浜善左衛門	玄英		1050	寛9・7・13 12・9 12・23 寛10・8・1 寛11・1・末(1・21) 寛12・2・19	文化3	69
横山引馬	隆誨		500	寛9・7・2 寛12・1・末(1・19) 2・末(2・7)(2・11) 9・9		
横山蔵人	政實		10000	寛9・⑦・末(6・13) 12・1 寛10・4・4 5・15 9・25 9・27 10・1 11・21 寛11・3・1 3・7 4・24	天保7・1・26	48
横山大膳	隆美		1000	寛11・3・17 寛12・9・4	享和2・6・14	43
横山又五郎	政質		3500	寛9・10・1 10・15	文化6・9・9	
横山山城	隆盛		30000	寛11・6・末 寛12・2・末(2・1) 4・末(4・21)	文化13・8・27	34
横山要蔵			200	寛9・10・27	寛政9・⑦・20	
〃義六郎			200	寛9・10・27		
〃次郎兵衛	主一		200	寛9・10・27	文政5・12・24	
吉田市兵衛				寛10・3・4		
〃政次郎			100	寛10・3・4		
吉田市佑				寛9・10・27		
吉田九郎次		与力		寛9・10・15		

姓・通称	諱		扶持	年月日	没年月日	享年
吉田五郎兵衛		御鷹方	50俵	寛10・3・28		
吉田才一郎	茂延		300	寛8・9・29		
吉田所平				寛9・10・27		
〃 伝次郎			180	寛9・10・27		
吉田次郎左衛門	良政		100	寛10・3・28	明和5	37
〃 左助・左兵衛	彬義		100	寛10・3・28		
吉田忠大夫			100	寛8・12・16		
〃 助三郎			100	寛8・12・16		
吉田八郎大夫	兼忠		450	寛11・6・末(5・26) 11・末(11・4)	文化3・6	
				寛12・1・12 4・末(4・17) 5・10		
吉田彦兵衛	茂育		500	寛8・1・22 9・14 寛12・2・末(2・15)	享和3	
吉田又右衛門	成憲		200	寛10・9・11 寛12・4・末(4・17)		
吉田弥五郎		算用者		寛9・10・27		
わ						
和角弥右衛門	富章		100	寛12・12・23	寛政12	76
〃 兵助	久平		100	寛12・12・23	天保7	59
脇田瀬兵衛	尚尺		200	寛10・12・29	寛政10・3・5	55
〃 虎太郎	有尚		200	寛10・12・29	文政1	
脇田哲兀郎	直温		500	寛12・9・22	文政5	
和田久兵衛			150	寛12・12・23	寛政12	68
〃 左平			150	寛12・12・23	文化12	
和田源次右衛門	世貞		800	寛8・4・23 7・末(7・3) 寛10・3・11	享和3・①・28	61
				寛12・3・28 4・末(4・1)		

和田大作	安宅		200	寛10・12・29 寛11・7・4	寛政10	
〃 鉄五郎・幸左衛門			250	寛10・12・29 寛11・7・4		
和田知左衛門	幸綏		250	寛9・7・6		
渡部七郎大夫				寛12・9・22		
渡瀬七郎大夫	政勝		230	寛9・12・7 寛11・6・末(5・26)	文政6	
渡辺猪兵衛			100	寛12・7・末(7・11)	寛政12・2	50
〃 友之進			100	寛12・7・末(7・11)	文化3・10・29	
渡辺豊太・半左衛門	聡		110	寛12・4・末(4・21)	寛政11・10・27	62
〃 源五郎			110	寛12・4・末(4・21)		
渡辺幸助				寛8・3・29		
渡辺左兵衛		与力		寛10・10・28		
渡辺次左衛門	貫		70	寛10・9・27 寛12・12・23	寛政12・4・29	
〃 喜内	満		100	寛10・9・27 寛12・12・23	天保9	63
渡辺主馬	保		1000	寛11・7・1	寛政8・1・3	57
渡辺新平			70	寛10・3・6	寛政9	
〃 孫三郎・惣左衛門			70	寛10・3・6	文化5・10・1	
渡辺彦六郎			1000	寛9・10・27	寛政9・3・28	
〃 勝右衛門	美		1250	寛9・10・27 寛10・10・28		
渡辺茂兵衛				寛9・7・1		
渡辺弥三				寛10・12・29		
〃 与三太郎			150	寛10・12・29		
渡辺直左衛門				寛10・3・6		

翻刻・校訂・編集

笠嶋　剛　1939年生　金沢市在住
南保　信之　1946年生　白山市在住
真山　武志　1935年生　白山市在住
森下　正子　1940年生　金沢市在住
(代表)髙木喜美子　1940年生　金沢市泉野町5丁目5-27

ISBN978-4-86627-086-9

津田政隣
政隣記 耳目甄録 拾九
従寛政八年―到寛政十二年

二〇二〇年五月二〇日 発行

定価 三、〇〇〇円＋税

校訂・編集 (代)髙木喜美子
笠嶋 剛　南保信之　真山武志
森下正子

出版者 勝山敏一
印刷 株式会社 すがの印刷
発行 桂 書 房
〒930-0103 富山市北代三六八三―一一
電 話(〇七六)四三四―四六〇〇
FAX(〇七六)四三四―四六一七

地方小出版流通センター扱い